FAMILLES EN CRISES

T. Berry Brazelton est le fondateur du service de développement infantile du Children's Hospital de Boston. Il est aussi professeur émérite de pédiatrie à la faculté de médecine de Harvard. Il a écrit de nombreux livres, connus dans le monde entier, dont *Trois Bébés dans leur famille, Familles en crises* et *Les Premiers Liens* (avec B. Cramer).

Paru dans Le Livre de Poche :

T. BERRY BRAZELTON... VOUS PARLE DE VOS ENFANTS.

TROIS BÉBÉS DANS LEUR FAMILLE :
LAURA, DANIEL ET LOUIS.

T. BERRY BRAZELTON

Familles en crises

TRADUIT DE L'AMÉRICAIN PAR ISABELLA MOREL

STOCK/LAURENCE PERNOUD

Titre original :

FAMILIES : CRISIS AND CARING

A Merloyd Lawrence Book
Addison-Wesley Publishing Company, Inc.

A Ellen.

« Toute idée qui ne concourt pas à défendre le fait que les parents sont des êtres responsables ne peut, à terme, que porter tort au fondement même de notre société...

« C'est la bonne santé de la famille qui conditionne l'avenir. »

D. W. WINNICOTT,
*L'Enfant, la Famille
et le Monde extérieur.*

INTRODUCTION

Ce livre parle de familles qui existent, et raconte comment elles ont surmonté des épreuves et des crises graves. Pour tous les parents, fonder une famille et élever des enfants, cela consiste à passer d'une adaptation à l'autre. La façon dont les familles fortes, saines réussissent à s'adapter suit certains schémas, qu'il s'agisse de changements majeurs (adoption, maladie grave, divorce) tels que ceux qui sont décrits dans ce livre, ou d'évolutions mineures prévisibles (poussée dentaire, premiers pas, nouvelle garde). Ces schémas universels — confusion, régression, réorganisation et progrès, évolution —, on peut les observer chez les familles qui avec courage et générosité nous ont livré (à moi et au lecteur) les fruits de leur expérience. A travers leurs histoires, on peut voir que les grandes réussites parentales sont issues de petites victoires et que si elles n'étaient pas passées par les épreuves, et l'erreur, ces familles n'auraient pas aujourd'hui autant de force.

Tous les parents ont peur de commettre des erreurs. Non seulement les erreurs sont inévitables, mais c'est en faisant des erreurs qu'on apprend son métier de parent. Une des raisons pour lesquelles les parents ayant une vie professionnelle réussie peuvent avoir des difficultés à élever leur enfant, c'est que le monde du travail est souvent régi par le perfectionnisme et l'assurance d'obtenir des gratifications. Au contraire, quand on s'occupe d'enfants, les gratifications ne sont que rarement assurées. Cela dit, elles sont d'autant plus agréables qu'elles sont aléatoires. Le perfectionnisme et la recherche systématique de la réussite n'ont aucune place dans l'univers parental.

Les familles évoquées dans le livre ont toutes dû affronter des tensions spécifiques et graves. Ce sont des problèmes qui n'arrivent pas à toutes les familles, mais que nous avons tous redoutés ou imaginés. En nous permettant de nous identifier à eux, au fur et à mesure qu'ils réussissent à surmonter leurs difficultés, ces mères et ces pères nous font un véritable don d'eux-mêmes.

Quand Robin et Chris Cutler évoquent leurs sentiments de rivalité dans les relations passionnées qui caractérisent leur famille — rivalité entre eux et à l'égard de l'étonnante grand-mère de leur fils adoptif —, ils révèlent des sentiments que nous expérimentons lorsque nous fondons un foyer. Les Humphrey ont réussi à former une famille avec des enfants nés de deux mariages. Dans leur histoire, les problèmes qui se posent à un beau-fils et à son beau-père apparaissent dans une perspective claire. Étant donné que presque la moitié des enfants des États-Unis sont aujourd'hui élevés dans une belle-famille, il est de plus en plus important de comprendre de quelle façon les familles actuelles arrivent à s'entendre. Plutôt que de déplorer les statistiques ou de fabriquer des théories optimistes sur cette chimère des temps modernes, la « famille mixte », il faut observer de vraies belles-familles. Comme pour beaucoup de problèmes abordés dans ce livre, plus on affronte les faits avec franchise et plus on remue d'idées et de solutions nouvelles ; plus on a de chances aussi de réaliser l'élaboration d'une famille forte sur de nouvelles bases.

La famille O'Connell-Beder révèle les déchirements d'un couple qui se découvre incapable de concevoir et de mettre au monde ses propres enfants, et qui se voit qualifié de stérile. La transition à effectuer pour pouvoir s'occuper d'enfants qui ne sont pas les siens, surtout lorsqu'il s'agit d'adopter un enfant d'une autre race, n'est pas aisée, mais il est possible d'en faire une expérience gratifiante et stimulante. L'histoire d'Eileen et de Barry avec Jenny, leur fille coréenne, soulève la question universelle : quelle est la part de l'inné, quelle est celle de l'acquis ?

C'est à des situations particulièrement difficiles que sont confrontés les Cooper et les McClay. Les enfants Cooper ont perdu leur mère. Leur père se trouve tout à coup seul pour les élever, face aux états d'âme d'une adolescente et d'un garçon de quatre ans. La façon dont peu à peu ces trois personnes tirent de la force de cette tragédie est riche d'enseignements. Les McClay et leur fils Kevin ont été confrontés pendant trois ans à la leucémie du petit garçon — le choc du diagnostic et les affres du traitement. Leur témoignage, alors qu'ils affrontent avec leur fils et avec leurs autres enfants cette maladie mortelle, m'a ému et impressionné.

Toutes ces familles ont exprimé leurs sentiments les plus profonds avec sincérité. Leurs réactions au stress sont très différentes les unes des autres, bien qu'on puisse y retrouver un schéma universel. J'espère avoir réussi à transmettre aussi bien les leçons que m'ont apprises ces parents et ces enfants, que l'admiration que j'éprouve pour chacun d'entre eux.

Chacune des cinq familles a participé avec moi à l'émission télévisée « What Every Baby Knows », émission d'après laquelle les histoires et les questions de ce livre ont été adaptées. Un précédent livre [1] a dépeint cinq autres familles aux prises avec des joies et des peines plus courantes, celles qui sont le lot quotidien de tout parent. Jamais je n'ai éprouvé autant de plaisir à écrire qu'en rédigeant les portraits et les dialogues de ce livre et ceux qui vont suivre.

J'aimerais de nouveau remercier les nombreuses

---

1. *T. Berry Brazelton vous parle de vos enfants*, paru dans la même collection, Stock/Laurence Pernoud, 1988 (Le Livre de Poche n° 6726).

personnes qui ont permis la réalisation des émissions et qui m'ont donné la possibilité de vivre avec ces familles des expériences aussi riches. John Backe et Peggy Lamont, fondateurs de « Tomorrow Entertainment », m'ont donné l'occasion de participer à l'élaboration d'une série télévisée par câble. Grâce à leur clairvoyance et au talent de Lou Gorfain, Chuck Bangert et Hank O'Karma, de « New Screen Concepts », l'impact de l'audiovisuel se mettait au service des idées sur le développement infantile que je m'efforçais depuis longtemps de diffuser par l'écriture. La société Procter & Gamble a généreusement financé ce programme novateur, grâce au travail enthousiaste et acharné de Beverly O'Malley et d'Erika Gruen, de l'agence publicitaire Dancer Fitzgerald Sample. Le personnel de l'Unité de développement infantile du Children's Hospital de Boston, et tout particulièrement Nancy Poland qui a une grande expérience comme infirmière consultante au service pédiatrique, et qui est mère de trois filles, nous ont aidés à donner plus de force au contenu de l'émission en utilisant les matériaux amassés au cours de nos recherches en commun. Sans Nancy et sa compréhension profonde des parents et de leurs préoccupations, il aurait été impossible d'obtenir le climat de confiance et de sincérité dans lequel les émissions ont été réalisées et les livres écrits.

Ni les émissions ni les livres n'auraient pu voir le jour sans la contribution des parents eux-mêmes : Robin et Chris Cutler, Charles Cooper, Liz et Howie Humphrey, Valérie et Kevin MacClay, Eileen O'Connell et Barry Beder. Il m'est impossible de leur exprimer à eux, ainsi qu'à leurs enfants, toute ma gratitude.

La famille Cutler

L'histoire de la famille Cutler

Robin et Christopher Cutler sont tous deux originaires du nord des États-Unis. Chris, trente-huit ans, vient d'une famille de la bonne bourgeoisie bostonienne; il est blond, athlétique, sûr de lui. De caractère affable, il séduit tout le monde avec son sourire spontané et son charme naturel. Son fils, Wiley, qui a seize mois, lui est de toute évidence très attaché. Au cours de notre visite, Wiley n'a quasiment pas quitté les genoux de son père, surveillant mon visage dès que j'adressais la parole à Chris.

Robin, trente-six ans, brune très élégante, paraît également sûre d'elle. C'est une décoratrice en vogue. Elle fait plusieurs fois par semaine les soixante kilomètres qui séparent Boston de sa maison près de Worcester, pour voir ses clients. Elle est très recherchée et ses honoraires sont élevés. Robin s'exprime de façon sophistiquée, mais spontanée. Avec elle, on a une impression de contact immédiat. Je me suis d'emblée senti proche d'elle. Son absence d'inhibition — quasiment enfantine — contraste avec l'air de compétence et de distinction qui se dégage d'elle.

Chris a récemment changé de travail; il a quitté son emploi de consultant en management pour un poste administratif dans un hôpital voisin de son domicile. Il s'est décidé à ce changement afin de pouvoir passer plus de temps à la maison avec Wiley. Il m'a expliqué qu'il sentait l'enfance de Wiley s'envoler tandis qu'il perdait chaque jour de longues heures en trajet vers son lieu de travail, sans compter les voyages d'affaires qui l'obligeaient souvent à passer la nuit loin de chez lui. Il se rappelait ses rapports

avec son propre père qui lui aussi se déplaçait beaucoup. Il avait grandi avec le désir de mieux connaître
son père, et refusait que la même chose arrivât par
sa faute à Wiley. C'est pourquoi il avait rapidement
réagi à l'arrivée de Wiley en recherchant un emploi
proche de son domicile, pour s'assurer au moins un
moment chaque jour avec sa famille.

La quatrième personne à faire partie intégrante de
la famille est la mère de Robin. Restée veuve avec
trois petits enfants, elle avait dû travailler pour les
entretenir et était devenue un professeur renommé
dans une prestigieuse école privée de Boston. Elle
avait réussi à élever ses enfants, à leur faire faire des
études universitaires et, quelques années plus tôt,
une fois qu'ils avaient été bien installés dans leur
carrière, elle avait pris sa retraite. La soixantaine,
énergique, élégante, c'est une femme séduisante.
Elle est restée très proche de sa fille et de sa famille.
Wiley est tout à fait sous son charme ; moi aussi je
l'étais en voyant de quelle façon imaginative et déli-
cieuse elle s'occupait de chaque membre de cette
famille.

Lorsque nous nous sommes rencontrés pour la
première fois, Chris m'a avoué franchement que
pendant toute son enfance il n'avait cessé d'espérer
que son père lui consacre plus de temps — de ce
temps tout entier dévolu à sa profession, l'archi-
tecture. Le père de Chris travaillait énormément,
avec succès, et avait donné à ses fils une excellente
éducation ainsi que l'exemple d'un homme entièrement voué à sa carrière. Pendant les fins de semaine
il mettait la même énergie à bricoler et à se distraire : nettoyant les bois, jouant au tennis, courant,
enseignant à ses fils l'endurance et l'agilité, mais sa
passion pour le travail maintenait entre lui et les
autres une certaine distance, et entretenait en Chris
un désir toujours déçu. Malgré ces sentiments, il ne
faisait pas de doute que son père l'avait bien élevé.
Chris est en effet un homme chaleureux, viril, à la

fois paternel et ferme. Il est décidé à être un père différent pour Wiley.

Wiley est un enfant adopté. Robin et Chris ont attendu cinq ans après leur mariage pour décider d'avoir des enfants. Ils pensaient alors pouvoir concevoir immédiatement. Robin fit une fausse couche peu après et, ensuite, plus rien. « Nous n'avons pas été longs à nous rendre compte que nous avions un problème, dit Robin. Chaque soir notre angoisse augmentait. Nous sommes passés par tous les stades de l'horreur qui mènent au constat de stérilité. J'étais résolue à avoir des enfants, et Chris aussi. Chacun de nous en avait besoin en tant qu'individu, mais aussi en tant que conjoint; nous avions besoin de partager un enfant. Au début, nos amis demandaient si nous allions nous y mettre un jour. Quand nous cherchions à leur répondre avec franchise, nous les embarrassions et ils changeaient de sujet. C'était comme si nous avions une maladie. Chacun de nous essayait de se charger de la responsabilité, pour protéger l'autre, comme si c'était la faute de quelqu'un. Pourtant il n'y avait aucun diagnostic de la part des médecins, seulement une "stérilité, sans cause connue". Tous les membres de la famille finirent par passer à l'action. Ils nous ont envoyé des articles sur la stérilité. Nous avons découvert que 15 à 20 p. 100 des couples étaient stériles. C'était rassurant : au moins d'autres gens avaient le même problème. 40 à 45 p. 100 des causes sont d'origine masculine. Peu à peu nous nous sommes sentis très isolés dans les réunions familiales, avec notre désir de devenir comme nos frères et sœurs, de mêler nos enfants aux leurs. Nous avions l'impression que notre vie tournait à vide. Chaque fois que nous voyions les autres, nous avions la sensation qu'il y avait un abîme entre eux et nous. Cela faisait maintenant huit ans que nous essayions, et il nous fallait soit renoncer, soit entreprendre autre chose si nous ne voulions pas devenir fous. De plus, j'avais dépassé trente-cinq ans, il fallait donc prendre une décision. »

« Nous étions décidés à adopter un enfant de race blanche, dit Chris, même si tout le monde nous répétait que c'était impossible. Nous avons entrepris des recherches à plein temps pour trouver un enfant blanc. Nous l'avons fait savoir publiquement. Chaque fois que nous rencontrions quelqu'un nous lui disions : "Nous voulons un bébé." Tous nos amis se sont mis à chercher pour nous. Nous avons trouvé un avocat à New York qui demandait quinze mille dollars en liquide pour un bébé. En fin de compte, nous nous sommes adressés à un avocat de Caroline du Sud qui s'était consacré aux adoptions. Il mettait en contact les parents naturels et les postulants à l'adoption, ce qui leur permettait de parler de la situation; ainsi était pris en compte le côté affectif de l'arrangement. Puis l'avocat intervenait pour s'occuper des démarches légales, cela à son tarif habituel. Une fois que nous avons trouvé les parents naturels, nous n'avons attendu le bébé que deux semaines. Mais, avant d'en arriver là, nous avions passé huit mois de labeur acharné. Sur le coup, nous nous sommes interrogés : la mère était-elle ou non en bonne santé, quel handicap le bébé pouvait-il avoir? Nous avons toujours été persuadés qu'il y avait quelque chose. Sans cela, ç'aurait été trop beau pour être vrai. Notre avocat rencontra la jeune femme, puis entreprit les démarches médicales, hospitalières et légales. Nous nous sommes envolés vers le Sud pour chercher notre bébé à l'aveuglette. Quel acte de foi ! Je n'arrivais pas à y croire et cherchais ce qui n'était pas normal. Quand Wiley a ouvert les yeux dans l'avion au retour, il louchait. J'ai appelé l'hôtesse et lui ai dit de regarder. Elle dit : "Eh bien, quel âge a-t-il ?" Dans mon affolement je ne savais plus et j'ai répondu : "Je ne sais pas, je le connais à peine." Toute cette discussion l'a réveillé et ses yeux se sont remis en place. Quels idiots nous étions ! Le temps de revenir chez nous, nous l'aimions passionnément. »

Robin voulut raconter le reste de l'histoire : « Je sentais qu'il fallait que j'adopte un enfant. Je devais cesser de me torturer à cause de mon échec. L'adoption était la solution. Et c'est bien vrai ! Je crois que les parents adoptifs ont à offrir un amour encore plus fort. Nous avons un si grand besoin de ces enfants ! Et nous avons besoin de faire nos preuves. Bien entendu, nous avons aussi besoin que ces enfants deviennent parfaits. Mais Wiley l'était dès le départ. Il était le miracle que nous attendions. Nous avons immédiatement éprouvé un amour tellement profond. Avec l'impression que c'était de la magie et que tout pouvait disparaître comme par enchantement.

« Nous n'avions donné qu'un coup de téléphone de l'aéroport pour informer un voisin de notre voyage, mais ce fut comme si la ville tout entière s'était préparée. Quand nous sommes arrivés chez nous, nous avons découvert que tous nos amis s'étaient donné rendez-vous dans notre maison et avaient installé une nursery pour le retour de Wiley : tout y était, prêt à servir ! Comment ne pas parler de miracle ? Nous avons été accueillis par des félicitations et du champagne. Et nous, nous étions fiers de leur présenter ce magnifique enfant. »

Les yeux de Robin étaient devenus rouges et elle s'arrêta pour jeter un coup d'œil à Wiley. « Dès le premier instant, continua-t-elle, nous avons eu l'impression de connaître Wiley. Cela s'est fait tout naturellement. Pourtant nous avions eu des difficultés à nous faire à l'idée d'adopter un enfant ; dès qu'il a été là, c'est devenu plus facile. Nous avions vécu une telle épreuve, avec tous ces examens pour trouver ce qui pouvait ne pas fonctionner en nous. Chaque fois on nous renvoyait en disant : "Vous n'avez qu'à rentrer chez vous et à faire un bébé. Vous êtes normaux." Quelle farce ! Nous avons essayé

encore et encore. Chacun de nous avait l'impression
de faire échouer l'autre. Notre relation de couple
était vraiment mise à rude épreuve. »

La mère de Robin intervint dans la conversation.
« J'avais de réelles inquiétudes en ce qui concernait
l'état mental de Robin. Est-ce que vous croyez aux
miracles ? Moi, j'y crois. Je suis allée à l'église le premier dimanche de l'Avent. J'ai prié pour que Robin
ait un bébé. C'est juste le jour où le bébé est né ! »

« A partir du moment où nous l'avons eu, dit
Chris, j'ai senti que je le connaissais comme s'il faisait partie de moi. J'avais du mal à me concentrer
sur mon travail comme avant. Il fallait que je sois à
la maison avec lui. Je le trouvais stupéfiant. Il fallait
que je voie tout ce qu'il faisait. J'étais amoureux ! Je
ne voulais pas suivre l'exemple de mon père, être
comme lui un bourreau de travail, toujours loin de
ses petits garçons. Je ne voulais pas manquer Wiley.
Je me suis mis à passer chacun de mes moments
libres avec lui. C'était un tel plaisir, un tel enri-
chissement pour moi ; je me suis bientôt rendu
compte que ma carrière était en train de passer au
second plan, après le bébé. Mon nouvel emploi m'a
permis de consacrer énormément de temps à Wiley
et aussi à Robin. Nous avions attendu si longtemps
pour partager cette joie. »

Le père qui participe

Consultation

Chris a amené Wiley pour une vaccination, une
visite de routine.

DR BRAZELTON

Juste le père et le fils aujourd'hui? Comment allez-vous, tous les deux?

CHRIS

Wiley est dans une super-forme. Moi, je me partage entre mon travail et mon fils.

DR BRAZELTON

Vous arrivez à passer beaucoup de temps à la maison?

CHRIS

En fait oui, bien que mon travail me demande beaucoup de concentration et d'énergie.

DR BRAZELTON

C'est une période difficile pour n'importe qui mais, à la façon dont Wiley vous regarde et s'accroche à vous, on voit combien cela a compté pour lui. Pour vous aussi, je le devine.

CHRIS

Quand il était tout petit, on nous a dit que si nous lui parlions beaucoup, et que nous faisions vraiment très attention à lui, nous n'aurions pas à attendre longtemps pour être largement payés de retour. Et c'est ce qui s'est passé. C'est vraiment gratifiant. Pendant mon enfance, mon père passait des heures et des heures à travailler et je ne le voyais presque pas. Je ne veux pas de ça, ni pour moi, ni pour Wiley. Mon père m'a manqué. Quand nous étions avec lui, nous avions des moments intenses et après il me manquait encore plus.

DR BRAZELTON

Vous voulez dire que vos relations se définissaient en termes de « ou bien, ou bien ».

CHRIS
Oui, ou bien il était parti ou bien il était là. *Tout en parlant, Chris fixe Wiley du regard.*

DR BRAZELTON
Le fait d'être avec Wiley vous rappelle-t-il des souvenirs ou vous donne-t-il le sentiment de revivre votre propre enfance?

CHRIS
Oui. On a tendance à se souvenir des moments les meilleurs, et des petites catastrophes aussi.

DR BRAZELTON
Quelles catastrophes?

CHRIS
Oh! Je pensais juste à l'attente et à la déception; quand mon père n'était pas dans le train de Boston de 19 h 30, nous savions que nous ne le verrions pas avant le soir suivant. Cela arrivera aussi à Wiley, je le sais, mais pas trop souvent, j'espère.

DR BRAZELTON
Quelle est votre réaction quand vous ne pouvez pas rentrer à la maison?

CHRIS
Il me manque.

DR BRAZELTON
J'ai l'impression que cela vous attriste.

CHRIS
C'est que chaque soir est un moment tellement spécial, j'ai horreur d'en manquer un.

DR BRAZELTON

Est-ce juste Wiley qui vous manque ou y a-t-il autre chose?

CHRIS

Peut-être y a-t-il effectivement autre chose.

DR BRAZELTON

Avez-vous peur de vous mettre à trop ressembler à votre père?

CHRIS

(Très doucement.) Mmmmm.

DR BRAZELTON

Vous savez, rares étaient les gens de la génération de votre père à exprimer leurs sentiments. J'ai l'impression que plus leurs enfants avaient de l'importance pour eux, plus ils avaient du mal à le montrer. Quand je vous vois avec Wiley, je me rappelle comment je *voulais* être au moment où mon fils était petit. Mais, vous savez, c'était *difficile*. Je me voyais retomber dans le même type de rapports qu'avec mon père, qui était très distant. C'était un grand sportif, un véritable homme d'action, mais jamais il ne me permettait de pénétrer son intimité, et j'ai fait de même avec mes enfants. Mais vous voici, un homme qui a changé de travail pour organiser sa vie comme il le voulait. Wiley et vous, vous pourrez toujours vous souvenir de cette époque.

CHRIS

Je l'espère.

DR BRAZELTON

Si vous n'y prenez garde, vous retomberez dans cette vieille mentalité du « ou bien/ou bien » que vous aviez avec votre père. Ce n'est pas obliga-

toire, vous savez. Si vous réussissez à lui consacrer un peu de temps, quand vous rentrez chez
vous, avec suffisamment d'énergie, cet échange
précoce entre vous constituera pour lui un acquis
pour son développement à venir.

Les problèmes

Deux forces importantes s'affrontent en Chris,
alors que celui-ci se cherche en tant que père : son
souvenir d'avoir souffert de l'absence de son père, et
le fait que Wiley soit un bébé particulier, désiré passionnément pendant de nombreuses années. Quand
enfin Robin et lui purent adopter Wiley, Chris eut le
coup de foudre. Il était fin prêt pour ce petit garçon.
Par chance, Wiley est un petit garçon doué d'une
telle sensibilité et d'une si bonne faculté d'adaptation
que les soins paternels de Chris se sont trouvés bien
récompensés. Non seulement Wiley ressemble physiquement à son père — blond, fort, bien bâti —,
mais il a déjà la même personnalité. Tous deux sont
extravertis, avec un sourire irrésistible et un empres-
sement plein de charme. Il ne manque à Wiley
qu'une fossette au menton et des lunettes cerclées
d'or. A part cela, ils sont pratiquement copie
conforme. Tous deux ont la même façon de regarder
les gens, la tête un peu en arrière, l'air interrogateur.
Ils écoutent leur interlocuteur avec la plus grande
attention. Et, comme si on venait de leur faire la plus
extraordinaire des révélations, la compréhension
illumine leur visage. Plusieurs des mimiques que j'ai
remarquées chez eux sont tout à fait originales,
Wiley doit donc les avoir imitées de Chris. Comment
pourrait-il les avoir apprises si jeune ? Je ne vois
qu'une explication : Chris a été si disponible, il s'est
tellement occupé de son fils que Wiley n'a pas manqué d'occasions pour imiter, pour assimiler le
comportement de son père !

La relation entre Chris et Wiley était bien sûr
conditionnée par les circonstances particulières de
l'adoption. Dès le départ de Caroline du Sud, pendant le voyage de retour, Chris se rappelle avoir été
bouleversé et ravi. Avec des sentiments tellement
intenses dès le début, il n'était pas difficile pour
Chris de continuer à s'occuper de son petit garçon.
Chaque progrès — sourires, vocalises, rires, bras tendus, station assise, marche — était autant celui de
Chris que de Wiley. A travers ce bébé, Chris revivait
sa petite enfance. Tous deux sont enfermés dans ce
que la psychanalyste Margaret Mead appelle une
relation symbiotique.

De son côté, Wiley n'est pas resté passif dans la
formation de cette relation. Jusqu'à présent, il adore
Chris et le lui témoigne quotidiennement. Que va-t-il
se passer lorsque Wiley deviendra négatif, récalci-
trant ? Chris sera-t-il capable de comprendre cette
indépendance naissante et d'y participer avec admiration et patience à la fois ? La deuxième année lui
semblera-t-elle fantastique ou épouvantable ? Les
satisfactions de la paternité sont plus qu'importantes
pour Chris. La participation très étroite à la vie de
Wiley lui apporte une profonde satisfaction qui sans
doute l'aidera à tolérer les incertitudes à venir, aussi
bien que les tiraillements entre sa carrière et son rôle
de père.

Un homme et une femme peuvent-ils se partager
également le soin d'élever un enfant ? Dans *Parenting
Together*[1], Diane Ehrensaft montre que l'influence
des femmes dans cette évolution est aussi grande
que celle des hommes. Le mouvement féministe a
ouvert des portes pour tous, autant que nous
sommes. De même que ce mouvement a aidé les
femmes à se rendre compte qu'elles étaient capables
de réussir dans la vie professionnelle, puis à le prouver, il a soulevé la question suivante : les hommes

---

1. New York, Free Press, 1987.

sont-ils capables de prendre la relève pour élever les enfants, et les femmes sont-elles prêtes à les laisser faire? Quelques hommes ont osé se mettre à l'épreuve des faits. Il faut être doué d'une personnalité drôlement forte, comme Chris, pour aller à l'encontre du rôle masculin traditionnel. Un père qui participe doit faire face à des collègues masculins, qui peuvent se sentir menacés par son choix et l'agresser avec jalousie. Robin est tout à fait capable de faire vivre la famille par son travail de décoratrice, si elle le désirait, et cela aussi constitue une menace potentielle envers l'image que Chris se fait de lui-même en tant qu'homme.

L'image que Robin se fait d'elle-même en tant que femme et mère est elle aussi mise à l'épreuve. Peut-elle accepter longtemps ce double rôle? Pour que les choses marchent, Robin et Chris doivent être persuadés que leurs choix, en ce qui concerne Wiley, sont les bons. Par chance, Chris autant que Robin voient bien que ce qu'ils offrent à Wiley est vraiment bénéfique. Wiley lui-même a apporté sa contribution; il a littéralement charmé son père. Il a imité ses gestes, ses expressions, ses habitudes avec un charme si irrésistible que Chris ne pouvait que se sentir impliqué. Si Wiley avait été une fille, ou si sa personnalité avait été différente, est-ce que Chris aurait continué à s'occuper autant de lui? Nous ne le saurons jamais.

La nouvelle tendance à se partager l'éducation des enfants est-elle une révolution, ou est-elle le fait d'une nécessité? Diane Ehrensaft dit que c'est les deux. C'est certainement un changement en ce qui concerne des pratiques et des idées profondément ancrées dans notre culture, un changement qui libère les ambitions des femmes et les aptitudes des hommes à s'occuper d'enfants. Mais le partage de tâches éducatives est également imposé par la nécessité: existence de familles réduites, aux prises avec des difficultés financières, ne bénéficiant pas du soutien de l'État pour leurs enfants. Maintenant, on a besoin des hommes à la maison. Si on ne veut pas que les enfants soient négligés, il faut que les deux parents jouent un rôle actif dans leur éducation. Non seulement les enfants bénéficient de la participation de leur père, mais la famille entière en est renforcée. Peut-être que, à la longue, la participation des pères peut avoir une influence positive et freiner l'augmentation dramatique des divorces. A mon sens, rien ne peut remplacer une famille stable. Que les petits enfants puissent vivre avec des parents qui s'occupent beaucoup d'eux, c'est le rêve des pédiatres.

Pendant mes années de pratique, j'ai observé le développement des relations père/nourrisson. La participation fut officiellement accordée aux pères en 1960 par les groupes de préparation à l'accouchement. Les pères furent encouragés à assister aux séances de préparation et à être présents au cours de l'accouchement. Plus tôt, en 1950, quelques hommes s'étaient battus pour rester avec leur femme pendant le travail et l'accouchement. J'ai essayé pour mon premier enfant, mais je me suis laissé renvoyer à la maison en fin de travail. Il subsistait autour de la naissance proprement dite une atmosphère de secret et on n'encourageait guère les pères à participer. De retour à la maison, j'ai ressenti des sentiments mêlés, culpabilité d'avoir mis ma femme dans cet état dangereux et aussi tristesse de manquer un événement glorieux, la naissance de notre premier enfant. Rétrospectivement, je pense qu'on interdisait la salle d'accouchement aux hommes parce que ceux-ci, avec leur sens aigu de l'observation, donnaient à l'équipe médicale une impression de rivalité, et donc de danger. Enfin les pères se laissaient exclure parce qu'ils reconnaissaient être étrangers à ce rite féminin de passage.

Après que Lamaze, Grantly Dick Read et d'autres eurent fait de l'accouchement une affaire de participation, dans laquelle les femmes étaient alertes et actives plutôt que rendues passives par des médicaments, il devint clair qu'elles avaient besoin de soutien au cours du travail et de la délivrance. Le rôle des grand-mères et des autres femmes de la famille fut remis en évidence. Plus récemment, Marshall Klaus et John Kennel démontrèrent qu'en présence d'une *doula* (mot grec désignant une femme qui assiste une autre femme en train d'accoucher), le travail est plus court, qu'il y a moins de complications, y compris de césariennes. Il y a aussi moins besoin d'épisiotomie, moins de déchirements du col et moins de risques de complications pour le fœtus. En d'autres termes, tout le processus de l'accouchement devient plus actif et moins dangereux lorsque la femme bénéficie d'une assistance. La mère et l'enfant en profitent tous deux. Mais les grand-mères de cette génération ne sont pas très disponibles et les infirmières débordées doivent s'occuper de plus d'un accouchement à la fois. Plus les femmes enceintes se rendaient compte qu'elles avaient besoin d'une assistance constante, plus il était évident qu'il fallait s'adresser aux pères. Les séances de préparation à l'accouchement furent alors destinées aux mères et aux pères. Les femmes changeaient le cours de la paternité.

Quand un père est présent à la naissance, il se sent immédiatement plus concerné par le bébé. Sa participation à la naissance, le fait de pouvoir tenir le nouveau-né marquent le père profondément, de façon durable. Cet effet, doublé du fait que maintenant la majorité des mères travaille, a poussé peu à peu les hommes à prendre une part de responsabilité dans l'éducation des enfants. J'ai vu le changement s'effectuer progressivement parmi les pères de ma clientèle. Quand ils accompagnent leur femme à une visite prénatale, ils posent maintenant autant de questions qu'elle. Ils me téléphonent pour des renseignements. Pour beaucoup de visites de contrôle, les pères amènent seuls leur enfant. Pour les autres consultations, la plupart du temps les parents sont tous deux présents. Quand les femmes sont désireuses de partager la responsabilité des enfants, les hommes ont une réaction positive.

Les mères bénéficient de la participation des pères pas seulement pour des raisons pratiques. Il y a une dizaine d'années, une étude importante démontra que les mères sont plus compétentes pour nourrir les bébés de quatre mois et pour jouer avec eux lorsque le père les aide davantage. L'inverse est vrai ; une mésentente conjugale dans cette période critique s'accompagne de maladresse dans les soins maternels. On a mis maintes fois en évidence l'influence de la présence et du soutien paternel sur la qualité des soins dont la mère fait preuve.

Au cours de nos recherches au Children's Hospital de Boston, nous avons découvert qu'on pouvait amener les pères à être attentifs, intéressés, soucieux en les aidant à comprendre le comportement de leur enfant nouveau-né. Lorsque nous faisons aux pères, le troisième jour, la démonstration de notre « Échelle de comportement néonatal [1] », les mêmes pères, un mois plus tard, sont réellement plus sensibles aux cris de leur bébé et, un an plus tard, participent réellement davantage non seulement à la vie du bébé, mais à la vie de la famille tout entière. Les pères ne demandent qu'à être séduits.

Cette participation provoque un changement chez les pères tout en étant bénéfique aux bébés. Les pères se voient peu à peu différemment, au fur et à mesure qu'ils recherchent et obtiennent des satisfactions en s'occupant de leur petit bébé. Parmi les jeunes pères que je connais à Cambridge, je peux dire quels sont ceux qui ont des relations étroites avec leur enfant simplement en les croisant dans la

---

1. *Neonatal Behavioral Assessment Scale* (« Échelle de comportement néonatal ») mise au point par le Dr Brazelton, cf. p. 271.

rue. Ils marchent avec une sorte de fierté ; ils ont l'air plus rayonnants, plus assurés. Et, naturellement, ils ont aussi tendance à m'arrêter en pleine rue pour me raconter le dernier progrès de leur bébé.

Quel est le degré de compétence des pères ? Ross Park et ses collègues ont démontré que les pères nourrissent aussi bien leur bébé que les mères, et qu'ils sont aussi réceptifs aux signaux des nourrissons. Ces chercheurs ont l'impression que les pères nourriraient plus souvent leur bébé s'il était universellement admis que les pères étaient aussi compétents que les mères. L'« instinct maternel » a été attribué aux mères, il faudra un réel changement dans la société avant que les pères se sentent à la hauteur dans ce domaine. Si Robin, par exemple, avait critiqué Chris au cours des premières semaines sur sa façon de tenir le bébé, si elle l'avait accusé d'être brutal ou maladroit, elle l'aurait rendu trop vulnérable. Il aurait sans doute fait marche arrière pour se décharger de ces responsabilités. Une jeune mère qui a besoin de la participation de son mari a intérêt à se retenir de toute critique au cours des premières semaines. Les pédiatres eux-mêmes sont extrêmement sensibles aux critiques de leur femme quand ils tiennent leur premier bébé dans leurs bras. Les femmes ont d'emblée une expérience de neuf mois avec leur nouveau-né ; de plus, tout le monde leur fait une plus grande confiance. Les hommes doivent acquérir ce sentiment de compétence. En ce qui concerne Robin et Chris, le fait que l'enfant soit adopté peut les avoir aidés à se préparer au partage des rôles. Ils sont tous deux partis du même point, Robin n'a pas bénéficié de l'avance due à la grossesse. Tous deux attendaient désespérément ce garçon. Tous deux étaient prêts à partager et à construire leur relation autour de lui.

Quel avantage un bébé tire-t-il de la présence de son père ? Le fait que deux personnes différentes, toutes deux responsables, s'occupent de lui constitue pour l'avenir du bébé un véritable avantage.

Dans notre unité de développement infantile au Children's Hospital de Boston, mes collègues Suzanne Dixon, Michael Yogman et moi-même avons observé des bébés de quatre à six mois filmés en train de communiquer avec des adultes que l'on ne voyait pas. Nous regardions les doigts des bébés, leurs pieds, les expressions de leur visage, leurs yeux, leur bouche pendant deux minutes, sans voir avec qui ils communiquaient. Au bout des deux minutes, nous étions capables de dire si le bébé communiquait avec une mère, un père ou un étranger à la façon dont son corps se comportait. Nos observations démontraient qu'avec les mères, les bébés établissent une relation douce, feutrée. Leurs doigts, leurs pieds, leurs yeux et leur bouche remuent plutôt en cadence : ils se tendent, se replient, s'ouvrent, se ferment selon un rythme lent de quatre fois par minute. En effet quand les mères jouent avec leur bébé, elles se penchent invariablement vers lui, utilisant leurs mains, leur voix, leur visage pour l'encourager à un duo paisible qui s'accorde avec les rythmes propres du bébé, lents et sans à-coups, les pères ne se comportent jamais sans à-coups. Un bébé qui a des relations habituelles avec son père prend à partir de quatre-six mois ce que nous appelons l'air « saisi » dès que son père entre en scène : ses épaules, son visage, ses sourcils, ses bras, ses pieds même se lèvent. On a l'impression que le bébé s'attend à ce qu'on se jette sur lui.

Les pères, malgré leur participation accrue dans les soins quotidiens, entendent bien, comme avant, passer la plus grande partie de leur temps à jouer avec leur bébé. Dans un livre précédent, *La Naissance d'une famille* [1], j'ai décrit la façon énergique et excitante dont les pères abordent leur enfant, même au début. Ils jouent d'une façon plus physique que les autres, ils balancent l'enfant, le soulèvent en l'air.

1. Stock, 1983, rééd. Le Seuil, 1985.

L'activité de mères est davantage axée sur la nourriture, l'apprentissage, l'explication du fonctionnement des jouets. Vers quatre ou six mois, on peut
repérer, sur un film, ces différentes anticipations
dans le comportement d'un bébé.

La présence active de deux parents, c'est pour le
bébé un départ dans la vie deux fois meilleur, ainsi
que l'occasion d'apprendre plus. Il a une plus grande
latitude pour se développer émotionnellement. La
psychologue Tiffany Field a démontré que les pères
qui se sont occupés de leur enfant dès le départ lui
sourient plus, et imitent davantage ses expressions et
ses vocalises que les pères n'intervenant que plus
tard. La participation très active de Chris donne de
toute évidence à Wiley de plus grandes chances
d'expérimenter différentes réactions au monde qui
l'entoure.

Dès la naissance, les pères se comportent différemment selon que le nourrisson est un garçon ou
une fille. Ils touchent plus les garçons et leur parlent
davantage. Les mères parlent davantage à leurs filles
qu'à leurs fils et les touchent plus. Quand les enfants
grandissent, ces différences de comportement se
maintiennent. Ross Parke et Douglas Sawin, chercheurs de premier plan dans le domaine du comportement néonatal, ont découvert que les pères
touchent plus leurs fils et leur parlent plus, mais
qu'ils font preuve d'une affection plus rapide pour
leur fille, tandis que les mères continuent à plus toucher leurs filles, à plus leur parler, et à serrer leur fils
dans leurs bras. Ces observations peuvent nous donner les premières évidences de discrimination
sexuelle. Cela dit, d'après mon expérience, les nouveau-nés contribuent activement à susciter les différents comportements des parents à leur égard. Si,
comme Wiley, un garçon est calme, observateur et
qu'il réagit à des manières douces et tranquilles, la
mère aussi bien que le père adopteront vraisemblablement ce type de comportement pour se mettre
à l'unisson avec lui.

Chris et Wiley m'ont montré quel genre de relation peut avoir un père quand il est vraiment impliqué dans la vie de son enfant. Chacun d'eux paraissait saisir les signaux de communication verbale de l'autre sans même le regarder directement; quand Wiley faisait un mouvement, Chris répondait par un mouvement imperceptible. Avant même que Chris lui dise de faire quelque chose, Wiley s'était mis à l'exécuter. Une telle entente est fondée sur une communication sensorielle particulièrement élevée. Tous les deux n'étaient pas spécialement actifs ou bruyants, leurs réactions motrices étaient parfaitement synchronisées. A mes yeux, cela démontre non seulement de la part de Chris des efforts remarquables pour s'impliquer pleinement dans son rôle, mais aussi la qualité de leur relation. Ils étaient vraiment sur la même longueur d'onde.

Le développement intellectuel du garçon dépend davantage de la présence de son père que celui d'une fille. Les garçons qui ont un contact fréquent avec leur père obtiennent de meilleurs résultats aux tests cognitifs. Les pères non seulement stimulent le développement de leur fils pour ce qui est des prouesses physiques, mais ils ont également une influence positive directe sur les performances cognitives. Les pères stimulent le développement cognitif de leur fille de façon plus indirecte, à travers compliments et mots flatteurs. Ces effets positifs se manifestent dans les tests dès l'âge de six mois et jusqu'à six, sept ans lorsque les enfants entrent à l'école. Le contraire est aussi vrai. L'absence du père affecte les résultats aux tests pratiques de réussite, aux tests de QI ainsi que la moyenne scolaire. Que le père s'occupe ou non des enfants ne semble pas avoir d'effet sur l'identification sexuelle, sauf en ce qui concerne le travail domestique. Lorsque les pères effectuent leur part des travaux ménagers quotidiens, les garçons aussi bien que les filles sont plus familiarisés avec ces tâches. Les garçons qui, comme Wiley, ont un père actif à la maison seront mieux adaptés aux pressions et aux responsabilités auxquelles sont confrontées un nombre grandissant de familles, du fait que les deux parents exercent une profession.

Questions courantes

QUESTION

J'ai eu beaucoup de mal à concilier les exigences de ma vie professionnelle et mon désir de passer du temps avec mon fils à la maison. Avez-vous des suggestions ?

DR BRAZELTON

Ne vous épuisez pas complètement au travail, gardez un peu d'énergie pour pouvoir vous occuper de votre fils, vous rapprocher de lui lorsque vous rentrez à la maison. Dès votre retour, consacrez-lui un peu de temps — et écoutez-le. Ce qui compte, ce n'est pas tant de lui accorder beaucoup de temps, à condition de lui en accorder un peu chaque jour. Et en fin de semaine trouvez un moment spécial, un moment sacré juste pour lui et vous. Faites alors ce qu'il désire *lui*. Parlez de votre moment spécial pendant tout le reste de la semaine. La qualité particulière de ce moment partagé donnera de l'importance et de la vigueur à votre relation.

QUESTION

Quand mes enfants étaient petits, je les ai changés un nombre incalculable de fois, j'étais très doué pour leur faire faire leur renvoi et pour tout le reste. Mais c'était une corvée, pas vraiment un plaisir. En réalité, j'étais surtout préoccupé par ma carrière, inquiet de savoir si j'allais réussir ; je sentais que les enfants grandiraient « de toute façon ». Maintenant, je me demande s'ils ne seraient pas devenus plus sûrs d'eux en ayant ressenti de ma part davantage d'enthousiasme.

DR BRAZELTON

Vous avez relevé vos manches, et je suis sûr que ce simple fait a beaucoup compté pour vos enfants. Les enfants ne grandissent pas « de toute façon ». Ce qui me frappe, c'est votre propre nostalgie, vos regrets de n'avoir pas donné plus de vous-même. Mais j'ai l'impression qu'ils ont quand même bien profité de vous au bon moment.

QUESTION

J'ai grandi dans un foyer plutôt traditionnel. Ma mère était une mère à plein temps ; mon père travaillait. Ma femme travaille, et je m'occupe donc pas mal de notre enfant, je le change, je lui donne son bain, etc. Est-ce normal pour un père dans mon cas d'avoir l'impression qu'il en fait plus que les autres ?

DR BRAZELTON

Oui. Tout cela c'est la contrepartie de ce rôle nouveau, peu familier que vous assumez. Je sais que beaucoup de pères aujourd'hui ont le sentiment qu'ils font « tout » et que cela n'intéresse personne. Les femmes qui travaillent ont toujours éprouvé cela. Mais, la vérité, c'est que ces soins quotidiens sont importants, aussi bien pour vous que pour vos enfants. Quand ils n'auront plus besoin de vous, vous serez surpris du vide que cela fera dans votre vie. Mais en attendant, cela représente des exigences auxquelles vous n'êtes pas habitué, et c'est normal d'en éprouver du dépit. Que cela ne vous influence pas. Vous donnez à vos enfants une chance de découvrir combien un père peut être « maternel ». Quand viendra leur tour, ce sera plus facile pour eux.

QUESTION

Je passe mon temps à observer ma fille Hannah et je pense que j'ai beaucoup de chance de pouvoir déceler ses moindres changements. C'est une période étonnante. Parfois des hommes me voient et viennent me dire : « Vous laissez votre femme souffler un peu ? » Je leur explique que je m'occupe de ma fille à plein temps, que c'est une joie, mais ils n'ont pas l'air intéressés.

DR BRAZELTON

Il est probable qu'ils ne veulent pas vous écouter. De nos jours, la plupart des hommes sont conscients de manquer quelque chose s'ils ne participent pas vraiment. Ces changements que vous observez dans le développement de votre fille et dont vous vous sentez responsable, peuvent vous donner envie d'en faire plus encore. J'espère que vous le voyez aussi sur son visage, cet air de « c'est moi qui ai fait cela ! ». C'est la chose la plus importante que vous puissiez lui donner : le sens d'elle-même.

QUESTION

Nous en sommes au stade des prévisions. Ma femme et moi-même avons tous deux des métiers prenants. Mais, bien que j'aie travaillé dur pour en arriver là, je pense qu'un bébé pourrait devenir pour moi ce qu'il y a de plus important. Je serais probablement capable de refuser une promotion pour mon enfant. Comment nous préparer à cela ? C'est une décision tellement personnelle.

DR BRAZELTON

Et tellement importante. Quelle que soit la manière dont vous vous préparerez ce sera plus difficile et plus enthousiasmant que vous ne pouvez l'imaginer. Tout ce que je puis dire, c'est : gardez une grande latitude de manœuvre. Dans mon livre *A ce soir...* [1], j'ai essayé de présenter un tableau honnête de ce que sont les rôles de la mère et du père quand les parents travaillent tous les deux.

QUESTION

Que diriez-vous à une mère qui a l'impression que le père empiète sur son territoire en essayant de jouer un rôle plus important ? Un père qui, par exemple, voudrait tout faire à sa manière — les couches, la lessive, les jeux avec l'enfant ? Mon mari et moi-même avons une façon de faire différente et, quand il me remplace auprès de notre fils, je me sens menacée dans mes prérogatives.

DR BRAZELTON

Le mieux serait d'en parler avec lui, le plus tôt possible. Beaucoup de mères se placent inconsciemment sur le terrain de la compétition en revendiquant le rôle primordial. Mais il y a de la place pour les deux parents. Plus chacun de vous donne à l'enfant, mieux cela vaut pour lui, *tant que* cela ne provoque pas de conflit irréversible entre les parents. Faites tout votre possible pour éviter cela, et pour comprendre la cause du conflit, qui est de prendre les choses trop à cœur. Pour l'enfant, vous avoir tous deux auprès de lui, c'est un réel avantage. Ne le gâchez pas !

---

1. *A ce soir... Comment concilier travail et vie de famille*, Stock, 1986.

Rivalités, jalousie
entre parents

Consultation

Robin et Chris m'avaient amené Wiley en consultation. Ils s'étaient assis l'un à côté de l'autre ; Chris
avait tiré la « chaise du père » jusqu'à mon bureau,
tout près de la chaise que Robin avait choisie.
Comme ils s'installaient, je remarquai qu'elle se penchait vers lui. Wiley était debout contre les genoux
de sa mère, la tenant par la main, mais observant
son père.

DR BRAZELTON
Je suis heureux de vous voir tous les trois.
Voyons, quel âge a donc Wiley ?

ROBIN
Wiley a un an et demi, parfois il semble près
d'avoir quatre ans. Il a vraiment besoin d'autorité.
Il devient raisonneur, catégorique, indépendant,
et aussi bruyant, brutal — peut-être parce qu'il est
un garçon ? Ça me désole, ça m'attriste même un
peu, parce que je pense qu'il va grandir et s'en
aller. Jusqu'à maintenant il a été si facile.

DR BRAZELTON
Quels sont les problèmes à présent ?

ROBIN
Eh bien, pour commencer, j'ai l'impression qu'il
est prêt à faire plus d'efforts pour son papa que
pour sa maman !

DR BRAZELTON
Cela n'est pas très facile pour vous, ni très juste,
n'est-ce pas ?

ROBIN

Parfois, effectivement ça ne l'est pas. Pendant que Chris travaille toute la journée, c'est moi qui ai droit à tous les non et, quand Chris rentre à la maison, Wiley change d'humeur et devient un petit garçon heureux, joueur, prêt à tout pour être avec papa.

DR BRAZELTON

Vous avez l'impression que c'est vous qui faites tout le travail et que c'est lui qui reçoit toutes les récompenses.

ROBIN

Exactement.

DR BRAZELTON

Il y a peut-être un peu de concurrence dans tout cela.

ROBIN

Même beaucoup, certains jours !

DR BRAZELTON

Ce serait une cause de tension entre vous deux ?

ROBIN

C'est possible.

DR BRAZELTON

Chris, est-ce qu'on peut avoir un échantillon d'urine de Wiley ? *S'il sort, Robin se laissera peut-être aller à des confidences.*

CHRIS

Dis au revoir pour un instant. Dis au revoir à maman.

WILEY

'voir.

DR BRAZELTON

Tu es le meilleur! (*A Robin :*) Le problème de la deuxième année, c'est qu'il faut renoncer à l'idylle de la première année. On ne peut plus compter sur rien. L'enfant devient imprévisible — pour des raisons qui lui sont propres, et non à cause de vous. Il ne se contente plus d'être en adoration devant vous.

ROBIN

(*L'air triste.*) C'est si vrai.

DR BRAZELTON

La première année, tous vos soins au bébé sont immédiatement payés de retour. Est-ce que c'est tout à fait le contraire à présent?

ROBIN

Ce n'est pas un rejet total, mais c'est un peu l'effet que cela me fait.

DR BRAZELTON

Chris ressent-il la même chose? D'après ce qu'il a dit, je n'en ai pas l'impression.

ROBIN

Il ne voit pas les choses comme moi. Par exemple, l'autre jour je me trouvais à la cuisine, essayant de préparer le dîner et Wiley voulait m'aider. Il n'arrêtait pas de tendre les mains pour toucher les brûleurs. Il a bien fallu que je l'en empêche. Alors il s'est mis à hurler : « Papa, papa, papa ! » Et je me suis trouvée vraiment contrariée, car juste au moment où j'essayais de faire face à la situation voici Chris qui arrive pour me dire quoi faire. J'ai serré Wiley encore plus fort contre moi en disant :

« Je sais quoi faire, je sais quoi faire, c'est moi la mère, tu sais », et lui continuait à réclamer son père en hurlant.

DR BRAZELTON
A votre avis qu'est-ce qu'il se passe ?

ROBIN
Il s'occupe beaucoup de son fils...

DR BRAZELTON
Beaucoup.

ROBIN
... ce qui... bon, je ne voudrais pas qu'il en soit autrement. Je suis sincère, bien que nous ayons des moments de rivalité.

Robin voyait très bien son problème, mais elle était incapable de réagir autrement. Quand Chris et Wiley revinrent, Wiley ignora sa mère ; elle essaya de l'attirer d'abord par son regard, puis en tendant les bras. Chris poussa Wiley vers elle, mais l'expression de Robin était éloquente. Elle souffrait encore. Je décidai d'essayer autre chose.

DR BRAZELTON
Vous savez, ce petit gars est un acteur-né, il fait marcher les gens comme il le veut. Je le sens bien. Non seulement il veut ressembler aux hommes qu'il connaît, mais il veut aussi que l'on soit de son côté.

ROBIN
Est-ce une chose à laquelle on doit s'attendre — l'identification sexuelle —, je crois que c'est ainsi que l'on dit ? *La question était ma réponse.*

DR BRAZELTON
Pourquoi me demandez-vous cela ?

ROBIN

Je ne sais pas, peut-être parce que je ne veux pas avoir un macho sur les bras...

DR BRAZELTON

Comme son père?

ROBIN

Non, ce n'est pas ce que je veux dire! *La question était en fait plus profonde.*

DR BRAZELTON

Qu'est-ce que vous souhaitez?

ROBIN

Vous voulez dire en ce qui concerne Wiley?

DR BRAZELTON

Il y a autre chose?

ROBIN

En fait, j'aimerais aussi avoir une fille.

DR BRAZELTON

Quelqu'un comme vous?

ROBIN

Quelqu'un comme moi. Sûrement. Je peux vraiment dire que j'en rêve.

DR BRAZELTON

C'est intéressant que Chris ne se sente pas jaloux à propos de Wiley, comme vous l'êtes de lui. Vous pensez donc que cela peut provenir du fait qu'ils sont tous deux de sexe masculin?

ROBIN

Probablement.

DR BRAZELTON

Vous avez le sentiment qu'il y a pas mal de choses qui se passent dans ce domaine et dont vous êtes exclue ?

ROBIN

Oui. Je veux dire qu'il s'identifie à son père et que cela fait deux contre un. *Un sentiment bien naturel.*

CHRIS

Peut-être que je deviendrai comme cela si nous avons une petite fille.

DR BRAZELTON

Il n'y a pas de « peut-être ». Vous serez comme cela ! Jaloux. (*Aux deux :*) Mais vous pouvez aussi voir le bon côté de la chose ? Vous l'aimez tellement que vous êtes prêts à tout pour lui plaire — c'est très agréable pour *lui*. Ce n'est sans doute pas très facile pour vous, ni pour votre relation de couple, mais c'est un côté inévitable du triangle — tensions et plaisirs et frustrations et affection. Votre engagement, votre implication dans tout cela, c'est très important pour lui.

ROBIN

Alors vous pensez qu'il est comme il faut ?

DR BRAZELTON

Non pas simplement comme il faut, il est parfait ! Et vous ?

ROBIN

Moi, ça ira.

DR BRAZELTON

Oui, je le pense.

Les problèmes

La jalousie que ressent Robin est une réaction naturelle à l'intensité des relations entre Chris et Wiley. Elle a tendance à se sentir rejetée au fur et à mesure qu'ils deviennent plus proches et plus semblables. Comme les hommes participent de plus en plus à la vie de la famille, ce genre de sentiment va obligatoirement se répandre. Quand deux adultes s'occupent d'un enfant, ils se trouvent inévitablement en situation de concurrence. Dans le passé, cet esprit de compétition animait infirmières et docteurs, jusqu'à les inciter à exclure les parents des hôpitaux pour enfants. Ils se disaient inconsciemment : « C'est moi qui sais le mieux m'occuper de cet enfant malade. » Les pères devenant plus « maternels », les mères se trouvent un peu évincées. Les parents qui collaborent doivent savoir que ces sentiments sont normaux, afin de ne pas risquer des problèmes de couple. Les hommes qui supposent que les femmes ont plus l'instinct nourricier qu'eux ont tendance à en faire trop. Je me rappelle avoir demandé à ma femme si elle était sûre d'avoir assez de lait — je n'aurais jamais osé poser une question pareille à une patiente. Rétrospectivement, je me rends compte que j'étais profondément jaloux d'elle et du bébé. En agissant ainsi, ou de façon plus subtile, les hommes tentent d'écarter les mères. Pour se protéger, les femmes ont tendance à critiquer leur mari. Aucune de ces réactions n'est nécessaire à partir du moment où on comprend les sentiments de concurrence. Au contraire, la jalousie peut être une force qui motive les parents, qui leur donne plus d'énergie pour se rapprocher de leur enfant. Elle n'est pas forcément destructrice. Le bébé peut tirer profit de ce surcroît de passion.

Diane Ehrensaft, dans le livre mentionné plus haut [1], met en évidence des différences intéressantes

---

1. Voir p. 25.

dans la façon dont les parents se conduisent avec un même enfant. Les mères reprochaient à leur mari de choisir des vêtements qui n'allaient pas ensemble, lorsque ceux-ci habillaient les enfants. Elles se souciaient davantage d'accorder les couleurs et tiraient plus de fierté de l'apparence de leurs enfants. Les hommes, par contre, tournaient en dérision ce souci de l'apparence. Chacun exprimait sa dose de compétition, dans un domaine ni crucial ni véritablement dangereux.

Les parents auront probablement aussi des attitudes différentes en matière d'inquiétude, et c'est là un autre terrain où ils ont bien des chances d'entrer en concurrence. Les mères ont plus tendance à se tourmenter à l'avance. Les hommes ne s'inquiètent qu'après que quelque chose s'est passé. Les mères sont plus à même de déceler les changements de leurs enfants avant même qu'ils surviennent. Les pères ont besoin de voir que quelque chose se passe pour pouvoir l'identifier. Ce sont plutôt les hommes qui disent : « Au travail, il faut que j'oublie ce qui se passe à la maison. Si je m'inquiète trop au sujet des enfants, je ne peux pas faire correctement mon travail. » S'il y a réellement une telle différence dans les préoccupations des pères et mères, ce pourrait être un atout pour les enfants. Ils pourraient se tourner vers les mères avant une période d'adaptation, vers les pères au moment de l'adaptation. Chacun des parents peut offrir une aide différente, alors que si tous deux exprimaient la même sorte d'inquiétude, l'enfant risquerait d'être écrasé par ce poids.

Cela fait longtemps que je suis fasciné par la précocité avec laquelle un enfant peut reconnaître la différence entre ses parents et sait en jouer. Au cours de la première année, nos enfants « savaient » que leur mère s'inquiétait de leur appétit, et ils lui réservaient tous les problèmes de repas. Avec moi, ils mangeaient bien. Pour l'apprentissage de la propreté, au cours de la deuxième année, c'était juste le contraire. Ma femme avait toute confiance en leur réussite à terme dans ce domaine. Et c'était moi que les enfants persécutaient avec leurs « accidents ». Quand la tension d'un parent à l'égard d'un problème spécifique est tempérée par l'attitude plus décontractée de l'autre, l'enfant est protégé des risques d'une inquiétude abusive. Du même coup, si les deux parents sont intransigeants sur un point, il y a beaucoup à parier que l'enfant finira par avoir un problème dans ce domaine spécifique.

Wiley commence à manifester son indépendance au cours de sa deuxième année; c'est un événement que Chris et Robin ont toutes les chances de vivre différemment. Robin en est profondément affectée, elle pleure la perte de l'« idylle » de la première année. Chris ressent cela comme une sorte d'éclosion de la masculinité de Wiley. Cela dit, les progrès de l'indépendance vont peut-être faire resurgir en Chris le souvenir de son propre père et cette si douloureuse succession de séparations et de moments d'intimité. Maintenant que Wiley a commencé à séparer son identité de celle de son père, est-ce que Chris saura le laisser s'éloigner? J'avais le sentiment qu'il s'accrochait déjà à Wiley très fortement. Robin sentait peut-être cela, et en éprouvait encore plus vivement la sensation d'être exclue.

Ce n'est pas une coïncidence si la rivalité entre parents apparaît à ce stade du développement de l'enfant. Les efforts de l'enfant vers son autonomie attisent l'intensité de ce sentiment. Juste avant de commencer à rompre leurs liens, au cours de la deuxième année, on constate chez tous les enfants des manifestations d'une dépendance accrue. Ils pleurent dès qu'on tourne le dos pour s'éloigner, ils se réveillent plus souvent la nuit, ils s'accrochent dans n'importe quelle situation nouvelle. Un mois ou deux plus tard, ils sont prêts à s'en aller, sans même un regard en arrière. Mais, entre-temps, leurs conflits intérieurs les rendent provocateurs et difficiles jusqu'à la colère. S'ils perçoivent une rivalité entre leurs parents, les jeunes enfants peuvent les entraîner dans leur conflit. La tâche des parents, c'est de voir que tout cela c'est le problème de leur enfant, et pas le leur.

Les sentiments de rivalité, la jalousie que chaque parent est susceptible de ressentir au cours de cette période d'adaptation si importante, ne sont pourtant pas inutiles. Quand l'enfant s'accroche à l'un de ses parents, l'autre, le parent rejeté, apprend à lui laisser un peu d'indépendance. Bientôt Wiley se mettra à ignorer Chris et à s'accrocher à Robin. Son attachement va continuer à changer d'objet. C'est ainsi que Wiley et ses parents feront l'apprentissage de la séparation, dans ses aspects douloureux et passionnés.

Questions courantes

QUESTION

Pourquoi les enfants s'accrochent-ils parfois à un parent et parfois à l'autre ?

DR BRAZELTON

Ils s'identifient si passionnément à un parent qu'ils ont besoin d'exclure l'autre. Après ils tournent leur attention vers l'autre parent et excluent le premier.

QUESTION

Dans une famille où le père s'occupe des enfants et la mère travaille y a-t-il des répercussions sur l'identité sexuelle des enfants ?

DR BRAZELTON

Je pense plutôt que les enfants de telles familles auront un plus grand choix dans la vie, ayant un modèle masculin et un modèle féminin pour chacun des deux rôles, au foyer et au travail. S'ils peuvent voir que les hommes et les femmes sont capables de réussir dans les deux rôles, alors ils seront des enfants privilégiés.

QUESTION

Nous avons un problème en ce qui concerne la façon de s'occuper de notre fille. Quand c'est mon tour, je fais les choses tout à fait différemment de ma femme. Par exemple, je pense que nous devrions laisser ma fille crier avant de s'endormir, mais ma femme trouve cela dur. Comment pouvons-nous résoudre cette situation? Et quel effet cela aura-t-il sur notre fille?

DR BRAZELTON

Ces différences sont courantes. Essayez de ne pas vous disputer à ce sujet. Une atmosphère tendue, voilà ce qui pourrait être nuisible à votre fille. Vous et votre femme pouvez vous occuper tout à fait différemment d'elle, elle saura vite ce qu'elle peut attendre de chacun. Tant qu'elle sait que vous l'aimez et que vos rapports ne sont pas complètement conflictuels, un enfant peut discerner deux différentes sortes de comportements et d'exigences. Vous pourriez peut-être vous mettre d'accord sur les cas où intervenir et les cas où vous abstenir. Sinon, prenez chacun à votre tour la responsabilité de la nuit.

QUESTION

Mon mari et moi avons le même problème. Je considère que le bébé c'est mon travail pendant la journée et, quand mon mari rentre à la maison et qu'il s'occupe de lui, j'ai presque peur qu'il ne le fasse mieux que moi. Alors, pour garder l'avantage, j'ai tendance à le corriger sur sa façon de mettre une couche ou de le nourrir. Tout le monde félicite mon mari sur ses talents de père.

On ne fait jamais de compliments aux mères. Nous, c'est normal.

DR BRAZELTON

Si vous désirez qu'il continue à participer, ne le surveillez pas. Cela peut paraître injuste mais, jusqu'à maintenant, les mères sont censées être responsables et les pères sont considérés comme des aides. Les enfants le ressentent : d'habitude ils ont d'abord recours à leur mère et ne se tournent vers leur père que pour un petit coup de main supplémentaire. Le fait d'être responsable a ses avantages et cela rétablit l'équilibre.

QUESTION

Y avait-il moins de rivalité entre conjoints dans votre génération, par rapport à la nôtre avec un père qui participe davantage ?

DR BRAZELTON

La rivalité que nous ressentions n'était jamais exprimée ouvertement et en fin de compte elle provoquait plus de dégâts. La plupart d'entre nous acceptaient d'être tenus à l'écart d'un rôle très important avec leurs enfants. J'aurais aimé participer davantage mais, même en tant que pédiatre, je n'étais pas assez sûr de moi, j'avais le sentiment que c'était un travail de femme et que les femmes étaient plus douées. N'acceptez pas cela. Naturellement, la rivalité va de pair avec le partage des tâches parentales, mais de nos jours on peut y faire face plus ouvertement. C'est une situation qui provoque un énorme surcroît d'énergie à l'avantage du bébé et qui peut lui être vraiment bénéfique.

QUESTION

Parfois mon mari et moi-même nous nous servons des enfants pour nous quereller, et je me demande comment perdre cette habitude.

DR BRAZELTON

Vous avez raison de vous inquiéter. Utiliser vos enfants de cette façon risque de leur faire peur. Je vous suggérerais de régler vos différends ouvertement, en dehors de la présence des enfants. Il n'est pas nécessaire que vous soyez d'accord sur la façon de vous occuper des enfants, mais il faut absolument avoir l'air de vous soutenir.

QUESTION

Une fois que vous vous êtes organisé pour passer suffisamment de temps seul avec chaque enfant, comment trouver encore du temps pour la vie de famille et pour votre conjoint?

DR BRAZELTON

Peut-être faut-il prévoir une sorte d'horaire. A présent qu'il y a tellement de familles où les deux parents travaillent, les problèmes de temps sont un véritable casse-tête. Arrangez-vous simplement pour consacrer un peu de temps chaque semaine aux personnes importantes dans votre vie. Ayez recours à une baby-sitter ou à tout autre moyen nécessaire. C'est un investissement pour le futur.

QUESTION

Je ne vois toujours pas comment la rivalité peut être profitable à un enfant.

DR BRAZELTON

Elle peut l'être à condition d'être comprise et de ne pas devenir destructrice. La rivalité mobilise de l'énergie; c'est la preuve que l'enfant est la vraie priorité pour chacun de vous. Un enfant qui grandit avec ce sentiment ne peut que se sentir en sécurité.

L'art d'être grands-parents

Consultation

Robin et Chris avaient prévu de partir en vacances tous les deux, et la mère de Robin, « Bommer », devait garder Wiley. Elle vint me voir avant leur départ en compagnie de Robin. Robin ressentait les habituelles appréhensions à l'idée de laisser son enfant. Pourtant il était évident que Wiley et sa grand-mère étaient très proches.

DR BRAZELTON

Robin, il vous fait marcher aujourd'hui, n'est-ce pas ?

Robin acquiesça de la tête. Wiley la provoquait carrément pour voir jusqu'où il pouvait aller, tour à tour blotti contre elle, puis s'arrachant à ses bras. Pendant que nous parlions du voyage, il monta sur les genoux de sa mère, ignorant les sourires de sa grand-mère.

DR BRAZELTON

On voit bien qu'il veut s'accrocher à vous avant votre départ.

A ce moment, Bommer parla doucement à Wiley d'une certaine promenade sur la plage.

BOMMER

Tu te rappelles quand tu es venu me voir à Cape Cod, nous sommes allés nous promener pour regarder les mouettes ?

Bommer se mit à décrire les mouettes, et ses bras et ses mains imitaient les oiseaux avec une telle grâce que nous étions tous fascinés. Wiley se rapprocha involontairement d'elle. En le regardant, elle décrivait les vagues qui allaient mourir sur la rive en projetant de beaux tourbillons d'écume qui ressemblaient au vol rapide des mouettes. Wiley observait ses gestes avec une expression de profonde stupéfaction.

BOMMER

Peut-être que toi et moi nous pourrions nous asseoir sur le dos d'une de ces mouettes et tourbillonner, tourbillonner, tourbillonner. On regarderait la mouette planer au-dessus de la mer, puis au-dessus de la terre, et on s'assiérait tout près l'un de l'autre, comme ça.

A présent, Wiley était pelotonné contre elle, son corps pressé contre le sien, les yeux rêveurs, comme parti pour un pays lointain.

DR BRAZELTON

Quelque chose vous inquiète quand vous gardez votre petit-fils ?

BOMMER

Eh bien, j'espère qu'il n'y aura ni problème ni accident.

DR BRAZELTON

Est-ce que cela vous ennuie de gronder un enfant qui n'est pas le vôtre ?

BOMMER

Oui, beaucoup. Je ne veux pas être réprimandée à mon tour. *Tout à fait typique. Les grand-mères ont souvent peur d'être jugées.*

DR BRAZELTON

Je crois qu'il est très important que tout le monde prépare Wiley à la séparation. (*A Bommer :*) Il ne faut pas vous sentir coupable, quand il est grognon ou contrarié et qu'il ne fait pas attention à vous. Ce sont des choses qui arrivent. Aujourd'hui, je trouve que le simple fait qu'il vous parle est vraiment attendrissant. (*A Robin :*) La chose principale c'est de lui dire que vous partez, mais que vous allez revenir.

Robin semblait écouter, mais elle regardait les deux autres en même temps. J'avais à peine parlé de Bommer qu'elle prenait Wiley sur ses genoux. La séparation allait être dure pour Robin aussi.

DR BRAZELTON

Est-ce que Wiley vous rappelle en quoi que ce soit Robin quand elle avait deux ans ?

BOMMER

Oh oui ! Beaucoup. Elle était très indépendante.

DR BRAZELTON

Vous dites cela avec une certaine réticence.

BOMMER

Mais c'est qu'il était difficile de la suivre. Cela me donnait beaucoup de peine. Vous voyez, j'ai le sentiment que lui aussi il faut que je le surveille de très près.

DR BRAZELTON

Est-ce que je perçois une nuance de reproche ?

BOMMER

Eh bien... *Elle se tait.*

DR BRAZELTON

Vous n'avez pas à vous excuser, je désire simplement comprendre ce que vous dites.

BOMMER

Je pense que c'est vrai.

DR BRAZELTON

Vous êtes toujours de cet avis?

BOMMER

(*En riant.*) Oui, absolument. Dans certaines situations. *Elle regarde Robin.*

ROBIN

Je comprends ce que tu veux dire : c'est maman qui a raison. Et c'est vrai parfois. Pourtant je veux agir à ma façon. C'est mon enfant, mon tour.

La mère et la fille s'aventuraient sur un terrain nouveau. Elles avaient besoin d'être rassurées, et Wiley allait m'y aider.

ROBIN

Quand je parle ainsi, j'ai l'impression d'avoir de nouveau cinq ans. Je redeviens d'un seul coup l'enfant qui doit avoir la permission de maman. *Elle est la mère, mais elle est restée une fille à beaucoup d'égards.*

DR. BRAZELTON

Est-ce que cela vous ennuie qu'elle se sente soumise à votre autorité?

BOMMER

Je ne veux pas qu'elle ait cette impression. De toute façon, je sais qu'au fur et à mesure qu'elle élèvera Wiley, moi je disparaîtrai du tableau. *C'est une grand-mère très prudente dans son désir de participer.*

ROBIN

Je ne pense pas que ton influence diminue *jamais*.

BOMMER

Merci.

ROBIN

Notre relation est le fondement de tant de choses, surtout quand il s'agit du rôle de la mère.

DR BRAZELTON

Et pourtant, vous avez l'air de vous excuser d'éprouver des sentiments critiques.

ROBIN

Je m'excuse parfois, mais oui...

DR BRAZELTON

Ce n'est pas bien de ne pas être d'accord ?

ROBIN

Non, mais... *La mère et la fille ont toutes deux peur de critiquer, sans savoir pourquoi.* En fait, à votre avis, pourquoi n'est-ce pas *moi* qui prends le parti de *Robin*, et qui dis « *je* suis responsable » ?

DR BRAZELTON

Pourquoi ?

ROBIN

(*En riant.*) Allez, maman. Pourquoi ?

Cette petite scène mère/fille était naturelle, même nécessaire, pour que leur relation se développe.

DR BRAZELTON

Cette réticence est le fondement même de votre relation, et pourtant vous donnez toutes deux l'impression de savoir ce qu'il se passe. Ce que vous ressentez *toutes les deux*, c'est combien vous avez besoin l'une de l'autre. Cela vous donne à vous, Robin, la nostalgie de vos cinq ans. C'est normal. Mais il faut que vous assumiez aussi votre côté adulte. C'est une situation très conflictuelle. (*A Bommer :*) Dans une période comme celle-ci, elle a vraiment besoin de vous.

BOMMER

C'est un nouvel épanouissement pour elle, c'est une chose que je peux comprendre et admirer.

DR BRAZELTON

Et je vois bien d'où elle tient ce magnifique sens maternel.

BOMMER

Ça passe de mère en fille.

DR BRAZELTON

C'est merveilleux, n'est-ce pas ?

Les problèmes

Les grands-parents apportent aux enfants de nombreux avantages que les parents ne peuvent leur procurer. Et pourtant, ainsi que nous le voyons chez Robin, des sentiments de jalousie surgissent immanquablement quand un parent observe son enfant aux prises avec l'autorité de ses propres parents. Il se sent menacé de redevenir de nouveau dépendant, blessé de devoir partager l'affection d'un enfant et ça l'affecte très profondément. Naturellement, tout cela est contrebalancé par une vibrante sensation de sécurité et de soulagement. Savoir qu'un grand-père est là pour vous porter assistance est réconfortant. Il nous est arrivé de remplacer notre fille auprès de son bébé pendant un week-end, juste pour lui permettre ainsi qu'à son mari de dormir dix-huit heures d'affilée. Et, bien que ce fût dans leur cas une question de survie, vu leur manque de sommeil, ils ne pouvaient s'empêcher de poser des questions pour savoir comment les choses se passaient : « Est-ce que je lui manque ? Est-ce que tu le changes dès qu'il en a besoin ? Est-ce que vous l'avez mis au lit à l'heure pour la sieste ? Comment a-t-il pris son biberon avec toi ? » A travers ces questions, ils maintenaient le contact avec leur bébé. Mais, de façon sous-jacente, il y avait la même sorte de compétition que nous avons observée chez Robin et Bommer. Les grands-parents constituent forcément une menace pour le sentiment de compétence des parents. Et, plus les grands-parents ont été de bons parents, plus la menace est forte.

Quand je demande à de futurs parents si leurs parents viendront les aider à s'occuper du nou-veau-né, certains répondent : « Jamais. » Quand je leur demande pourquoi, ils répondent : « Ils nous diraient ce qu'il faut faire. Et nous voulons faire à notre manière. » Parfois, je leur fais remarquer que si les grands-parents disent : « Voici comme il faut faire » et qu'ils rétorquent : « *Jamais* je ne ferai ainsi », ça leur aura au moins permis de mettre de l'ordre dans leurs propres idées. Cela dit, en même temps j'approuve leur décision. Ils ont en effet besoin de trouver leur propre voie, et à leur propre rythme. Dans une telle situation, un grand-parent sensible dira : « Je viendrai plus tard, quand ils auront besoin de moi — quand ils auront trouvé leur propre façon de faire et qu'ils auront commis leurs propres erreurs. Je ne veux pas m'immiscer. Je veux qu'ils découvrent eux-mêmes leurs propres solu-tions. » De nos jours, il est rare qu'un jeune couple considère ses parents comme un miroir susceptible d'évoquer le passé et de projeter le futur, comme des représentants de l'expérience ou des dépositaires de valeurs culturelles. Dans notre culture de famille nucléaire, chaque nouvelle génération recherche ses *propres* valeurs, même si c'est une quête solitaire. Mais, sans le soutien de la génération précédente, les jeunes familles risquent de faire l'expérience de l'anxiété et de se sentir aller à la dérive.

Maintenant que, dans la plupart des familles, les deux parents travaillent, le besoin d'être aidé par les grands-parents est plus pressant que jamais. Mais les

grands-parents ont leur propre vie, et souvent ils travaillent également tous les deux. Le même parent
qui insiste pour trouver sa voie tout seul peut en
arriver à dire : « Je voudrais bien que ma mère
habite tout près pour pouvoir lui laisser mon bébé. »
Quand il y a une grande distance entre les générations, l'image du grand-parent dévoué peut être idéa-
lisée. Laisser un enfant à un parent proche, quel qu'il
soit, c'est prendre le risque de créer des tensions, à
moins que tous les membres de la famille ne fassent
des efforts pour les éviter. Confier un bébé à un
étranger, si curieux que cela paraisse, est plutôt
moins difficile. Quand il s'agit d'un grand-parent, les
parents ont tendance à se demander : « Est-ce qu'elle
aimera Mamie plus que moi si je ne suis pas là de la
journée ? » Les conflits personnels latents des
parents peuvent affecter leur confiance en eux ainsi
que cela était arrivé pour Robin.

Les grands-parents ont des trésors à offrir. Ils sont
extérieurs au complexe d'Œdipe proprement dit, et
ramènent à leurs justes proportions les drames familiaux internes. Ils n'ont pas besoin d'être aussi autoritaires que les parents. Ils peuvent être indulgents
sans peur de créer des précédents sur lesquels il faut
revenir ensuite. Ils peuvent être conciliants et
décontractés, alors que les parents doivent s'inquiéter des horaires de la famille et de la discipline. Pas
étonnant que les parents se sentent jaloux ! Les générations devraient plutôt se mettre d'accord sur un
certain nombre de règles de base.

Les grands-parents montrent aux enfants les som-
mets, alors que les parents doivent leur enseigner le
difficile labeur qui y conduit. Je considérais quant à
moi que ma grand-mère était dotée de pouvoirs
magiques. Elle me racontait des histoires qui
venaient peupler mes rêves. J'avais tellement envie
de lui faire plaisir que quand elle a déclaré « Berry
sait vraiment s'y prendre avec les bébés », la voie de
ma profession actuelle s'est trouvée tracée. Je n'ai

pas cessé de vouloir lui faire plaisir et encore aujourd'hui, chaque fois que quelqu'un dit : « Vous savez si bien vous y prendre avec les bébés », j'espère qu'elle peut, elle aussi, l'entendre. Bien sûr, ma mère était jalouse de ma grand-mère, mais elle avait tort. J'avais besoin d'elles deux — mais pour des choses différentes.

Une grand-mère comme Bommer peut apporter à un enfant toute une nouvelle gamme d'expériences. Elle peut apprécier le négativisme de Wiley ; elle peut discerner la valeur de son esprit. Si elle parvient à réprimer ses critiques, à éviter de dire à Robin : « Si seulement tu faisais ceci ou cela, il ne se comporterait pas de la sorte », elle peut apporter à toute la famille un point de vue objectif. Un grand-parent devrait toujours essayer de voir le bon côté des choses, chercher l'aspect positif du processus évolutif au sein duquel parents et enfants se débattent.

Les grands-parents peuvent aussi transmettre les valeurs de la famille en ranimant pour leurs petits-enfants leurs souvenirs et le passé. Les valeurs familiales profondes se transmettent par l'exemple et l'identification. Nous vivons, en tant qu'êtres humains, une enfance longue, et cela nous donne l'occasion de découvrir notre culture et les valeurs de notre famille, ainsi que le temps de nous en imprégner à notre propre rythme, à travers les expériences et les erreurs. Une longue fréquentation de ses grands-parents permet à l'enfant d'assimiler et de tester les vertus, les principes et les croyances qui caractérisent chaque famille.

Conseils aux grands-parents

Beaucoup de grands-parents se demandent comment acquérir de l'importance aux yeux de leurs petits-enfants et se rendre utiles à leurs enfants, les parents. Voici quelques bonnes façons de commencer :

TOUT D'ABORD, VOUS DEVEZ VOUS EN TENIR À VOTRE SEUL RÔLE. Vous n'êtes pas le parent de l'enfant, vous n'avez pas besoin de l'être. Si vous êtes capable d'avoir un comportement fait d'approbation, d'amour, de plaisir vis-à-vis de l'enfant, de soutien indéfectible vis-à-vis des parents, vous deviendrez important aux yeux des deux générations. Cela ne peut pas faire de mal de discuter avec les parents des limites aux gâteries et à l'indulgence. Ils peuvent vous en vouloir d'être trop généreux ou trop permissif. Mais ils apprécieront certainement d'être eux-mêmes dorlotés dans les moments de tension.

PROPOSEZ DE VENIR GARDER L'ENFANT RÉGULIÈREMENT ET AU MOMENT OÙ L'ON A BESOIN DE VOUS. S'il vous est possible de venir et d'éviter la crèche aux petits ou l'étude aux enfants scolarisés, n'importe quel parent vous en sera éternellement reconnaissant. Si vous ne pouvez pas, pourquoi ne pas vous proposer pour le samedi soir, de façon régulière ? Ou les avoir tous pour dîner le dimanche ? Je me rappelle encore les dimanches chez mes beaux-parents, quand nos enfants étaient petits, c'était comme un répit au milieu de notre existence tumultueuse du reste de la semaine. Nous étions contrariés d'avoir à nous lever à l'heure le dimanche matin, mais nous adorions les somptueux repas familiaux et la liberté que nous avions de laisser les enfants l'après-midi pour aller nous promener dans le parc de Boston.

PROCUREZ À LA FAMILLE LA POSSIBILITÉ — LIEU ET MOYENS DE SE RÉUNIR PENDANT LES VACANCES. Bien que tout le monde se plaigne des difficultés pratiques, il y a peu de façons plus signifiantes de garder le contact pour une grande famille. Balayez toutes les objections de vos enfants, dites : « Cette réunion aura lieu et nous espérons que vous pourrez venir. Nous comptons sur vous. » Les enfants sont toujours malades à Noël ou à Pâques. Rassurez les parents : « Emmenez-les et nous les soignerons. » Les parents hésitent toujours à demander un congé. Rappelez-leur que, s'il y a des fêtes c'est pour qu'on les célèbre. Insistez sur le fait de se retrouver tous ensemble, de s'amuser, et non sur les préparatifs. Certains grands-parents commencent à se préoccuper de l'organisation pratique des semaines à l'avance. Bien entendu, les trois générations auront leur part de tension. Chacun voudra n'en faire qu'à sa tête et se défoulera sur les autres. Mais les souvenirs des bons moments restent. Nous avons eu récemment chez nous vingt-quatre personnes de la famille pour le réveillon de Noël. Ma femme et moi en sommes sortis exténués. Mais je sais que c'est par de semblables entreprises que mes grands-parents m'ont donné la conscience d'appartenir à une grande famille unie par l'affection. J'espère que mes enfants feront de même pour leurs enfants. Mes cousins et moi-même continuons à avoir recours les uns aux autres, chaque fois que nécessaire, parce que nos grands-parents nous ont appris à le faire. Nous appartenons à une grande famille et nous en sommes tous fiers.

AYEZ VOS HABITUDES QUAND VOUS RETROUVEZ VOS PETITS-ENFANTS. Apportez-leur un jouet approprié à leur âge, même si ce n'est pas Noël ou un anniversaire. Emmenez-les pour une sortie dans un musée, ou un restaurant, ou un parc. Faites en sorte de passer un moment en tête-à-tête avec chaque enfant, pour pouvoir bavarder ou juste pour être ensemble. La plupart des enfants adorent entendre parler de leurs parents quand ils avaient leur âge. Ils aiment qu'on leur raconte l'« ancien temps ». C'est pour vous l'occasion de leur donner le sens de l'histoire familiale. J'ai toujours inventé des histoires plutôt fantaisistes pour mes enfants pendant les longs voyages. Pour mes petits-enfants, j'ai l'intention d'inventer des histoires sur les cow-boys ou les jours anciens du Texas, du temps où j'avais leur âge. Pas nécessairement tout à fait véridiques, mais pas entièrement inventées non plus, et nous partirons tous ensemble au royaume de l'imaginaire.

NE DITES PAS A VOS ENFANTS CE QU'ILS DOIVENT FAIRE SUR-TOUT EN PRÉSENCE DE VOS PETITS-ENFANTS. Le plus grand danger, c'est d'aimer vos petits-enfants au point de ressentir le besoin de les protéger. Saper l'autorité de leurs parents en leur présence, ce n'est *jamais* bon pour les enfants. Cela n'a pour effet que de renforcer les velléités contestataires chez les enfants, en allant parfois jusqu'à créer des tensions entre parents et enfants. Naturellement, vous désirez que tout aille pour le mieux dans la vie de vos petits-enfants. Vous aurez surtout envie d'intervenir dans le domaine où vous avez conscience d'avoir commis des erreurs avec vos propres enfants, car vous voudriez pouvoir vous racheter. Mais vous ne changerez rien en vous interposant. Si c'est une chose qui vous tient très à cœur, prenez les parents à part et discutez du sujet franchement et calmement, en écoutant leur point de vue. Mais si vous intervenez trop souvent, ou d'une façon autoritaire, vous n'arriverez qu'à aggraver, chez vos propres enfants, leur manque de confiance en eux en tant que parents. Ils vous tiendront tête et vous garderont rancune de votre intervention. Si vous êtes capables d'avoir une attitude encourageante, vous verrez qu'ils viendront vous trouver pour vous demander votre avis.

SOYEZ EN MESURE D'OFFRIR AUX DEUX GÉNÉRATIONS UNE IMAGE DE STABILITÉ ET UN REFUGE CONTRE LES ÉMOTIONS. Cela veut dire qu'il vous faut garder la bouche fermée, même quand vous pensez pouvoir proposer une solution très simple. Les grands-parents ne doivent plus être des parents, ils ne sont pas non plus des professeurs. C'est la plaisante liberté du rôle. Vous n'avez qu'à être là, tranquillement assis au milieu du chaos. Laissez-les venir à vous. Vous pouvez leur procurer le réconfort, l'amour familial, l'expérience, les câlins et une forme de force et de

stabilité adaptée à chaque membre de la famille.
C'est aux parents de faire la discipline. L'instruction,
au sens propre, il vaut mieux la leur laisser, ainsi
qu'aux enseignants. Vous pouvez offrir aux enfants
votre connaissance des coutumes familiales et votre
sagesse *quand* ils vous le demandent. Chaque fois
qu'ils seront avec vous, ils apprendront cela, mais à
travers votre exemple. Vos petits-enfants apprendront plus en vous imitant que par tous les conseils
ou toutes les instructions que vous pouvez leur donner à eux ou à leurs parents. Soyez la personne dont
vous voulez qu'ils se souviennent.

NE VOUS PRÉCIPITEZ PAS VERS LES PETITS-ENFANTS, À
MOINS QUE VOUS NE DÉSIRIEZ QU'ILS VOUS FUIENT. Regarder
des jeunes bébés ou des enfants dans les yeux
lorsque vous arrivez devant eux, c'est comme une
agression et ils ne peuvent que réagir brutalement.
Ne les enlevez jamais aux bras de leurs parents — la
sécurité qu'ils ressentent dans ces bras est trop
importante. Si votre regard se pose brièvement sur
eux avant d'aller se fixer sur leurs parents, et si vous
attendez qu'ils viennent vous solliciter, ils seront
bientôt tout à vous. Leur espace personnel est très
précieux. Plus ils sont excités par votre visite, plus ils
se détourneront vivement quand enfin vous arriverez. J'ai souvent un jouet dans ma poche. Alors je
regarde un peu plus haut que le petit-enfant, en agi-
tant le jouet de sorte qu'il doit s'approcher de moi
pour l'atteindre. Comme il s'avance plus près, je le
laisse se rendre compte qu'il a franchi la limite de
sécurité. J'attends qu'il lève les yeux vers moi pour
savoir si je lui laisse prendre le jouet. Alors je lui
parle doucement — en évitant toujours de le regarder en face. Ce n'est que trop facile de dépasser les
limites avec un enfant qui est à la fois excité et sur
ses gardes. Quand je vois que son anxiété diminue, je
sais que je peux me rapprocher. En fin de compte,
les grands-parents peuvent être sûrs que leurs petits-

enfants finiront par vouloir attirer leur attention.
Vous avez tout le temps.

RESTEZ EN CONTACT QUAND VOUS ÊTES LOIN.

— Envoyez des cartes postales et des photos
appropriées à l'âge de l'enfant. Envoyez la copie
d'une photo représentant le parent de l'enfant à son
âge. C'est toujours fascinant pour l'enfant.

— Les cartes et les cadeaux d'anniversaire — surtout ceux que vous confectionnez — peuvent devenir
le symbole des grands-parents.

— Utilisez le téléphone pour dire bonjour ou pour
présenter vos félicitations à chaque grand succès.

— Les bandes vidéo sont un nouveau moyen de
communication. Tous les enfants adorent voir une
personne qu'ils connaissent sur un écran de télévision.

— Faites des visites régulières, mais de courte
durée. Trois jours me paraissent l'idéal. Si vous restez plus longtemps, assurez-vous que vous ne dépas-
sez pas la période de bienvenue. Mettez-vous au
diapason et participez aux tâches ménagères,
occupez-vous des enfants. Essayez d'emmener la
famille au restaurant ou au cinéma. Organisez une
petite fête à un moment de votre visite.

— Arrangez-vous pour être au courant des joies et
des intérêts propres à chacun de vos petits-enfants;
manifestez votre encouragement par des petits
cadeaux, des souvenirs, des livres, coupures ou photographies, et par des félicitations au moment voulu.

Questions courantes

QUESTION

Ma mère habite avec nous, et le risque de régresser à une relation parent/enfant est constant.
Comment puis-je faire comprendre à mes enfants
que c'est moi la responsable sans l'offenser, elle?

DR BRAZELTON

Vous avez bien de la chance, si trois générations peuvent cohabiter sans trop de tensions. Je pense que votre enfant a besoin de savoir que vous représentez l'autorité suprême, mais c'est difficile pour lui de l'ignorer si vous êtes, comme il le faudrait, à l'origine des décisions. Si vous avez l'impression que cela gêne votre mère, il faut en parler avec elle franchement, en dehors de la présence des enfants.

QUESTION

Que puis-je faire quand toute la famille est réunie — les trois générations — et qu'un des enfants fait une comédie et se rend vraiment odieux ? Est-ce que je devrais le gronder devant ma fille, ou vaut-il mieux attendre ?

DR BRAZELTON

Vous êtes la grand-mère, je vous suggère donc de rester tranquille et de laisser les parents s'occuper de la situation. Si vous intervenez, vous n'arriverez qu'à perturber vos petits-enfants. Et ils en feront ou trop ou pas assez. Si les parents ne réagissent pas, vous pouvez après coup dire à votre fille que, lorsqu'un de ses enfants fait une comédie, c'est elle qui est responsable. Dites-lui que vous ne voudriez pas que les enfants aient des doutes à ce sujet à cause de votre présence.

QUESTION

Comment un enfant peut-il concilier l'indulgence et les faveurs de ses grands-parents avec les règles et les limites établies par ses parents ?

DR BRAZELTON

Les enfants sont capables de faire la différence très tôt. Si chaque génération a une idée claire de son rôle vis-à-vis d'un enfant, celui-ci apprend à se conduire de façon appropriée avec chaque personne. Quand il vous met à l'épreuve, dites-lui : « Tu peux faire ça avec grand-mère parce que c'est une grand-mère. Moi, je suis ta maman, et tu sais que tu n'as pas le droit de faire ça avec moi. » Cela peut sembler difficile : un parent a l'impression d'être un véritable ogre et se demande si l'enfant lui en voudra de ne pas avoir l'indulgence de ses grands-parents. Essayez de vous rappeler que la discipline est primordiale dans l'éducation. Des limites précises sont très rassurantes pour un enfant, car la fermeté lui donne une impression de sécurité.

QUESTION

J'ai une ravissante petite-fille de trois ans. Elle vient presque chaque jour chez moi, je me sens donc très proche d'elle, surtout depuis que j'ai pris ma retraite et que j'ai beaucoup plus de temps pour jouer, lire ou faire d'autres choses avec elle. Mais sa mère va avoir un autre bébé. Je me demande comment je pourrai jamais avoir la même relation avec ce nouvel enfant. Je suppose qu'il doit y avoir un petit-enfant préféré et les autres que l'on aime, sans plus.

DR BRAZELTON

Quelle belle déclaration de grand-mère ! Naturellement, elle sera toujours *la* préférée et elle le sait. Elle a vraiment de la chance, n'est-ce pas ? Ça l'aidera à affronter les sentiments de rivalité avec son petit frère ou sa petite sœur. Vous venez d'exprimer ce que chaque parent ressent aussi à propos d'un nouvel enfant : « Comment pourrai-je jamais l'aimer autant ? » Vous l'aimerez, mais différemment. Avoir un grand-parent aussi attentionné c'est comme avoir une fortune à la banque.

QUESTION

Quel héritage les grands-parents peuvent-ils transmettre à leurs petits-enfants — autre que de l'argent?

DR BRAZELTON

L'héritage d'un amour inconditionnel. Les grands-parents peuvent se permettre de laisser l'enfant les mettre à l'épreuve, faire sur eux des expériences que les parents doivent étouffer dans l'œuf. En les écoutant, en les comprenant, vous leur donnez l'assurance qu'ils sont aimés pour eux-mêmes et non pour ce qu'ils accomplissent. De plus, vous transmettez les valeurs culturelles et familiales, ce qui est plus important que l'argent.

QUESTION

Pour les anniversaires et les vacances nous avons vraiment envie d'être avec nos petits-enfants. Si nous ne sommes pas invités, comment participer sans nous imposer?

DR BRAZELTON

A votre place je les inviterais chez moi, ou alors dites que vous voulez venir quand même. C'est important pour eux, tout comme ça l'est pour vous. Ne vous formalisez pas, dites-vous qu'ils ont besoin de vous et qu'ils souhaitent votre présence. Mais, une fois que vous êtes là, ne vous éternisez pas. Faites une courte visite et proposez votre aide. Dans les grandes occasions votre présence est à la fois vitale et symbolique.

QUESTION

Que pensez-vous des grands-parents comme gardes d'enfants?

DR BRAZELTON

Merveilleux. Ce sont les meilleurs. En gardant les enfants aussi souvent et aussi régulièrement que possible, vous apprenez à mieux les connaître et réciproquement. Là, vous remplissez un vide bien regrettable dans la famille nucléaire. Vous pouvez avoir l'impression que vos enfants ne sont pas vraiment reconnaissants, car votre présence peut leur sembler plus menaçante que celle d'une personne rémunérée, moins appréciée des enfants. Les enfants sont très doués pour manipuler leurs parents en glissant : « Grand-mère fait ça » ou : « Elle, elle me laisse veiller. » Admettez donc que c'est compliqué pour vos enfants et rappelez-leur que ce sont eux les responsables. Écoutez-les ; ne leur dites pas quoi faire. Maintenant ce sont eux les parents.

QUESTION

Nous vivons sur la côte Est, mais ma famille ainsi que celle de mon mari vivent sur la côte Ouest ; nous nous voyons, mais c'est difficile d'instaurer ce sens de la famille. Il m'est impossible de téléphoner à Mamy pour lui dire : « Pouvez-vous venir surveiller les enfants ? » Comment cultiver ce sentiment à une si grande distance ?

DR BRAZELTON

Téléphonez régulièrement et faites parler les enfants. Faites-les écrire de temps en temps. Et faites tout ce que vous pouvez pour passer ensemble les fêtes les plus importantes. Peu importe ce que cela va coûter, ça en vaut la peine à la longue. Les enfants ont besoin de savoir qu'ils ont une famille au sens large et qu'il y a des gens qui les aiment en dehors de leurs parents. Les grands-parents, les oncles et les tantes sont une véritable chance pour l'avenir de vos enfants.

QUESTION

Lorsque j'étais enfant et que je rendais visite à nos grands-parents, dans un autre État, j'adorais aller dans la chambre de mon père. Ils avaient laissé les jouets à la place où ils étaient quand il y jouait, comme si c'étaient les objets les plus précieux au monde. Mes parents ont fait la même chose, et j'aime beaucoup emmener mes enfants chez eux. Ma fille prend une poupée que je n'aimais pas spécialement et pour elle c'est ce qu'il y a de plus précieux au monde.

DR BRAZELTON

Elle l'aime parce que cette poupée représente un lien avec votre passé. Un de mes plus grands plaisirs, quand j'étais enfant, c'était de m'asseoir aux pieds de mes grands-parents et de leur dire : « Allez, racontez-moi les histoires du passé. » Cela met l'enfant en contact avec sa propre histoire, et c'est plus romantique que la télévision.

QUESTION

Nous sommes des immigrants et la plus grande partie de notre famille est restée en Inde. Les uns et les autres nous rendent visite, mais nous communiquons surtout par des photographies.

DR BRAZELTON

Rester en contact est encore plus important quand on a quitté son pays. Si vous laissiez vos enfants grandir aux États-Unis en tant que membres d'une minorité, sans comprendre les valeurs et la beauté de votre propre culture, vous les priveriez de leurs racines. Chaque enfant appartenant à une minorité a droit à ce qu'on lui transmette une aussi grande part de l'héritage de ses parents que possible, a droit à autant de contact avec sa famille, au sens large, que faire se peut. Les photos, les lettres, même les enregistrements que l'on peut envoyer de part et d'autre sont des moyens fabuleux pour maintenir les liens. A mon avis, il est également nécessaire que vos enfants soient bilingues.

QUESTION

Mes parents et mes beaux-parents vivent les uns et les autres dans la même ville que nous, et notre fille de deux ans est leur seul petit-enfant sur place. A chaque fête, je suis sur des charbons ardents. Il faut que nous allions chez mes parents et ensuite chez mes beaux-parents, en essayant de leur consacrer autant de temps à chacun d'entre eux. C'est difficile.

DR BRAZELTON

Mais c'est tellement important pour chacun de vous trois, ainsi que pour les grands-parents respectifs. Votre enfant aura peut-être l'impression d'être bousculée, mais elle a beaucoup de chance, ne l'empêchez pas de découvrir combien il y a de personnes qui l'aiment.

Quelques années plus tard, chez les Cutler

Tandis que je roulais à travers la campagne pour rendre visite aux Cutler, je me demandais comment une mère pouvait supporter de mettre une heure chaque jour pour aller travailler, ainsi que le faisait autrefois Robin. Robin m'avait raconté qu'elle rentrait alors toujours après le dîner de Wiley et qu'elle partait avant son petit déjeuner, et combien elle était désolée de manquer autant de choses. Pendant ce temps, Chris, qui avait changé de travail pour se rapprocher de chez lui, assurait une bonne partie de l'éducation de Wiley. A l'époque, Robin dirigeait sa propre agence de conseil en décoration, et elle avait trop de responsabilités et trop de satisfactions pour y renoncer. A présent, ils avaient adopté un deuxième bébé et je me demandais à quoi ressemblait la famille. J'avais entendu dire que, depuis, Chris avait davantage d'obligations professionnelles. Il était à la tête de l'administration d'un important hôpital universitaire à Worcester et on lui avait confié la tâche de regrouper trois cliniques de moindre importance sous la tutelle de ce grand établissement, ce qui constituait un enjeu de taille. Je me demandais s'il était encore disposé à ralentir ses activités, comme au temps où Wiley était bébé?

Lorsque j'arrivai devant leur magnifique maison moderne, située au milieu des bois, près de Worcester, je compris mieux pourquoi Robin avait accepté ces longs trajets. C'était une maison spacieuse, tranquille et élégante. Une telle propriété, située plus près d'une grande ville, aurait été au-dessus des moyens d'un jeune couple. Comme je m'approchais de la maison tout éclairée, Wiley, cinq ans, se tenait à la porte et m'attendait, quoique l'heure du coucher fût passée depuis longtemps. C'était toujours le même petit garçon décidé dont j'avais conservé le souvenir, sauf qu'il avait grandi et minci. Il ressemblait toujours beaucoup à son père, bien qu'il fût adopté. Wiley m'accueillit comme un vieil ami fidèle en souriant largement : « On a Sam ! » Sam est un petit garçon de deux ans et demi adopté à la naissance et juste sur place, à Worcester, où le taux de naissances illégitimes parmi les adolescentes est un des plus importants du pays. La plupart de ces jeunes femmes ne veulent pas garder leur bébé, mais elles tiennent à choisir la famille où l'enfant ira. Bien qu'elles ne rencontrent pas les parents adoptifs, on leur donne assez de renseignements pour qu'elles puissent décider où elles veulent que le bébé soit élevé. Donner un choix à ces jeunes femmes et placer immédiatement le bébé dans une bonne famille — en évitant les quatre mois habituels dans un foyer temporaire —, c'est ce que l'on appelle l'« adoption idéale ». La mère et la famille adoptive sont en contact par l'intermédiaire des assistantes sociales qui travaillent avec les adolescentes.

Il n'est pas étonnant que la mère de Sam ait choisi cette famille. Les Cutler ont une existence stable, une vie professionnelle réussie, et surtout chacun des parents est dévoué, aimant. Wiley, comme grand frère, en est la preuve vivante. Wiley a l'air réfléchi, sûr de lui. Il m'a de nouveau complètement séduit par la chaleur de son accueil. Sa deuxième phrase fut : « Bommer est venue juste pour te voir. »

S'il avait jamais existé le moindre doute pour accorder un bébé à cette famille, il aurait été vite dissipé par une entrevue avec la « Bommer » de Wiley. C'est la grand-mère idéale. Après avoir observé son comportement avec Wiley, j'ai essayé de l'imiter avec mon propre petit-fils. Elle avait procuré à Wiley un monde de rêves auquel nul petit garçon ne pouvait rester indifférent. J'avais dit à la famille quel plaisir j'aurais à rencontrer de nouveau Bommer, et Wiley le savait. Elle était donc venue de Cape Cod pour être présente lors de ma visite. Wiley lui tenait la main et tous deux me conduisirent au salon, installé sur deux niveaux.

Les Cutler avaient gentiment arrangé un endroit pour notre entrevue. Ils avaient préparé des rafraîchissements pour m'accueillir. De nouveau, je me sentais très proche d'eux. Ils avaient même mis un petit matelas dans un coin pour que Wiley puisse s'y coucher : « Comme ça, il ne manquera rien. » Ainsi, il pourrait participer aussi longtemps qu'il le voudrait, avec la possibilité de s'endormir sans avoir à nous quitter. Wiley avait le sentiment que c'était « sa » soirée, et ses parents respectaient cela.

Wiley me montra son livre de classe ainsi que le dessin qu'il avait fait en m'attendant. Il mena notre entrevue, me disant de quoi il voulait parler et m'interrompant quand je m'éloignais du sujet. Il m'observait avec attention pour voir comment je réagissais à ses commentaires. Il était clair qu'il désirait me plaire. Comme nous disions qu'il avait beaucoup grandi, il déclara sérieusement : « C'est normal, je suis plus vieux. » Quand nous parlâmes de Sam, il dit : « Nous sommes contents de l'avoir. Nous sommes adoptés tous les deux, tu sais. » Ses commentaires étaient réfléchis et j'avais l'impression qu'il avait beaucoup discuté avec ses parents de ce que je pourrais lui demander. Il ne se méfiait pas de moi, je le voyais bien, car il se tournait rarement vers ses parents pour qu'ils lui redonnent confiance. Au fur et à mesure que nous parlions, il paraissait plus à l'aise. Après quelques minutes, son attitude plutôt immobile, cérémonieuse, se transforma : il se laissa aller dans sa chaise, se mit à se tortiller. Je sus alors que nous étions devenus amis. Il se mit à me donner des détails sur son école, sur ses amis. Wiley n'était pas avare de son remarquable sens de l'humour et, à chaque plaisanterie, son sourire le faisait ressembler tellement à son père que j'en avais le souffle coupé. Il avait la même étincelle au fond des yeux, la même ride au coin de la lèvre supérieure. De nouveau, j'étais frappé par l'aisance que Wiley manifestait vis-à-vis de sa masculinité et de son image de lui-même, et par l'assurance avec laquelle il s'identifiait à Chris.

Lorsque j'examine un enfant que je ne connais pas, je recherche des signes d'identification et d'attachement évident aux parents. Lorsqu'il entre dans la salle, marche-t-il avec aisance ? Imite-t-il l'un ou l'autre de ses parents par sa démarche ou ses gestes ? Quel est son recours aux moments de tension : ses parents, sa couverture, son jouet favori ou son pouce ? L'enfant est-il capable de maîtriser aisément, par lui-même, une situation nouvelle ? A-t-il le sens de l'humour? Un des signes les plus évidents de tension chez les enfants, c'est de ne plus pouvoir rire du monde et de soi. Est-ce que l'enfant est attirant? Si oui, pourquoi? Parce qu'en tant qu'adulte on a envie de le materner, de le protéger ou parce qu'on a du plaisir à se trouver avec lui et que l'on admire sa personnalité? Est-ce que les autres enfants l'aiment, et lui, essaie-t-il de leur plaire? Un enfant qui a des problèmes est souvent mis à l'écart par les autres enfants qui inconsciemment se rendent compte de sa détresse.

Tout dans le comportement de Wiley était positif, et je voyais bien qu'il se comportait gentiment avec les personnes de son entourage et qu'il leur était très attaché. A un moment, il contourna la table et tira une chaise près de moi pour me montrer des photographies de Sam, car « il est déjà endormi et tu vas le manquer ». Il avait trouvé le chemin de mon cœur. Je dis : « Mais, Wiley, il a l'air très coquin. » Wiley me regarda gravement. Notre conversation reprit; Wiley m'observait comme pour voir jusqu'à quel point j'étais digne de confiance. Puis il me lança : « Parfois je voudrais bien qu'on le renvoie. » J'avais l'impression que nous étions vraiment en train de communiquer. J'essayai de le pousser un peu plus loin, mais il avait atteint ses limites. Il fit marche arrière et changea de sujet, attirant mon attention sur une autre photo de l'album. Sur la photo suivante, il essaya de me montrer combien Sam était amusant. Il avait fait à propos de son conflit intérieur toutes les révélations dont il était capable. Ce n'est pas son genre de se plaindre ou de montrer trop facilement ses émotions. C'est un garçon qui a des pensées et des sentiments profonds. Il réprime tous les sentiments négatifs qu'il peut ressentir et s'en arrange lui-même. Il peut alors avoir un comportement enjoué qui lui vaut l'affection de tout son entourage. Cela lui coûte-t-il beaucoup? Il est également tout à fait facile, adorable, on ne peut lui résister. Je préférerais un peu moins de docilité. J'espère qu'il apprendra à exprimer quelques-uns de ses sentiments, pour qu'ils ne soient pas trop éprouvants pour lui.

Chris et Robin sont conscients de la réserve de Wiley. Sam est très différent et leur a montré que tous les enfants ne ressemblent pas à Wiley. Il est rigoureux et franchement exigeant. Il pousse sans cesse Wiley alors que l'aîné essaie de réprimer ses sentiments vis-à-vis de ce petit frère provocateur et facilement agressif. Wiley veut faire plaisir à tout le monde, Sam au contraire renverse tout sur son passage pour obtenir ce qu'il convoite. Il est tellement « physique » que, lorsqu'il réfléchit ou qu'il parle de quelque chose, c'est inattendu. Robin me confia, à propos de cette différence : « Dieu merci, il est intelligent. On peut en douter à le voir se comporter avec autant d'énergie et d'agressivité. Quand il veut bien, il témoigne d'une petite cervelle très vive, tout à fait plaisante. » En l'entendant parler, je devinais qu'elle n'avait aucun mal à comprendre cet enfant ni à se comporter avec lui.

Nous discutâmes des différences entre les deux garçons. Wiley, comme son père, gardait ses sentiments pour lui. Avec Sam, c'était, pour parler de façon populaire, le grand déballage. L'association est courante : un enfant plus grand qui cache ses sentiments et paraît extérieurement désireux de plaire, et un second enfant plus ouvert, direct, agressif. Je fis remarquer à Robin et à Chris que Sam serait vraisemblablement toujours facile à comprendre et qu'il saurait obtenir de son entourage ce dont il aurait besoin. Il aurait moins de mal que Wiley à s'adapter aux tensions. Wiley aurait plutôt tendance à essayer de tout faire par lui-même. A la longue ce serait plus difficile pour eux de le comprendre et de l'aider quand il aurait des problèmes. En contrepartie, Wiley avait d'excellentes relations, sereines, avec ses deux parents et une bonne opinion de lui-même. De plus, Wiley s'identifiait très étroitement avec son père, et cela signifiait que Chris se sentait en harmonie avec lui, quels que fussent ses sentiments. Ils pourraient trouver ensemble des solutions, car ils étaient sur la même longueur d'ondes. « Mais je ne veux pas être exclue », dit Robin. Je lui assurai qu'elle ne le serait pas. Wiley semble être à sa dévotion. Elle est plus exubérante, et par son comportement elle peut enseigner à Wiley à s'ouvrir et à laisser ses sentiments apparaître. Elle peut l'aider à apprendre à se laisser aller.

« En fait, dit Robin, Sam lui apprend à être vilain. Wiley raconte avec fierté les sottises de son frère. C'est le premier pas, n'est-ce pas ? Et il a commencé à se laisser aller à la maison. Il s'est mis depuis peu à frapper Sam, à me répondre et même à hurler, à donner des coups de pied quand il est en colère. C'est presque comme s'il imitait Sam. Mais il fait toujours attention à ne pas aller trop loin. C'est vraiment la preuve qu'il n'est pas encore très à l'aise, n'est-ce pas ? »

J'étais d'accord avec elle : quand Wiley arrêterait de se faire autant de souci à propos de ce que les autres attendaient de lui, il irait mieux ; je trouvais aussi que Sam avait une excellente influence dans ce sens. Sam lui apprenait à se défendre, à se conduire mal quand il en avait besoin. Il sera important que personne ne le gronde trop fort quand il montrera ouvertement ses sentiments. Il risque fort d'essayer sur Sam et sur ses parents des comportements très agressifs. Il lui faudra sans doute tâter des extrêmes avant de trouver le juste milieu. Ses excès ne manqueront pas de surprendre son entourage, tellement ils sembleront éloignés de son caractère, et ils peuvent même choquer ses parents par leur apparente férocité. Mais, si ceux-ci lui laissent tester ses limites et se défouler, à la longue cela lui sera profitable. Il ne faut pas cependant tomber dans le laxisme. Jusqu'à ce qu'il soit capable de se fixer lui-même des limites adéquates, il sera rassuré par la discipline de ses parents. Quand il sera hors de lui, il aura besoin que ses parents lui disent, en substance : « Wiley, nous voulons que tu nous montres tes sentiments, nous voulons que tu sois fort et résistant, mais il y a des limites. Ça suffit. Si tu ne peux pas t'arrêter, nous pouvons et nous allons t'y obliger. » Cette détermination, exprimée d'une façon ferme, mais compréhensive, peut réconforter un enfant comme Wiley. Autrement, ses « nouveaux » sentiments d'agressivité pourraient l'effrayer.

Le caractère de Wiley qui le porte à faire attention aux autres, à vouloir leur plaire sera plus tard un atout pour lui. Ce sont des qualités que l'on trouve couramment chez les gens qui ont réussi. Il ne faut donc pas qu'il les perde. Mais s'il peut les tempérer en sachant comment et quand se défouler, elles lui demanderont moins de sacrifices personnels à l'avenir. Wiley est un merveilleux petit garçon. Robin et Chris me parlaient de lui avec une fierté légitime.

« Wiley a été un petit bébé parfaitement normal, dit Robin. Après les épreuves que nous avions traversées en essayant d'avoir un enfant à nous, cela semblait à peine croyable. Dès le début, on aurait dit qu'il sentait notre besoin de le comprendre, et qu'il nous montrait comment faire. C'était un bébé de rêve, et nous étions tous deux comblés. » A ces mots, ils s'étaient penchés en avant comme pour mieux me faire comprendre combien c'était sérieux et combien ils éprouvaient de gratitude envers Wiley. Peu auparavant, celui-ci était allé vers son matelas pour s'étendre. Il avait pris son nounours préféré, s'était mis en boule sous sa couverture et s'était tranquillement endormi. Ils parlaient d'un ton presque religieux tout en le regardant. Et, de fait, le beau petit garçon endormi là dégageait quelque chose de miraculeux.

Il y a chez certains parents un ensemble d'émotions appelé « syndrome de l'Enfant Christ » par ceux d'entre nous qui travaillent avec les familles. Beaucoup de parents le ressentent à propos d'un enfant ou d'un autre ; habituellement c'est l'aîné qui est concerné. Souvent le syndrome est renforcé lorsqu'il y a eu, comme pour Robin et Chris, des difficultés à concevoir et avoir le premier enfant, ou des problèmes antérieurs qui font craindre aux parents de ne pas avoir un bébé normal, en bonne santé. Les mères qui sont éloignées de leur famille s'accrochent à un premier enfant comme à une bouée de sauvetage. Les parents qui ont eu un frère ou une sœur handicapés s'attendent inconsciemment à être incapables d'avoir un enfant vraiment parfait. Quand le bébé est normal et en bonne santé, ils l'idéalisent. Ils font bénéficier cet enfant d'une attention nécessaire et juste, mais parfois ils escomptent qu'il va se comporter de façon parfaite. Très tôt, ces enfants sentent comment faire plaisir à leurs parents et ils apprennent à avoir l'air gentil. Les dégâts causés par ce processus ne sont pas toujours apparents, et ils peuvent même être trop légers pour qu'on s'en inquiète. Il faut quand même se poser la question suivante : Cet enfant exige-t-il trop de lui-même ? Est-il trop perfectionniste ? Peut-il se permettre d'échouer sans se sentir complètement perdu ?

Robin nous dit alors que l'arrivée de Sam leur avait remis les pieds sur terre. « Ce fut très différent. Ni romantique ni magique comme avec Wiley, seulement beaucoup de travail et l'impression que jamais plus je n'aurais assez de temps. Je n'ai plus d'illusion en ce qui concerne un éventuel troisième, même pas un "à moi". Je n'ai pas le choix avec Sam. Avec lui les arbres ne cachent pas la forêt. Il est si exigeant, si remuant. Je lui donne des fessées. Je n'aurais jamais pensé pouvoir le faire. Je le gronde. Je n'ai jamais fait cela avec Wiley. Je suis capable de dire "espèce de petit démon" en le pensant. Est-ce que je me comporte davantage comme une mère naturelle ? Il me semble. Avec Wiley, nous nous sommes bien accordés, tout simplement. Nous voulions tous deux qu'il soit "à nous". Cela paraît superflu avec Sam. Aucun de nous ne veut reconnaître qu'il nous ressemble. Et pourtant, c'est un fait, je me trouve beaucoup d'affinités avec lui. Je ressens les choses juste comme lui. C'est tout à fait stupéfiant de pouvoir aimer deux enfants si différemment et si passionnément ! »

« Jusqu'à présent nous ne sommes pas conscients des différences entre parents naturels et adoptifs, dit Chris. Nous sommes submergés par notre travail de parents. Sam nous donne l'impression que nous avons réussi. Il n'y a rien de magique à son propos. Nous voulions une fille, mais, quand l'assistante sociale m'a appelé en plein milieu d'une importante réunion, je n'ai pas eu une seconde d'hésitation. Ils nous l'ont amené dans une grande camionnette bleue. Parfois Wiley dit : "Faites venir la camionnette pour qu'on le remmène !" »

Robin intervint pour dire : « J'ai décidé de rester à la maison avec lui. Je ne veux pas manquer autant de choses qu'avec Wiley. J'ai besoin d'être à la maison pour les deux enfants. Tous ces trajets, c'était trop horrible. Je peux travailler à mi-temps sur place, en faisant du conseil, et mieux profiter de mes garçons. »

J'ai déjà entendu cette histoire bien des fois. Beaucoup de parents pensent qu'ils peuvent retourner travailler à plein temps après leur premier enfant, mais pas après le second. Ou ils désirent profiter, avec le second, des expériences qu'ils ont manquées la première fois, ou ils trouvent que deux enfants réclament beaucoup plus de travail qu'un seul. Le changement d'attitude de Robin et sa décision de rester à la maison sont chose courante.

« J'ai même songé à changer de travail, dit Robin, à quitter la décoration intérieure pour l'enseignement. J'envisage d'aller dans une école d'art pour travailler avec des enfants. J'aimerais jouer avec eux, faire de la peinture avec les doigts, des sculptures improvisées. Sam m'a permis de ne plus être parfaite. Avant Sam, j'avais peur de lire des livres sur la façon d'élever les enfants. J'évitais de trop analyser ma façon de faire, par peur de découvrir un échec. Je voulais tellement tout réussir avec Wiley. Les parents adoptifs ressentent le besoin d'être parfaits. J'avais même peur que ses parents pensent que je l'avais mal élevé. Je n'éprouve pas cela avec Sam. Il me laisse le droit à l'erreur. Il m'a donné une deuxième chance. Je peux désormais être *moi-même*. »

En entendant les deux parents évoquer la profondeur de leur attachement, je sentais que chacun s'identifiait très intimement à l'un des garçons. Robin me disait combien sa personnalité correspondait à celle de Sam. Je savais déjà que Chris ressentait la même chose vis-à-vis de Wiley. Chacun des garçons a de la chance d'avoir deux parents. Leurs relations avec l'un ou l'autre ne sont pas plus ou moins bonnes, elles sont différentes. Tous les parents ont des sentiments différents vis-à-vis d'enfants différents. C'est une erreur de penser que l'on doit avoir la même relation ou même une relation d'égalité avec chaque enfant. Les relations qui comptent sont fondées sur des réactions beaucoup trop profondes pour pouvoir être contrôlées d'une façon tellement intellectuelle. Ce que Robin et Chris peuvent faire, c'est admettre ces choses et les apprécier. Il leur sera alors possible de se partager l'éducation de chaque garçon de façon à profiter de ces relations différentes. Robin, par exemple, quand elle fixe des limites à Sam, a tendance à le faire d'une façon directe et froide. Après coup, elle comprend ce qu'il ressent et elle est capable de le prendre pour le réconforter. Quand les choses sont rentrées dans l'ordre, j'espère qu'elle sait profiter de leur rapprochement pour lui montrer pourquoi la discipline et les limites sont des choses importantes. Il aura sans doute plus de facilité à apprendre du fait de cette approche directe. Mais peut-être Wiley apprendra-t-il plus facilement les limites avec Chris qui peut lui faire comprendre comment il les a lui-même apprises quand il était enfant.

A ce moment, Bommer nous rejoignit. Elle s'était tenue ailleurs, pour respecter notre entrevue. Cependant elle savait que je voulais aussi connaître sa version de l'histoire.

« D'où vient votre nom ? demandai-je. D'autres petits-enfants, plus âgés ?

— Non, c'est Wiley qui l'a trouvé, répondit-elle. J'ai également deux fils, et chacun a des enfants. Une petite-fille et deux petits-fils, en plus de Wiley et de Sam. Je les adore tous autant qu'ils sont — tous différemment. Mais je crois que Wiley me plaît d'une façon spéciale. J'ai eu le sentiment de participer au miracle. J'ai tellement désiré cet enfant pour Chris et Robin. Quand il est arrivé, j'étais tellement ravie. Et il ne m'a jamais déçue.

« Il m'a donné ce nom quand il avait un an et demi. Nous regardions voler les avions. Je lui ai dit : "Regarde ce vieux bombardier [1] !" Plus tard, le soir, il s'est souvenu du mot et me l'a attribué. Personne d'autre n'a un vieux bombardier pour grand-mère. Cela me plaît beaucoup. »

Elle me raconta qu'elle s'était trouvée veuve quand ses enfants étaient très jeunes. Il lui avait fallu gagner sa vie, et elle était retournée à l'école et s'était ensuite occupée d'enfants dyslexiques dans une école privée. Un de ses fils était dyslexique et ça l'avait motivée dans le choix de ce genre d'enseignement. Elle avait élevé seule ses trois enfants. « Ce n'était pas facile, mais c'était passionnant. Et ils se sont en quelque sorte élevés eux-mêmes. Ne laissez personne dire qu'il n'y a pas d'avantages à cette

---

1. En anglais : *bomber*, que l'enfant répétera avec un léger défaut de prononciation, ce qui donnera *Bommer*. (N.d.T.)

situation. Ces enfants ont grandi en étant si proches l'un de l'autre parce qu'ils ne pouvaient pas faire autrement. Ils savent tous faire la cuisine, le ménage, s'occuper des autres. Il le fallait bien. Nous étions une famille éprouvée, laborieuse, c'est vrai, mais ils en ont tiré profit. » A travers ses mots, je sentais la force et la passion qu'elle avait transmises à ses enfants.

Quand elle parlait de ses rapports avec Wiley, je sentais bien que ceux-ci n'étaient pas entravés par les tensions que Bommer avait subies quand elle supportait seule l'entière responsabilité de ses propres enfants. Un des plaisirs propres aux grands-parents, c'est que l'on peut s'adonner à la joie d'être un parent sans en supporter la responsabilité. Les grands-parents peuvent laisser à quelqu'un d'autre les tâches d'éducation, de dressage. Ils sont libres de profiter à nouveau du monde avec un petit enfant, d'admirer tranquillement le développement d'un jeune être.

« Wiley et moi, nous nous entendons très bien, dit Bommer. Depuis toujours. Nous goûtons ensemble, nous passons des heures à parler, à inventer des histoires. Tout ce que nous faisons est imaginaire. Quand nous sommes sur une balançoire, nous rêvons que nous sommes sur un navire et que nous voguons vers les îles des mers du Sud. Nous faisons une danse avec les indigènes. Il danse et moi aussi. Nous rions de nos danses et imaginons que les indigènes dansent bien mieux que nous. Nous chantons des chansons à propos de tout. Jamais je ne chanterais avec quelqu'un d'autre. Nous inventons aussi des mots, parfois des mots que personne d'autre ne peut comprendre. Nous vivons dans un monde à nous. »

Tandis que cette extraordinaire grand-mère parlait, ses yeux pétillaient et projetaient une intense puissance de communication ! Ils me transportaient dans ce monde imaginaire. Je voyais qu'elle apportait à la vie de Wiley une dimension que les parents ne savent généralement pas donner. Jamais je n'aurais osé être si libéré, si imaginatif avec mes propres enfants. J'aurais eu peur de les éloigner du « vrai » monde avec lequel il leur faudrait vivre. Les parents s'inquiètent quand leurs enfants passent trop de temps dans un monde de rêve. Mais il y avait Bommer, qui ne craignait pas de conduire ce garçon dans un pays exotique fait de musique, de danse et de mots imaginaires. En comparaison, n'importe quelle émission de télévision ne pouvait être qu'ennuyeuse et vulgaire ! Grâce à cette charmante grand-mère, Wiley avait une vision du monde plus large, plus passionnante. Et elle aussi :

« Vous ne pouvez savoir combien il a enrichi ma vie, dit-elle. Je suis venue le garder pour permettre à ses parents d'aller à un réveillon à New York. Je n'arrivais pas à le coucher parce que je voulais rester avec lui. Nous avons commencé à prendre des résolutions. Il n'avait que deux ans, mais nous avons trouvé dix résolutions chacun. A la fin, il a dit : "Est-ce que ce n'est pas une fête ?" J'ai répondu : "Oui." Il a dit : "Bon, alors j'ai soif." Je lui ai apporté un peu de soda. Il a fait claquer ses lèvres, s'est calé au fond de sa chaise et a dit : "Maintenant, je suis prêt à parler encore." Je me suis mise à rire et il a ri aussi. Nous avons fait des biscuits de Noël. Quand je lui ai demandé quel genre de gâteau il voulait faire, il a dit : "Des biscuits de Noël." Il était si fier qu'il est allé chercher sa chère couverture. Il a montré les biscuits à la couverture : "Tu peux regarder, mais défense de toucher." Il est si sérieux, si intelligent. Je ne pourrai jamais ressentir quelque chose d'aussi fort pour un autre enfant, j'en ai peur. Cela m'ennuie, mais pas tellement. Wiley est mon enfant magique ! »

Wiley a vraiment de la chance. Bommer est un véritable condensé de la quatrième dimension qu'un grand-parent peut apporter à un enfant — un monde

mélangé de fantaisie et de réalité, une chance de
faire des expériences sans risque de représailles, ni
pression pour apprendre. Sa tâche et celle de Wiley,
c'est de partager la magie de chaque jour — jeunesse
et vieillesse ensemble.

La famille Cooper

L'histoire de la famille Cooper

Charles Cooper élève seul ses enfants. Sa femme est morte deux ans avant notre première rencontre, alors que leur fille avait dix ans et leur deuxième enfant, Charles Jr, deux ans. Elle a succombé à un cancer après une longue maladie au cours de laquelle elle avait « essayé de tenir le coup pour élever ses enfants ». Charles l'adorait. Au milieu du mur du salon il y a la photographie émouvante d'une ravissante jeune femme noire, à l'expression sérieuse.

Charles est policier à Framinghan, un riche faubourg de Boston. Il est l'un des rares Noirs à figurer sur les registres de paie de la ville. Il n'est pas grand, mais mince et musclé, de toute évidence en parfaite condition physique. Un mur entier de son appartement est garni de coupes, car c'est un champion de bowling. Quand je fis sa connaissance, je ne tardai pas à être impressionné par sa forte personnalité, faite de sincérité et de sérieux. Il paraissait sûr de lui, décidé à réussir dans un monde appartenant aux Blancs, un monde qui ne lui était pas favorable. On ne pouvait douter de son dévouement à l'égard de ses enfants. Pendant qu'il me parlait, il ne quittait pas des yeux Charles Jr et Yolanda, guettant leurs réactions. Il caressa tendrement le jeune Charles, quatre ans, quand celui-ci grimpa sur ses genoux. Il se pencha vers Yolanda alors âgée de douze ans quand il se mit à parler d'elle. Comme nous discutions de ses soucis, de son désir de réaliser les rêves de sa femme pour leurs enfants, je sentais que le souvenir de sa femme était devenu un exemple pour chacun d'eux, les encourageant à de hautes ambitions.

Charles a pris la responsabilité d'un double rôle : à la fois maternel et paternel. Quand je lui ai rendu visite, j'ai constaté qu'il combine à la fois tendresse et fermeté, un mélange de maternage et d'autorité. Personnellement, c'est un homme tout à fait masculin et fort, mais avec un côté chaleureux, affectueux. C'est le *parent*, Charles et Yolanda le savent, les deux enfants le respectent, c'est évident. Quand ils m'adressaient la parole, les enfants l'observaient de temps en temps pour voir comment il réagissait.

La mère de Charles vit avec la famille. Elle est très âgée et ne peut pas aider beaucoup, ni pour le ménage ni pour les enfants. Charles essaie de la faire entrer dans une maison de retraite, mais c'est difficile parce qu'elle est noire. Il en parlait sans animosité, mais je sentais bien qu'il était décidé à ne pas se laisser arrêter par le problème racial.

Charles Cooper me paraît un homme d'une extraordinaire énergie physique et morale. Il est aux prises avec une situation qui dépasserait bien des parents. Charles travaille huit heures chaque nuit, en effectuant des patrouilles. Son horaire va de 23 h 45 à 8 h 10 du matin, mais il s'arrange pour passer rapidement chez lui tôt le matin, afin de lever ses enfants et de les conduire à l'école. Après 8 h 10, quand il a terminé son travail, il fait les courses, le ménage, le lavage nécessaire et s'occupe de sa mère. S'il lui reste un peu de temps avant le retour de Charles Jr, en début d'après-midi, il peut faire une sieste. Lorsque Yolanda rentre, elle prend le relais et il dort. Elle fait le dîner et nettoie un peu. Le soir, il prend le temps de s'occuper des deux enfants et les aide à faire leurs devoirs.

La perte d'un parent

Visite à domicile

J'ai rencontré la famille Cooper pour la première fois, quand je suis allé leur rendre visite chez eux pour me rendre compte par moi-même de leur situation.

Après avoir appris de Charles son difficile emploi du temps, je lui ai demandé s'il arrivait à dormir suffisamment.

CHARLES

Non, mais j'ai appris à survivre avec ce que j'ai. Mon sommeil de la journée peut être facilement interrompu par les activités des enfants.

DR BRAZELTON

Est-ce que votre mère peut vous aider aux travaux ménagers quotidiens ?

CHARLES

Elle l'a fait pendant un temps juste après la mort de ma femme. Elle nous a aidés à passer les moments les plus difficiles. Mais maintenant elle n'a plus la force — que ce soit sur le plan physique ou sur le plan moral. J'ai le sentiment que nous l'avons épuisée.

DR BRAZELTON

Mais vous vous épuisez vous-même.

CHARLES

J'ai l'intention d'aider ces enfants à passer le cap le plus difficile. Ma femme m'a laissé avec une tâche ardue : leur donner un bon départ dans la vie. C'était la femme la plus merveilleuse et elle a vraiment fait tout ce qu'elle a pu pour rester en vie. Elle a donné à ses enfants avant de mourir tout ce dont elle était capable. Maintenant c'est mon tour.

DR BRAZELTON
   Est-ce que vous pensez vous remarier?

CHARLES
   Je n'ai pas le temps de penser à cela. Je ne peux pas la remplacer, ça je le sais. Je vis à cent à l'heure. J'ai quand même le bowling et j'adore pêcher. J'espère avoir un jour un bateau pour que nous puissions tous aller pêcher en famille. Pendant les week-ends, je les emmène partout. Charles n'est jamais bien loin derrière moi. Quand je suis là, il ne me perd jamais de vue. Il refuse même d'aller dormir si je ne suis pas là, à le serrer dans mes bras.

   En entendant ces mots, Charles Jr se blottit encore plus près. Pendant ma visite, il ne s'était pas beaucoup éloigné de son père. Charles Sr l'installa dans ses bras pour le bercer. C'est un petit garçon au regard clair, attentionné, qui n'a apparemment aucun problème sérieux. Pourtant je m'étonnai de son comportement plutôt immature.

DR BRAZELTON
   Est-ce qu'il joue avec d'autres enfants?

CHARLES
   Certains. Mais il est très dépendant. Est-ce que c'est inquiétant?

DR BRAZELTON
   Eh bien, cela semble être une conséquence de la perte de sa mère. Est-ce qu'il vous a jamais posé beaucoup de questions à son sujet?

CHARLES

A sa mort, il n'avait que deux ans. Mais elle lui consacrait tout son temps. Est-ce qu'elle lui manque? A nous, elle nous manque, bien évidemment.

DR BRAZELTON

Je crois que vous devriez lui en parler de temps en temps. Il y a un âge où les frayeurs — d'une disparition, de la vôtre — et le désir d'une figure maternelle surgissent.

Les problèmes

Avant qu'une famille puisse se remettre de la perte d'un parent, chacun de ses membres doit être conscient de ce que signifie cette perte pour lui. En particulier, le conjoint survivant, veuf ou veuve, qui doit faire face à son propre chagrin. Avant de pouvoir aider Yolanda et Charles Jr à supporter leur part de ce malheur, Charles Sr doit pouvoir vivre sa souffrance et soigner ses blessures. Jusqu'à présent il a réussi à se protéger en se plongeant dans le travail : ses huit heures de service, suivies des travaux ménagers chez lui. Il a pris en charge une adolescente, un enfant de quatre ans ainsi que sa propre mère qui est infirme. Les exigences incessantes de ces deux emplois à plein temps ne lui laissent pas l'occasion de s'occuper de ses sentiments à lui. Beaucoup de veufs ou de veuves se réfugient dans le travail. Pendant la période critique du deuil, ils s'imposent des obligations incessantes. En fait, il est nécessaire de ralentir, de limiter les heures de travail, quitte à en laisser une partie à quelqu'un d'autre, pour se donner le temps de souffrir. Un des dangers, quand on fuit son chagrin, c'est de s'accrocher excessivement à ses enfants, trop pour leur bien. On a fatalement peur de perdre aussi ses enfants. Quand ils regardent leur chagrin en face et qu'ils se donnent les moyens d'en guérir, les parents veufs ont plus de facilité à relâcher leur emprise sur leurs enfants.

L'étape suivante consiste à aider chaque enfant à comprendre et à affronter son propre deuil. C'est différent pour chacun. Un très jeune enfant comme Charles Jr ne saura pas exprimer ses peurs ni sa tristesse, mais il y a un certain nombre de sentiments que ressentent les jeunes enfants dans sa situation, et le parent qui reste peut essayer de les repérer par l'observation et l'écoute :

1. Le sentiment d'être différent, d'avoir une famille incomplète, surtout en présence d'enfants qui ont une famille « intacte ».

2. La peur de perdre le parent survivant, qui se manifeste par de l'anxiété devant les situations nouvelles ou les séparations.

3. L'illusion d'avoir causé le décès, avec pour conséquence des sentiments de culpabilité.

4. La recherche avide d'un adulte du même sexe que le parent décédé.

5. Un sentiment de colère contre le parent survivant parce qu'il ne peut pas procurer à la famille la mère ou le père qui lui manque.

6. La régression à un stade de développement plus infantile dès qu'il faut affronter une nouvelle tension.

7. Un comportement possessif à l'égard du parent survivant et jaloux à l'encontre de ses relations, hommes ou femmes.

On peut remarquer beaucoup de ces sentiments ainsi que les comportements qui en résultent chez Charles Jr ; et c'est ce qui arrivera peu à peu à la plupart des enfants qui perdent un parent pendant les premières années de leur vie.

Charles Jr peut à peine se rappeler sa mère. En grandissant, il va avoir besoin d'une femme auprès de lui qui l'aide à découvrir son identité masculine.

Yolanda peut remplir ce rôle si elle s'occupe de lui. Mais une fille de son âge aura besoin de prendre de l'indépendance et de passer par un stade de révolte. A quatre ans, Charles Jr a aussi perdu la stabilité sans laquelle on ne peut extérioriser son agressivité. Si la mort de sa mère le laisse à la merci de peurs — peur d'une autre perte (son père, sa grand-mère, Yolanda) ou peur d'être méchant (s'il imagine que par sa mauvaise conduite il peut être responsable de la mort de sa mère) — son développement pourrait en être menacé.

Une partie de la dépendance de Charles Jr est sans doute renforcée par la solitude de son père. Le garçon se rend compte de cette situation et découvre qu'il peut sans mal exiger beaucoup de son père. Comme il ressent les manques affectifs de son père et que, d'autre part, il n'ose pas s'affirmer de peur de perdre le parent qui lui reste, Charles Jr risque de ne pas acquérir l'indépendance et l'autonomie normales à son âge. En fait, il faudra qu'il acquière une certaine assurance pour supporter de prendre son indépendance, et son père est incapable de la lui laisser prendre tant qu'il ne s'est pas lui-même bien remis de son deuil.

Si on ne parle jamais du parent qui est mort, les enfants sont privés de la possibilité de partager leur chagrin. Cela augmente leur sentiment de solitude et leur crainte d'une nouvelle perte. Les jeunes enfants de l'âge de Charles ne peuvent concevoir la mort comme une réalité. La mort leur paraît comme le sommeil. Les enfants de quatre ans croient que les morts peuvent se réveiller, revenir à la vie si on le souhaite assez fort. Après tout, les dessins animés qu'ils voient à la télévision le confirment. Les héros se relèvent et repartent. Les petits enfants vont même plus loin dans cette croyance. Ils pensent que s'ils sont assez gentils, ils pourraient bien être capables de ramener à la vie le parent qu'ils ont perdu. Mais, s'ils sont méchants un tant soit peu, ils l'empêcheront de revenir et infligeront à la famille un éternel chagrin. De telles croyances laissent aux enfants le choix entre trois comportements : être très gentil et essayer de prouver leur théorie ; être très méchant et mettre le système à l'épreuve ; ou régresser vers un stade d'immaturité où le bien et le mal ne sont plus de mise. Charles paraissait avoir régressé, il s'accrochait, comme pour essayer de rester bébé et de prouver que son comportement était innocent.

Quand un enfant a l'occasion de poser des questions : « Qu'est-ce que la mort ? Où est maman ? Est-ce que c'est ma faute ? Est-ce qu'elle me voit de là-haut ? Est-ce qu'elle m'aime toujours ? », le besoin de refuser la réalité et de réagir avec agressivité disparaît peu à peu. Dans la plupart des familles on pose certaines de ces questions, mais il faut les répéter, encore et encore. Le père d'un enfant aussi jeune que Charles devra le pousser à être un peu plus indépendant, lui donner la permission d'exprimer ses peurs. Un tel enfant peut avoir besoin de faire l'expérience d'une certaine agressivité, de découvrir qu'il ne va pas briser le moindre cercle magique s'il lui arrive de se conduire impatiemment ou méchamment. Un groupe d'enfants du même âge, à l'école, peut apporter de l'aide. Pour un enfant qui a perdu sa mère, une maîtresse affectueuse avec laquelle il puisse avoir des relations personnelles, à laquelle il puisse se heurter, puis faire confiance, une telle maîtresse serait un atout considérable.

En ce qui concerne une fille de l'âge de Yolanda, les problèmes sont différents. On lui a demandé de reprendre en partie le rôle de sa mère. Parce qu'elle est une femme et qu'elle est plus âgée, elle a été tout naturellement conduite à prendre cette responsabilité et en plus à faire office de figure maternelle pour son frère. Si elle ne se rend pas utile dans chacun de ces domaines, elle va se sentir coupable. On a trop besoin d'elle. Cependant, comme tout adolescent normalement constitué, il va falloir qu'elle se révolte de temps en temps. Il lui faudra récriminer, se plaindre, laisser son travail sans l'avoir terminé, rendre son père furieux. Sinon, elle le paiera cher. Sa propre identité, en tant que personne distincte de sa famille, se forme à travers cette sorte de révolte. Si elle était capable de supprimer tout sentiment de révolte en elle, elle pourrait avoir à le payer plus tard, par des comportements répréhensibles. Elle aussi éprouve de l'anxiété quant à la cause de la mort de sa mère, quant à la mort elle-même et son degré de responsabilité dans la maladie de sa mère. Elle doit avoir l'occasion d'en parler.

Si le parent veuf peut prendre le temps d'écouter ses problèmes, une fille de l'âge de Yolanda aura le sentiment de pouvoir parler des autres problèmes de l'adolescence qui ne vont pas tarder à arriver. Si le parent ne supporte qu'une conduite exemplaire, elle devra exprimer sa révolte ailleurs, ou par des moyens moins acceptables. Elle peut se mettre à sortir trop tard, à choisir des amis peu désirables, et même à faire une fugue pour prouver qu'elle a une existence indépendante. Si elle n'a pas surmonté le chagrin d'avoir perdu sa mère, elle aura davantage tendance à se heurter à son père, à exprimer sa colère face à la question « Pourquoi moi ? ». Un parent veuf doit être préparé à cela. Plus tôt il sera prêt à partager avec elle sa propre douleur et à la laisser partager ouvertement la sienne, plus il sera libre d'accepter sa révolte normale d'adolescente.

Voici des suggestions pour les parents qui doivent aider un enfant à affronter la mort ou la perte de l'autre parent :

— Les enfants ont besoin d'être rassurés encore et encore sur l'amour qu'on leur porte et que le parent absent leur a porté.

— Les enfants ont besoin qu'on leur répète qu'ils n'ont aucune responsabilité dans la mort de leur mère ou père. Ils ont besoin de savoir qu'ils peuvent

être « méchants » sans risquer de perdre le parent
survivant.

— En même temps, les enfants ont besoin de
limites strictes. Les limites sont rassurantes.

— Le chagrin devrait être exprimé et partagé
ouvertement.

— Les enseignants et les amis proches devraient
être mis au courant, pour pouvoir aider l'enfant à
s'adapter.

— Les autres changements, projets, horaires et
environnement devraient être réduits.

— On peut confier beaucoup de responsabilité
aux enfants plus grands, mais en les rassurant : ils
n'ont pas besoin de remplacer le conjoint décédé.

— Un décès est une occasion privilégiée pour
transmettre les croyances fondamentales d'une
famille sur la religion, sur la mort et sur l'au-delà. Il
y aura des questions sans réponse, bien sûr, mais un
parent peut expliquer ses croyances et dire comment
elles l'ont aidé à affronter le décès.

— Les parents ne devraient jamais avoir peur
d'exprimer leur propre chagrin en face des enfants.
Ils les aident ainsi à sentir la réalité de la mort.
Même un père a besoin de pleurer et de partager ses
sentiments. Les enfants peuvent se sentir obligés
d'offrir du réconfort. Les parents devraient l'accepter, mais en assurant les enfants qu'ils sont capables
de venir à bout de leur chagrin.

— On doit laisser les enfants souffrir à leur propre
rythme. Ils porteront le deuil pendant des années,
mais par intermittence. Un adulte souffrira plus
intensément, mais guérira avec le temps. Dès que le
parent s'en sent capable, il ou elle peut aider les
enfants en leur proposant des moyens inoffensifs et
des moments privilégiés pour partager leur chagrin.
Une visite au cimetière, un moment tranquille pour
regarder à nouveau des lettres et des photos — ce
sont là des possibilités pour évoquer le souvenir de la
personne morte. Si les enfants ne sont pas prêts, ou

s'ils ne veulent pas partager, il faut respecter leur volonté. Le choix du moment opportun doit être l'affaire de chacun.

— Si les symptômes de dépendance ou de peurs persistent, ou si la révolte adolescente est trop dévastatrice, les parents devraient envisager les conseils d'un spécialiste, non comme un signe d'échec, mais comme une source de force pour affronter une crise qui représente plus que ce que la plupart des familles auront jamais à affronter.

Questions courantes

QUESTION

Quand un adulte est en proie à une grande douleur, comment peut-il aider son enfant ?

DR BRAZELTON

Je ne suis pas sûr que vous le puissiez à ce moment, si ce n'est en étant proche et en montrant qu'on peut compter sur votre présence. Si vous êtes absent, l'enfant aura peur. Quand vous vous sentirez un peu mieux, vous pourrez alors tourner votre attention vers les problèmes de l'enfant. Heureusement les enfants ont non seulement un sens fort du refus qui les aide à franchir les caps difficiles, mais aussi la capacité de retarder leur réaction à une perte jusqu'à ce que les adultes de leur entourage puissent la supporter. Mais *alors*, les enfants ont besoin d'aide.

QUESTION

Je n'ai pas emmené ma fille aux obsèques de sa mère, mais maintenant je l'emmène sur sa tombe. Ai-je raison ?

DR BRAZELTON

Les obsèques servent à prendre congé et sont destinées aux adultes. Cela nous aide à accepter la mort et à donner une limite à la réalité de la vie. Si les enfants demandent à venir, pour ma part je les emmènerais, mais quelqu'un devrait alors rester avec eux pour répondre à leurs questions et prendre soin de leur angoisse. Emmener votre fille avec vous lorsque vous allez vous recueillir sur la tombe de votre femme me semble une bonne chose pour chacun de vous. C'est vraiment l'occasion de partager votre chagrin et vos croyances, et de discuter de la mort, de son caractère inéluctable, qui fait partie de la vie. Plus vous pouvez partager avec elle, mieux ce sera. N'omettez surtout pas d'écouter ce qu'elle a à dire.

QUESTION

Mon fils avait deux ans quand il a perdu sa mère. Comment puis-je le rassurer, le persuader que je ne vais pas mourir moi aussi ?

DR BRAZELTON

Il faut aborder le sujet en disant : « Je sais que tu es inquiet, c'est normal ; mais je ne vais *pas* mourir. Je vais rester là, avec toi. » Il a besoin de vous entendre répéter cela encore et encore.

QUESTION

Ma femme a été longtemps malade. J'ai essayé de laisser ma fille en dehors de cela pour la protéger. Ai-je eu tort ?

DR BRAZELTON

Je ne pense pas qu'il soit possible de protéger un enfant de la réalité. Vous pouvez toujours revenir en arrière avec elle et lui raconter tout ce dont vous vous souvenez. Allez-y doucement et répondez à toutes ses questions. Écoutez-la exprimer ses peurs et affrontez-les ensemble. Pour elle, affronter seule sa peur c'est une expérience qui la laisse encore plus seule et plus effrayée. Si vous êtes deux, ce n'est plus la même chose.

QUESTION

Mon fils qui a quatre ans me demande : « Où est maman ? » et il veut que je lui montre un endroit précis. Que puis-je dire ?

DR BRAZELTON

Un enfant entre trois et six ans a une façon de penser très concrète. Tout comme les peuples primitifs attribuent au ciel et à l'enfer une place sur une carte, les enfants veulent une réponse précise. Naturellement vous ne pouvez lui en donner une, et à votre place je le lui avouerais honnêtement. Mais vous pouvez rêver ensemble à l'endroit où elle pourrait se trouver. Écoutez-le exprimer ce qu'il imagine et en même temps exposez-lui les croyances que vous pouvez avoir. Il appréciera votre honnêteté et votre attention plus que n'importe quelle réponse.

QUESTION

Mon fils a perdu son frère aîné. Il demande *pourquoi* il devait mourir. Que peut-on répondre à cela ?

DR BRAZELTON

Derrière la question philosophique, il y a d'autres questions précises auxquelles vous pouvez répondre. Expliquez la maladie de votre fils aîné dans des termes compréhensibles. Peut-être demande-t-il en fait si c'est en partie sa faute ou si lui aussi pourrait mourir. Vous *pouvez* répondre à ces questions. Après avoir expliqué ce que vous savez, faites en sorte qu'il vous demande ce qui le perturbe encore. Ce qu'il y a derrière ses questions peut être plus important que les mots que vous entendez.

QUESTION

Ma fille paraît attendre que sa sœur revienne ou que nous la remplacions.

DR BRAZELTON

Voici un exemple de pensée concrète. Vous pouvez dire : « Nous souhaitons tous qu'elle revienne. Elle ne reviendra pas, mais nous pouvons la garder en vie dans notre cœur. De cette façon, peut-être qu'elle saura que nous pensons à elle et nous la sentirons proche de nous. » Vous pourrez l'assurer que ce ne serait pas la même chose de la remplacer, et lui expliquer que vous voulez attendre d'être un peu remise avant de penser à un autre bébé. Vous désirez que ce bébé soit spécial en lui-même, et non qu'il serve à remplacer sa sœur.

QUESTION

Depuis la mort de mon mari, mon fils semble vouloir redevenir un bébé. Est-ce naturel ?

DR BRAZELTON

Oui. Une régression est une façon très normale et très saine de s'adapter. C'est aussi une façon de vous demander de l'aider à comprendre ses sentiments face à la mort de son père.

QUESTION

Mon enfant avait deux ans à la mort de sa mère. Comment savoir ce qu'elle se rappelle et ce qu'elle comprend ?

DR BRAZELTON

Je ne crois pas que vous puissiez jamais réellement le savoir. Tout ce que vous pouvez faire, c'est de prêter l'oreille à ses soucis et d'observer ce qu'elle vous exprime par son comportement. Quand vous lui parlez de sa mère, écoutez ce qu'elle a à vous en dire.

QUESTION

Mon fils avait quatre ans à la mort de son père; récemment il m'a dit qu'il ne s'en souvenait plus.

DR BRAZELTON

Il se peut qu'il réprime des souvenirs qui le font souffrir. Ces souvenirs reviendront peut-être plus tard, quand il sera capable de les assumer. Il se peut aussi qu'il essaie ainsi d'obtenir de vous que vous lui en disiez plus au sujet de son père. De toute façon, vous devriez faire en sorte de parler de son père, en lui demandant de se rappeler à quoi il ressemblait, en lui montrant combien son fils a de points communs avec lui. Il peut avoir besoin d'en savoir plus au sujet de son père au fur et à mesure qu'il grandit, pour s'identifier avec lui et développer sa propre identité masculine, séparément de la vôtre.

QUESTION

Est-ce que les cauchemars peuvent avoir un rapport avec un décès? Comment un parent doit-il les traiter?

DR BRAZELTON

Les cauchemars et les frayeurs surgissent souvent longtemps après une mort, à un moment où un enfant commence à être prêt à affronter la perte. C'est le signal pour vous, parent, de prêter l'oreille aux angoisses de votre enfant. Faites-lui savoir que vous comprenez. Prenez ses craintes et ses cauchemars au sérieux, assez pour aller le voir et le réconforter. Installez-lui une veilleuse ou laissez-le aller au lit avec son bon jouet favori, si cela peut l'aider. Pendant la journée, parlez des

craintes et du chagrin que vous éprouvez tous
deux. Puis aidez-le à voir ce qu'il y a derrière les
cauchemars. Donnez-lui toutes les explications
susceptibles, à votre avis, de lui servir. En aidant
un enfant à comprendre ses propres réactions,
vous ne faites pas que le rassurer, vous lui ensei-
gnez aussi à avoir recours au raisonnement pour
affronter une tension.

QUESTION

Ma grand-mère qui était impotente et un peu
gâteuse vient de mourir. Je considère que c'est
une délivrance, mais dois-je dire cela aux
enfants?

DR BRAZELTON

Perdre un grand-parent ou un arrière-grand-
parent n'est pas facile, même si c'est une personne
infirme et qu'elle représente une charge pour la
famille. Le fait d'être honnête à propos de vos
propres sentiments simplifie toujours les choses.
Vous pouvez expliquer que les personnes âgées
parviennent à un stade de leur vie où la mort est
un soulagement et une délivrance. C'est plus dur
pour nous que pour eux. Votre grand-mère vous
manque probablement, quand vous vous souvenez de la personne qu'elle était auparavant.
Encouragez tout le monde à se rappeler tout ce
qu'ils peuvent d'elle. Ne réprimez pas vos sentiments de culpabilité. Laissez-vous aller aux
regrets de tout ce que n'avez pas fait et que vous
voudriez avoir fait pour votre grand-mère. La
mort est difficile à comprendre, mais elle fait partie de la vie. Si on peut l'affronter honnêtement et
ensemble, en famille, cela peut devenir une
source de force.

Le père seul

Consultation

La famille Cooper se trouve dans mon cabinet. Il s'agit apparemment d'une visite de contrôle pour Charles Jr. Au début, celui-ci avait trop peur pour se laisser examiner. J'ai donc changé d'objectif pour m'intéresser à son père et à la façon dont la famille se débrouillait. J'ai proposé que cette visite nous serve à faire plus ample connaissance, et que nous laissions examen et piqûres pour plus tard, quand Charles me connaîtrait mieux et me ferait confiance. Ainsi, il aurait la possibilité de me laisser devenir son ami et son docteur. Un enfant de quatre ans ressent toujours un examen physique comme une violation de son intimité. Après une tragédie personnelle et la perte d'un parent, la menace est encore plus grande.

DR BRAZELTON

Bonjour, soyez les bienvenus. Salut, Charles. Tu es grand maintenant, n'est-ce pas? Quel âge as-tu?

CHARLES JR

Quatre ans.

DR BRAZELTON

Tu as emmené ta grande sœur avec toi, c'est *bien*.

CHARLES JR

Ne me touche pas.

DR BRAZELTON

Charles, pour un contrôle, il faut que je te touche un peu. Mais tu ne veux pas que je te touche maintenant. Est-ce que tu préfères revenir une

autre fois quand nous nous connaîtrons mieux?
Je veux être ton ami en même temps que ton docteur. *(Se tournant vers Charles Jr :)* Est-ce que
vous travaillez toujours la nuit?

CHARLES

Oui, il y a des avantages, du moins en ce qui
concerne les enfants, parce que je suis à la maison
pendant la journée. Je pense que je suis plus lié à
mon fils que bien des pères. Lorsque ma femme
est morte, il était très proche d'elle. Et il ne l'a pas
oublié. A partir de son opération, quand on a
découvert qu'elle avait un cancer, toute la vie de
ma femme a tourné principalement autour de
Charles Jr. Je veux dire qu'elle lui a appris énormément de choses. De son vivant, c'était une
sacrée bonne femme. Je ne sais pas comment
expliquer cela. Elle était la meilleure. *Charles
s'arrêta un moment.* Garder une famille unie sans
mère, c'est une des choses les plus difficiles que
j'aie jamais faites. Il faut que je sois la mère, le
père, la sœur, le frère, l'ami et la maîtresse de
maison et tout le reste.

DR BRAZELTON

Est-ce que Yolanda vous aide? *Yolanda acquiesce
de la tête.*

CHARLES

Yolanda est parfois une véritable mère pour
Charles. Elle l'habille; parfois elle lui donne son
bain le soir avant qu'il se couche.

DR BRAZELTON

C'est vraiment bien. Et comment va Charles
maintenant?

CHARLES

Il a l'air de s'accrocher à moi, vous savez. Où que j'aille, il veut aller. C'est dur d'être un père seul. Il y a des choses qui ne viennent pas naturellement, comme à une mère. Ma famille est pour moi ce qu'il y a de plus important dans ma vie. Tout ce que je fais, mes enfants le font avec moi. Entre le travail de nuit, les enfants et toutes les choses à faire à la maison — c'est éreintant.

DR BRAZELTON

(A Charles Jr :) Comment ton père s'en sort-il ?

CHARLES JR

Très bien.

DR BRAZELTON

Est-ce qu'il est comme une maman pour toi ?

CHARLES JR

Hum, hum.

DR BRAZELTON

Il est obligé, non ?

CHARLES

Je ne sais pas vraiment où j'en suis. Je viens à bout de la routine quotidienne mais, si je ne fais pas tout dans la maison, rien n'est fait. Rien ne bouge si moi je ne me remue pas.

DR BRAZELTON

Mais apparemment vous trouvez du temps pour les enfants.

CHARLES

Quand Charles Jr revient à la maison à midi, je peux lui consacrer un peu de temps. Et quand Yolanda rentre, si elle se met tout de suite à ses devoirs, je peux l'aider.

DR BRAZELTON

(A Yolanda :) Et tu aides ton père ?

YOLANDA

Eh bien, oui, je l'aide, parfois.

DR BRAZELTON

Parfois ?

YOLANDA

Parfois, oui, parce que j'essaie de faire mes devoirs et aussi de surveiller Charles. Quand mon père dort, Charles court un peu partout dehors, et avec toutes les choses qui arrivent, vous savez, j'essaie de m'assurer qu'il est dans les environs.

DR BRAZELTON

Bravo, Yolanda. Ce n'est pas facile à ton âge, n'est-ce pas ? Alors, Charles ! Dis-moi quelque chose à propos de toi.

CHARLES JR

Je n'aide pas à la maison.

DR BRAZELTON

Que fais-tu ?

CHARLES JR

Je ne fais pas de saletés dans la maison.

DR BRAZELTON

C'est ta façon d'aider ton papa, hein ? Est-ce qu'il t'arrive de l'aider à nettoyer ?

CHARLES JR
Mmm... mmm...

DR BRAZELTON
Et à faire la cuisine?

CHARLES JR
Ah non!

DR BRAZELTON
Pourquoi?

CHARLES JR
Parce que je pourrais laisser brûler la nourriture. *Yolanda rit.*

Charles et Yolanda faisaient tous deux ce qu'ils pouvaient, mais c'était quand même rudement dur pour leur père.

CHARLES
Je vis au jour le jour. Je m'occupe d'aujourd'hui et demain je m'occuperai de demain. Ça semble être la seule issue en ce moment.

DR BRAZELTON
Charles, si vous trouviez quelqu'un d'autre pour s'occuper des enfants? C'est ce que beaucoup d'hommes feraient.

CHARLES
En fait, je pense que ce sont mes enfants et que c'est à moi de les élever.

DR BRAZELTON
Cela vous tient vraiment à cœur de garder ces enfants ensemble et la famille unie, n'est-ce pas?

CHARLES

Eh bien, lorsque ma femme était en vie, c'est elle qui faisait pratiquement tout. Et lorsqu'elle est tombée malade et que l'échéance se rapprochait, un jour que nous nous trouvions à l'hôpital, elle m'a dit : « Que vas-tu faire quand je mourrai ? Je ne crois pas que tu puisses y arriver. » Je lui ai dit et je me suis dit : « J'y arriverai. Nous y arriverons. » Et je dois y arriver. C'est ma façon de trouver du réconfort, parce qu'elle ne m'en croyait pas capable.

DR BRAZELTON

Alors, vous avez le sentiment qu'elle vous observe et vous essayez de lui prouver tout cela.

CHARLES

C'est une... possibilité. Je le pense. Mais je n'avais pas la moindre idée que ce serait si dur. *Elle*, elle le savait, elle le savait parfaitement.

DR BRAZELTON

On dirait que vous essayez de donner à ces enfants ce que leur mère leur aurait donné, et que vous jouez le rôle de la mère et du père en même temps.

CHARLES

Parfois, j'ai le sentiment de donner de la tête contre un mur. Mais je crois que je serai récompensé quand mes enfants seront grands.

DR BRAZELTON

Ils seront eux aussi récompensés. Qu'en penses-tu, Yolanda ?

YOLANDA

Mon père m'apprend des choses — la façon de faire certaines choses — et, s'il n'était pas là pour me montrer, je ne saurais probablement rien faire du tout.

DR BRAZELTON

Tu te sentirais vraiment abandonnée, n'est-ce pas ?

YOLANDA

Oui. *(Montrant du doigt Charles Jr :)* Il est la seule personne que j'aie maintenant, à part mon père.

DR BRAZELTON

C'est très précieux, n'est-ce pas ? *(A Charles :)* Vous savez, je trouve que vous vous débrouillez très bien, Charles. Vous avez réussi à prendre la place et de la mère et du père. La chose la plus importante à mes yeux, c'est que vous avez donné à ces enfants un modèle de responsabilité vis-à-vis de la famille. Chacun d'entre eux joue un rôle dans la cohésion de la famille. Quelque part en vous, vous devez avoir un grand sentiment de satisfaction. Vous avez trouvé une bonne façon d'assumer votre terrible perte.

Je me tournai à nouveau vers Yolanda. Je voulais savoir comment elle s'en sortait au milieu de tout cela. A presque treize ans, elle commençait à se développer physiquement. Elle était confrontée à la puberté et n'avait pas de mère à qui se confier. Elle aurait besoin d'amies femmes. Pouvais-je l'aider aussi bien en lui faisant savoir que je la comprenais et que je désirais lui être utile ?

Je signalai à Yolanda qu'un pédiatre était davantage qu'un médecin pour les bébés. Ce qui m'intéressait c'était d'être le médecin de toute la famille.

YOLANDA

Moi aussi, je veux être médecin, peut-être.

DR BRAZELTON

Vraiment ? C'est magnifique ! Qu'est-ce qui t'a fait prendre cette décision ?

YOLANDA

En fait, c'est ma mère. Après sa mort, j'ai pensé que peut-être je pourrais aider à trouver un remède contre le cancer.

DR BRAZELTON

C'est la raison pour laquelle beaucoup de médecins ont choisi cette profession, tu sais. Ils veulent guérir les maladies des gens qu'ils ont aimés, pour empêcher d'autres gens d'en souffrir. C'est la meilleure raison que je connaisse pour devenir médecin. *Mais il y avait une autre raison.* En plus, papa serait fier de toi, n'est-ce pas ?

CHARLES

Je le serais certainement ! *Yolanda paraissait vouloir en dire plus.*

YOLANDA

Je dois me lever vers 7 heures le matin pour aller à l'école. J'en ai assez d'aider à la maison.

DR BRAZELTON

Cela te contrarie ?

YOLANDA

Oui, parfois. Quand je suis contrariée, je n'arrive pas à terminer mes devoirs ou à réviser pour un contrôle, j'obtiens une mauvaise note, vous savez, et ça me contrarie encore plus. J'essaie d'avoir le tableau d'honneur cette année.

DR BRAZELTON

Le tableau d'honneur, ça montrerait à ton père que tu fais de ton mieux, n'est-ce pas? C'est très important pour toi, non? Charles, vous leur avez placé la barre très haut.

CHARLES

Je ne laisse pas passer grand-chose, mais parfois je ne dis rien. Par exemple, Charles Jr, je le gâte. Je le gâte exactement de la façon dont je gâtais sa sœur. Je les ai gâtés tous les deux.

DR BRAZELTON

Vous avez l'impression de ne plus la gâter, à présent?

CHARLES

En effet! Les jours de gâterie sont terminés. Il est temps de se préparer pour la vie.

DR BRAZELTON

Yolanda, on a l'impression que ta mère n'est pas loin pour toi; peut-être fais-tu beaucoup de ces choses pour elle.

YOLANDA

Cela me fait du bien quand on me dit que je lui ressemble un peu. Mon frère tient davantage d'elle.

DR BRAZELTON

Mais tu veux lui ressembler. *Yolanda acquiesce de la tête.* As-tu l'impression que tu dois te comporter comme une mère à l'égard de Charles?

YOLANDA

Il m'appelle maman.

DR BRAZELTON
Vraiment?

YOLANDA
Cela me fait plaisir.

DR BRAZELTON
Tu es deux personnes différentes. Tu es une sœur,
mais tu dois aussi souvent te comporter comme
une maman. Tu y réussis très bien. C'est beaucoup demander à une fille de ton âge que de
devoir jouer les deux rôles.

YOLANDA
Si je me marie et si je dois m'occuper de mon
propre enfant, je saurai quoi faire. Je serai préparée à cela.

DR BRAZELTON
Tu seras déjà passée par là. Tu sais, j'ai remarqué
quelque chose. En ce moment ton père a fort à
faire avec ton frère. Il n'a pas beaucoup de temps
pour toi.

YOLANDA
Je sais qu'il doit s'occuper de mon frère parce qu'il
est plus petit.

DR BRAZELTON
Tu te sens un petit peu exclue?

YOLANDA
Peut-être, parfois, pour être franche.

DR BRAZELTON
Tu sais, si tu es capable de le prendre ainsi, c'est
que tu es très adulte. Tu n'es pas une fille ordinaire. Je pense que c'est aussi l'avis de ton père.

YOLANDA

Je l'espère! Il a intérêt!

Les problèmes

Élever ses enfants seul, que l'on soit la mère ou le père, est une tâche difficile, dans n'importe quelles circonstances. Les parents seuls pensent qu'ils doivent être tout pour chaque enfant. Ils essaient d'être des super-parents — rêve irréalisable. Chaque écart de la part de l'enfant est souvent pris comme échec personnel. Il y a des risques que les réussites soient ignorées tandis que les échecs prennent de l'importance. Les parents seuls que je vois à mon cabinet paraissent se sentir menacés, surtout lorsqu'un enfant manifeste une volonté d'autonomie. A chaque stade du développement de l'enfant, le besoin d'expérimentation et de mise à l'épreuve des limites surgit; c'est une nouvelle menace pour le parent seul, hanté par la crainte de l'échec, voire la crainte de perdre l'enfant. L'enfant n'est pas sans participer à ce phénomène. Par peur de perdre le parent survivant ou le parent qui a sa garde, l'enfant aura tendance soit à s'accrocher, soit à tester la résistance du parent. Comme ces émotions tout à fait naturelles tendent à enfermer la famille dans un noyau étroit et isolé, la première chose à faire, c'est de relâcher ces liens et faire bénéficier la famille d'une aide extérieure. Les individus peuvent avoir des relations plus faciles s'ils se sentent plus libres de se séparer.

Un père seul a tendance à se sentir moins compétent dans le rôle « nourricier » qu'une mère seule. Notre société ne prépare pas les hommes de façon adéquate, et ne sait pas reconnaître leurs mérites. Il y a toujours quelqu'un pour dire : « Comment est-ce que vous y arrivez? » ou « Vous n'auriez pas besoin d'être aidé? » — sous-entendu : « Vous ne

pouvez pas réussir ». Et, comme les paroles font
écho aux propres craintes du père, celui-ci risque
fort de se sentir incompétent. Alors, ou il essaiera
d'être parfait en faisant taire ses craintes, ou il sera
de plus en plus angoissé.

On a trop peu étudié les conséquences que peut
avoir sur les enfants le fait d'être élevé par un père
seul. Certains chercheurs ont affirmé que les pères
seuls gèrent mieux leurs relations avec leurs enfants
que ne le font les mères seules [1]. Les mères seules
avouent plus de problèmes avec leurs enfants que les
pères, mais ceci pourrait refléter une attitude différente, liée au sexe, en ce qui concerne l'aveu des
problèmes, plutôt que le nombre réel de problèmes.
Les enfants paraissent apprécier les efforts de leur
père, mais n'expriment que rarement leur apprécia-
tion vis-à-vis de leur mère, comme s'ils considéraient
que les soins maternels vont de soi. Les pères divorcés qui ont la garde de leurs enfants expriment plus
de satisfaction quant à leur rôle de parent. Cependant, la société a tendance à se méfier d'eux — à les
considérer comme potentiellement « légers et fantaisistes ». Pour les pères responsables, comme
Charles, la réalité est tout autre. Beaucoup de pères
seuls sont dévoués, et passent tout leur temps à
s'occuper matériellement et affectivement de leurs
enfants, sans prêter la moindre attention à leurs
propres besoins de compagnie adulte.

Les pères seuls qui « réussissent » se mettent rapidement aux travaux ménagers et apprennent à faire
tourner la maison, même s'ils n'avaient aucune expérience en ce domaine. Ils sont en général exigeants
sur la discipline et déterminés quant aux objectifs
fixés à leurs enfants. Comme les femmes ils ont
besoin d'aide extérieure, comme une crèche ou une

---

1. A.M. AMBERT, « Differences in Children's Behavior toward
custodial mothers and custodial fathers », *Journal of Marriage and
the Family*, 44 (1982).

employée à la maison. En particulier s'ils essaient de concilier un travail à temps complet et l'entretien du foyer. Les hommes recherchent plus volontiers ce genre d'aide que les femmes. Étant donné que la grille des salaires favorise les hommes, ils en ont généralement davantage les moyens. Pour les pères, le plus grand obstacle au succès pourrait bien provenir de la société qui ne reconnaît pas leur compétence potentielle et qui ne les soutient pas dans leurs efforts. La force et la détermination des pères est souvent mieux perçue quand ceux-ci sont déjà connus de leur entourage, comme Charles. Sa compétence et son sens des responsabilités en tant que policier étaient déjà largement appréciés dans son voisinage.

Étant donné qu'il y a un nombre croissant de pères seuls à cause des divorces et des nouvelles attitudes en ce qui concerne le droit de garde, la tendance va vers une attitude faite plus de soutien que de regard curieux [1]. Plus les pères seuls auront de possibilités pour s'insérer dans un réseau d'hommes en situation similaire, éventuellement par l'intermédiaire d'une crèche ou d'un groupe de parents d'élèves, moins ils se sentiront isolés et anormaux. Étant donné que le personnel des crèches et des maternelles est plutôt féminin, les pères feraient bien de travailler en étroite association avec ces femmes, afin d'équilibrer leur propre façon d'élever leurs enfants.

Comme chaque fois qu'il n'y a qu'un parent, les enfants de pères seuls paraissent désirer avidement les soins d'une personne du sexe opposé. Ils ont tendance à chercher — et à trouver — des personnes féminines dans leur entourage immédiat. Ce besoin fait qu'il n'est pas facile pour un père d'amener à la maison une femme avec laquelle il sort. Les enfants auront tendance à l'accaparer ou à l'ignorer, deux

---

1. B.E. Robinson and R.L. Barret, *The Developing Father*, New York, Guilford Press, 1986, pp. 105-107.

façons d'exprimer leur manque. Si le père poursuit cette relation un certain temps ou s'il s'attache, les enfants vont la considérer comme permanente; s'il cesse, c'est la déception pour les enfants. Après plusieurs expériences de ce genre, les enfants ne feront plus confiance aux femmes. La capacité de l'enfant à s'identifier et à s'attacher à une femme peut même être remise en cause.

Il arrive qu'un père seul recherche une relation féminine juste pour ses enfants. Il vaut mieux le faire directement — en engageant une garde ou une gouvernante, à plein temps ou à mi-temps, ou en s'assurant qu'il y a une parente, une maîtresse, une puéricultrice à la crèche sur laquelle l'enfant puisse compter. Cette personne doit avoir des qualités personnelles autant que professionnelles, car les enfants rechercheront son affection ainsi que la possibilité de s'identifier à elle et d'avoir avec elle une relation durable.

Si la mère est vivante, ou si, comme dans le cas de Charles, elle est morte, il faut cultiver son image pour les enfants. Un père doit insister sur ses qualités pour en faire un modèle et aussi pour équilibrer à l'aide d'une figure féminine importante les liens très forts qui l'unissent à ses enfants. Quelle que soit la colère du père, quels que soient ses griefs, si elle les a abandonnés, lui et les enfants, il vaut mieux que les enfants se sentent aimés par leur mère. C'est difficile pour beaucoup d'hommes, après un divorce, mais c'est capital pour que l'enfant puisse acquérir à terme une personnalité équilibrée. Tout ce que nous savons à propos du développement de l'enfant démontre que l'enfant a besoin de plusieurs sources d'identification. Les enfants doivent apprendre comment réagissent l'un et l'autre sexe. Sinon, ils se conforment trop intimement au modèle d'un parent.

Même avec un père à la fois affectueux et autoritaire — comme l'est Charles —, il est vital d'avoir d'autres relations. Les enfants qui vivent avec un parent peuvent devenir trop dépendants de ce parent. Ils ne peuvent que s'inquiéter de ce qui arriverait s'ils le perdaient. Pour les enfants Cooper, dont la grand-mère va probablement partir en maison de soins, le besoin est encore plus grand. Une fille de l'âge de Yolanda peut très bien chercher n'importe quelle relation en dehors de chez elle et s'attacher à des filles qui auront une mauvaise influence sur elle. Charles doit l'aider à se trouver des activités féminines en compagnie de femmes sur lesquelles elle puisse compter. Le père d'une fille préadolescente va aussi se demander comment lui expliquer les changements de la puberté. Elle aura besoin de sa compréhension à lui, mais aussi de celle d'une femme qui puisse lui donner des explications sur certains de ces changements. Je recommande aux filles de cet âge et à leurs parents de lire des livres sur le développement sexuel féminin. Ces livres répondront probablement à certaines questions et encourageront l'adolescente à en poser d'autres. Un père peut l'aider à trouver la réponse dans un livre et se servir du texte comme d'un point de départ pour une discussion sur les sujets qui la préoccupent. Pour une fille comme Yolanda, dont la mère est morte, les changements physiques vont prendre une importance plus grande. Elle aura besoin d'être rassurée, à la fois par son père et par une femme compétente, sur les changements de son corps qui sont sains et normaux. Faire en sorte qu'une fille privée de mère puisse parler avec une infirmière ou avec une femme médecin est une autre façon de lui apporter son soutien.

Dans une famille monoparentale, on confie souvent de lourdes responsabilités à la fille aînée. Il n'est pas juste qu'elle soit la seule à aider. Tous les enfants peuvent acquérir le sens des responsabilités envers la famille. Un petit enfant, fille ou garçon, aura besoin d'une plus grande surveillance, et peut-être de plus de temps pour apprendre à mettre la table, à débarrasser et à rincer la vaisselle sale, à essuyer la poussière ou à balayer. Mais il ne faut refuser à aucun enfant l'occasion de participer et de ressentir la satisfaction de pouvoir aider.

Chaque fois que tous les membres d'une famille participent ensemble au travail domestique, cela crée des liens importants. Faites-en un jeu. Chantez en travaillant. Inventez des histoires de circonstance ou des plaisanteries pour alléger la tâche. Faites tout votre possible pour que les travaux ménagers constituent un projet familial — chaque membre y apportant sa contribution particulière. La reconnaissance et les félicitations peuvent être accompagnées de permissions et de responsabilités spéciales.

En ce qui concerne Yolanda, elle a assumé une grande part de l'éducation de Charles Jr en s'occupant de lui l'après-midi quand son père dort. Devrait-elle être récompensée de façon tangible ? Une rétribution qui ne soit pas un salaire de garde d'enfant, mais une récompense pour assumer la responsabilité d'un membre de la famille, serait une bonne chose. Il faudrait aussi lui dire que la famille tout entière bénéficie de son aide. Elle l'a bien sûr déjà entendu dire à son père. Mais cela ne fait pas de mal de le répéter encore et encore. Un père comme Charles Sr devrait aussi s'assurer que sa fille a l'occasion d'amener ses amis à la maison pour une petite fête de temps en temps. Il pourrait aussi favoriser ses relations avec d'autres filles et en inviter occasionnellement deux ou trois pour une sortie. Encore mieux, il pourrait emmener sa fille en tête-à-tête au restaurant ou au cinéma.

Les enfants de parents seuls chercheront, comme tous les autres, à tester les limites pendant leur adolescence. Quand il sent sa confiance ébranlée, le parent doit prendre le temps de discuter le problème des limites. La révolte paraît plus menaçante à un parent en proie à la solitude et au stress. Il est vital d'obtenir la coopération de l'enfant. A-t-il une idée de ce qui pourrait l'aider quand il ressent le besoin de transgresser les règles ? Donner aux adolescents la possibilité de déterminer eux-mêmes leurs propres limites et leur propre punition, c'est une façon de leur dire que vous les respectez et que vous comprenez ce qui les pousse à se révolter. A un certain stade, il faudra quand même que vous interveniez pour imposer votre volonté, mais ils sauront parfaitement pourquoi vous estimez qu'il est nécessaire de leur fixer une limite. Si vous devez gronder l'enfant ou lui infliger une autre forme de punition, essayez de rétablir votre relation de confiance. Parfois c'est un autre adulte qui peut servir de tampon. Auprès d'une tante, d'un oncle, d'un ami de la famille, l'adolescent peut se défouler en toute sécurité, et trouver une réaction objective. Par-dessus tout, quand les adolescents ont un comportement digne de confiance, ne manquez pas de leur dire que vous l'avez remarqué. La perte d'un parent représente pour chacun un surcroît de responsabilité et les compliments allègent le fardeau.

Questions courantes

QUESTION

Je ne suis pas une mère. Je n'ai pas l'apparence d'une mère et je ne serai jamais une mère. Je ne serai que le meilleur père possible. Parfois, pourtant je m'inquiète, j'ai peur de ne pouvoir donner à ma fille de quatre ans et demi le genre de soins dont elle a besoin. Est-ce vrai ?

DR BRAZELTON

On dirait que vous pensez que seules les mères peuvent être maternelles. Moi pas. Si vous l'aimez, si vous la prenez dans vos bras, l'écoutez, si vous êtes tendre en réponse à ses besoins physiques, elle se sentira maternée. Votre petite fille a de la chance d'avoir un père si attentionné et si prêt à se remettre en question.

QUESTION

Je me sens un peu comme une victime depuis la mort de ma femme. Est-ce un sentiment courant chez les parents seuls ?

DR BRAZELTON

Naturellement. C'est dur d'être un parent seul. Non seulement vous êtes isolé, mais vous vous faites du souci sur la privation que cela représente pour votre enfant. Aucun parent seul n'a jamais le sentiment de pouvoir en faire assez pour constituer une « véritable » famille. Probablement encore moins un père seul. Ayez recours le plus possible à votre famille au sens large, ou à vos amis. Pour vos enfants, il est important également d'avoir des amis de leur âge. Le plus difficile pour un parent seul sera de laisser l'enfant prendre sa liberté. Vous avez sans doute besoin d'une compagne pour vous y encourager et pour atténuer l'intensité de votre relation avec cet enfant.

QUESTION

Je suis curieux de savoir où les pères seuls peuvent aller trouver un soutien. Les groupes de soutien aux parents seuls où je suis allé sont constitués pour la plus grande partie de femmes. Quand je rencontre des hommes dans ma situation, ils ont tendance à s'esquiver au bout d'un certain temps. Je me surprends à aller vers les femmes plutôt que vers les hommes. Je discute de mes problèmes de parent avec des femmes.

DR BRAZELTON

C'est une solution, mais je vous engagerais fortement à trouver des hommes dans votre situation. Vos problèmes sont probablement les mêmes et vous auriez avantage à trouver des solutions communes. Les hommes ont tendance à s'éviter dans les groupes. Si leur relation paraît s'orienter vers une sorte d'intimité, ils se sentent menacés. C'est dommage, car ils ont grand besoin d'amitié.

QUESTION

J'ai trouvé chez les femmes, et surtout chez celle avec laquelle je sors en ce moment, beaucoup de réconfort. Est-ce que les autres pères seuls se débrouillent mieux par eux-mêmes ?

DR BRAZELTON

La plupart des hommes doutent d'eux-mêmes et de leur capacité à élever des enfants. Notre expérience personnelle, avoir été élevé par une femme, nous incite à voir les femmes comme des modèles en la matière, et à chercher auprès d'elles l'assurance que nous élevons nos enfants convenablement.

QUESTION

Quand ma femme est morte, il a fallu que je fasse tout moi-même et j'ai été submergé. J'ai fini par comprendre que ce n'était pas possible, et j'ai engagé une personne à plein temps pour tenir la maison. Elle m'a procuré en grande partie l'aide qui nous manquait. Pas sur le plan affectif, ça c'est moi qui m'en charge, mais sur le plan matériel — s'occuper de la maison, faire la cuisine. Ça m'a vraiment déchargé d'un grand poids et à présent je compte entièrement sur elle. Je pense que les enfants voient les choses de la même façon.

DR BRAZELTON

Vous avez de la chance que vos moyens vous permettent ce genre d'aide. Je suis persuadé que c'est un immense soulagement et que cela vous permet de mieux répondre aux besoins affectifs de vos enfants. Mais il est important de trouver le genre de femme auquel vous voudriez que vos enfants s'identifient. Leur désir d'avoir une femme auprès d'eux les rend extrêmement vulnérables. Est-ce que vous prenez le temps de discuter avec elle de temps en temps, non pour la critiquer ou la surveiller, mais pour vous assurer que vous contrôlez bien votre foyer et pour savoir exactement ce qu'elle représente pour vos enfants?

QUESTION

Pendant les premières années où j'étais un père seul, je ne sortais jamais. Maintenant que les enfants sont plus grands, j'ai recommencé à sortir avec des femmes que je présente à mes enfants. Chaque fois, le problème, c'est que les enfants me demandent si je suis amoureux et si je vais enfin me remarier. Ils observent ce qu'il se passe. Ils ont besoin de quelqu'un. Ils deviennent très proches de ces femmes, mais je ne suis pas encore prêt à m'engager avec qui que ce soit.

DR BRAZELTON

Les enfants ont besoin de contacts avec le sexe opposé, et aussi de savoir ce qu'est un véritable amour entre un homme et une femme. Mais cela ne les mènera à rien d'accorder leur confiance à des femmes s'il faut qu'ils y renoncent chaque fois. Pouvez-vous faire entrer dans leur vie une sœur, ou une autre personne de la famille, ou une amie stable? Faites en sorte qu'ils la voient souvent. Quand on est un parent seul, la famille au sens large devient encore plus importante pour les enfants.

QUESTION

Ma femme est décédée il y a quatre ans et demi et, bien que ce fût dur au début, je trouve de plus en plus de satisfactions à m'occuper de mes enfants.

Mais j'ai toujours peur de les priver de quelque chose, de ne pas les comprendre tout à fait.

DR BRAZELTON

Vous avez probablement, comme la plupart des hommes, le sentiment que les femmes ont plus de facilité à suivre le développement des enfants. Je ne pense pas que ce soit forcément vrai, surtout si vous faites l'effort d'aller à l'école, d'assister aux événements sportifs, aux manifestations de classe. Et si vous consacrez chaque semaine du temps pour chaque enfant en particulier, vous aurez toutes les chances de rester à l'écoute, de maintenir le contact.

QUESTION

Quand il a fallu que je prenne mes enfants en charge, je me suis senti comme lorsqu'on fait un exercice ou entreprend une activité sans aucune pratique préalable. On utilise des muscles dont on ne se sert jamais et, au début, on souffre. Mais, si on continue, la douleur disparaît. Si je continue, chaque jour, est-ce que cela deviendra un travail de routine ?

DR BRAZELTON

C'est une bonne formule. Nous sommes plus souples, plus adaptables que nous ne le supposons. C'est une autre façon, plus positive, de voir la situation. En période de crise, nous apprenons très vite, surtout si nous nous en sortons avec succès. Et les enfants en apprendront autant que vous sur la façon de maîtriser une situation tendue.

QUESTION

Parfois, après une longue période difficile, je m'arrête pour regarder en arrière et je vois tout le chemin parcouru, en famille, et je me sens rassuré. Mais comment puis-je faire pour ne pas être entre-temps tourmenté par les angoisses et les doutes ?

DR BRAZELTON

Certains parents tiennent un journal ou un calendrier sur lequel ils font la liste des problèmes et des progrès effectués pour en venir à bout. Cela permet de regarder en arrière et de voir combien on a progressé. Vous pouvez également utiliser ce système comme une sonnette d'alarme. Quand vous vous rendez compte que vous êtes bloqués par un problème depuis trop longtemps, ou que l'enfant ne progresse pas dans un domaine, vous aurez peut-être envie de repenser votre façon de faire ou éventuellement de chercher de l'aide.

QUESTION

A quel âge puis-je laisser les enfants seuls quand je pars tôt le matin au travail et que je rentre tard le soir ?

DR BRAZELTON

Bien que les enfants soient capables de survivre et de se débrouiller seuls dès le plus jeune âge, je pense qu'il n'est *jamais* bon de les laisser trop longtemps seuls ou avec trop de responsabilités. Même les adolescents ont besoin de savoir qu'ils sont sous la responsabilité de quelqu'un d'autre ou qu'ils peuvent appeler un adulte à l'aide. Pour les enfants plus jeunes, essayez de trouver une garde ou une parente qui puisse être présente quand ils rentrent à la maison. Si vous êtes obligé de les laisser seuls, assurez-vous qu'ils savent bien qu'il y a tout près un adulte capable d'intervenir en cas d'urgence. Vous pouvez aussi les inscrire à un nombre raisonnable d'activités, selon leurs intérêts. Assurez-vous que vos enfants puissent vous contacter par téléphone et appelez souvent.

Et discutez de temps en temps avec eux pour savoir comment cela se passe. A n'importe quel âge on peut avoir peur dans une maison vide.

QUESTION

Je me rends compte que, tour à tour, je me prends pour un super-parent ou je me sens angoissé, incompétent. Est-ce ainsi pour la plupart des parents seuls ?

DR BRAZELTON

Les sentiments opposés sont les deux faces de la même médaille. *Aucun* parent ne se sent jamais compétent. C'est simplement plus facile quand deux parents partagent les mêmes craintes et la même incompétence. Chacun a l'autre pour lui reprocher ses erreurs ou pour lui apporter du réconfort.

Quelques années plus tard, chez les Cooper

Lorsque j'ai rendu visite à Charles Cooper, deux ans après notre première rencontre, j'ai eu le sentiment qu'il était très entouré : ses amis et voisins veillent à son moral, ses enfants aident dans la maison et il y a une femme qui vient d'entrer dans sa vie. Quand je suis arrivé devant leur duplex, dans une banlieue en plein développement, les trois Cooper sont sortis pour m'accueillir. Yolanda a maintenant quatorze ans, mais elle en paraît plus. Elle semble très mûre, elle est bien développée, jolie, avec une coiffure à la mode. Elle se conduisait en maîtresse de maison, me saluant, m'introduisant dans leur agréable salon. Elle est vive et attentionnée, et on devine à peine la révolte dont son père m'a parlé.

La pièce était remplie de souvenirs de famille, les coupes de Charles Sr, des photographies — ainsi qu'une grosse chaîne stéréo et un aquarium. Il y avait trois pièces à chaque étage. L'appartement était impeccablement propre et bien rangé. Charles Jr, six ans à présent, est un beau grand garçon qui se tient bien droit. Il n'arrêtait pas d'asticoter Yolanda pour qu'elle s'amuse avec lui pendant que son père et moi parlions. Ils se mirent tous deux à s'ébattre bruyamment et à jouer comme de jeunes chiens — tour à tour affectueux et bagarreurs. Yolanda ne paraissait pas se forcer pour lui témoigner de la tendresse; pourtant, j'aurais pensé la voir fatiguée de ses avances incessantes. Je remarquai qu'elle le touchait et le caressait constamment quand il posait sa tête sur ses genoux, comme si tous deux aimaient à régresser vers l'époque où il était un bébé.

Au cours de notre conversation, je découvrais tout ce que la famille avait supporté depuis que je les avais vus pour la dernière fois. « Elle a trop mûri, trop vite », dit Charles de Yolanda. Elle faisait enrager son père avec ses petits amis et ses sorties, se comportant avec ce dernier juste comme Charles Jr le faisait avec elle. J'étais soulagé de constater combien Yolanda avait de respect pour son père, et lui pour elle, car je savais qu'ils avaient traversé des périodes difficiles. Charles me raconta leur expérience de thérapie. Après avoir fait deux fugues, Yolanda avait consulté l'assistante sociale de son école qui avait recommandé une thérapie familiale. « On nous a tous aidés, mais il a fallu que Yolanda fugue, deux fois! » Je demandai si la thérapie leur avait été bénéfique. Il dit : « Cela m'a aidé à lui laisser un peu plus d'indépendance. C'est ce qu'il y a de plus dur pour moi — et pour elle. Cela nous a pris du temps. Je vois des enfants qui se droguent et je ne veux pas que cela lui arrive. »

Cependant Yolanda est en troisième et semble bien travailler. Elle dessine et confectionne ses jupes et ses vestes. Elle coud aussi d'après des patrons et a même vendu certains travaux. Elle dit : « Je couds — comme lui. » Comme elle le montrait du doigt, Charles dit : « Je couds depuis toujours. Je couds aussi pour les enfants. Je ne suis pas maladroit avec du fil et des aiguilles. » J'admirais profondément qu'il osât montrer cet autre aspect de lui-même. « Mais je n'ai plus vraiment le temps maintenant, c'est Yolanda qui doit tout faire pour nous. Elle a une idole à New York — un ancien mannequin noir à propos de laquelle elle a lu des articles, qui a cinquante ans et qui coud elle-même ses vêtements. » Le visage de Yolanda s'illumina. « Elle vit à New York. J'y suis allée. » Je me demandais si ce n'était pas à l'occasion d'une de ses fugues, mais elle me raconta en détail sa visite chez la sœur de Charles qui habite le Bronx. « Quand j'aurai mon bac, je veux aller à New York pour étudier le stylisme. » A la façon dont Charles Jr se remua sur sa chaise, cela paraissait être un sujet de discorde entre son père et elle.

J'exprimai mes propres inquiétudes sur les jeunes qu'elle pourrait rencontrer. Elle répondit : « A New York, il faut être sur ses gardes. J'ai rencontré une fille qui a eu un bébé à treize ans. Beaucoup de jeunes se droguent. J'ai rencontré un garçon là-bas. Il m'aimait beaucoup. »

Charles fit la grimace : « Il était trop vieux, dit-il. Il avait dix-huit ans. J'ai grandi en partie à New York. C'était moins dangereux alors. Mon oncle était officier de police, et c'est ce que je voulais devenir. J'ai servi quatre ans dans la marine ; je suis un vétéran du Vietnam. »

— Physiquement vous n'êtes pas tellement impressionnant. Est-ce que cela a été un problème ? demandai-je.

— J'ai l'air gentil, mais quand on me met en

colère, attention, je peux me défendre. J'ai eu un des meilleurs moniteurs de karaté, Ron McNair, l'astronaute noir. J'ai appris à me défendre dans la rue, quand j'étais très jeune. » En entendant Charles parler, je découvrais l'expérience de toute une vie. Il me disait comment il avait appris à se débrouiller, et dans son métier, et dans le monde hostile des Blancs.

Yolanda prit alors la parole : « J'ai appris à me battre comme mon père. Je peux me défendre, moi aussi. Mes amis disent : "Je vais chercher Yolanda et elle va te casser la figure !" » Charles reprit : « Je lui dis de commencer par s'éloigner, mais, si on continue à te marcher dessus, alors engage le combat. Ne te soucie pas des paroles. Ce qui compte, ce sont les actes. Tu es noire, il te faut donc supporter pas mal de choses. Mais il y a des moments où les gens te cherchent, et il faut que tu t'en rendes compte ; tu dois savoir ce qui est acceptable et ce qui ne l'est pas. Par contre, si tu vois un couteau, il faut toujours fuir. »

Comme pour éviter un malentendu, Yolanda précisa : « Je devenais trop agressive, trop irascible. Mes amis m'ont dit d'arrêter. Maintenant je ne me bats plus, j'essaie de me ranger. Maintenant j'essaie de discuter. Je commençais à avoir mauvaise réputation. Maintenant, j'ai des amis un peu fous, mais amusants. Nous rions beaucoup au lieu de nous battre. Nous nous promenons en bande. Nous chantons dans un groupe, quatre filles et un garçon. Nous chantons du rock, nous avons une batterie et un synthétiseur. L'un d'entre nous se droguait, mais nous avons réussi à le sortir de là. » Charles dit : « J'ai averti Yolanda que, si elle se mettait à la drogue, après tout ce que j'ai vu, je serais capable de la tuer. Je sais bien qu'elle doit faire ses propres expériences, mais je vois trop de choses dans mon métier de policier. C'est en cela que notre thérapeute nous a aidés. Il m'a montré que je ne laissais pas assez de liberté à

Yolanda. Elle avait besoin d'air pour respirer. La présence de deux parents aurait probablement évité ce problème. » Il leva les yeux sur l'image de la ravissante jeune femme qui avait été son épouse. Leur photographie à tous les quatre nous contemplait de là-haut, tandis que nous parlions.

« Comment vous en sortez-vous à présent ? demandai-je.

— Tout à fait bien, je crois, dit Charles. J'arrive à m'organiser pour garder un œil sur eux. Ils sont ce qui compte le plus. Je patrouille dans le quartier, ainsi je peux contrôler ce qu'il se passe toutes les heures. Il n'y a personne à la maison avec eux pendant mes heures de travail. Ma mère a eu une attaque ; elle s'en est très bien remise, mais ce n'était plus possible de la garder à la maison. Lors de son dernier séjour à l'hôpital, le docteur a conseillé de la faire entrer dans une maison de soins. Je vais lui rendre visite presque chaque jour, parce que, si je ne viens pas, ça lui manque. Mais à présent le responsable, ici, c'est moi. Yolanda a sa propre vie, et c'est donc moi qui tiens la barre. »

Charles s'était rendu compte qu'il avait confié à Yolanda une énorme part de responsabilité auparavant, et il essayait d'être moins exigeant avec elle. La révolte de Yolanda avait porté ce problème à un point critique. Pour un homme dans la situation de Charles, c'est-à-dire directement confronté aux dangers qui menacent quotidiennement les adolescents, c'était une réaction qui témoignait d'un sang-froid et d'une compréhension inhabituels.

« Je me suis aussi organisé une vie personnelle, ajouta Charles. J'ai mon bowling et mon golf. Chaque année, je gagne des coupes. Mais, ma tâche première, ce sont les enfants. Le matin, Yolanda prépare le petit déjeuner. Parfois je les prends dans ma voiture de patrouille et je les accompagne tous les deux à l'école. Le matin, quand ils sont partis, je fais le ménage, les courses, épicerie et autres tâches, je rends visite à ma mère ; je prépare le repas que les enfants emporteront à l'école le lendemain, ainsi que le goûter qu'ils prendront en arrivant de l'école. S'il reste un peu de temps, je dors avant de partir au travail. Mais ce n'est jamais bien long. J'arrive à dormir peut-être trois ou quatre heures par jour. »

Je parcourus des yeux avec stupéfaction leur intérieur qui était impeccable. Tout était parfaitement arrangé, comme s'il y avait sur place une maîtresse de maison hors pair. J'en fis compliment à Charles et il dit : « Je veux que les enfants connaissent ce qu'il y a de mieux.

— Est-ce que Charles Jr s'accroche toujours à vous ?

— Non, à présent il est très bien, dit Charles. Il a un petit copain qui habite juste en face. Ils sont ensemble jour et nuit. Il est maintenant en CP. Il est très sportif et s'entend très bien avec les autres enfants. Je suis vraiment fier de lui. Voici la mère du petit copain de Charles ! »

Juste à ce moment, une jeune femme blanche arriva de la maison voisine. Charles Sr la présente comme « ma chère amie Debby — qui fait tant pour nous ». Il expliqua qu'elle s'occupait de Charles Jr chaque fois que Charles ne pouvait rentrer. Elle est séparée de son mari. Son fils a le même âge que Charles Jr et ils sont d'excellents amis. Charles Sr semblait lui apporter une sorte de refuge, de protection, et elle lui offrait l'assistance et la compagnie féminine dont il avait tant besoin depuis la mort de sa femme. Ils avaient l'air d'éprouver une véritable affection l'un pour l'autre. Elle était assise à côté de lui pendant que nous parlions et ajoutait ses idées, des détails, aux déclarations qu'il faisait. Ils cherchaient de temps en temps par un regard l'approbation l'un de l'autre. Je les sentais unis par de véritables liens. Le problème racial ne paraissait pas porter ombrage au besoin véritable qu'ils avaient l'un de l'autre. J'étais heureux pour Charles, et je sentais que sa vie solitaire était moins sombre.

Comme s'il avait déchiffré mes pensées, Charles se mit à me parler de son bateau de vingt-trois pieds. Il avait été si gentil pour l'homme à qui appartenait le bateau que, lorsque celui-ci était mort, sa veuve s'était informée des moyens de Charles et lui avait pour ainsi dire « bradé » le bateau. C'était pour lui un dérivatif, ainsi qu'une source de fierté. Yolanda intervint pour dire combien elle était ravie de l'avoir. Charles Jr me raconta qu'il l'avait barré. Et Debby évoqua les sorties que les deux familles avaient effectuées sur ce bateau de rêve. Charles l'appelle son *coupé de ville* [1]. Toute la famille monte à bord pour pêcher, ou tout simplement pour flâner. « Il y a même une radio de bord », dit Yolanda. Ce bateau a rempli de multiples fonctions : ressouder la famille, rapprocher d'eux Debby et son fils, et récompenser Charles Sr comme il le méritait pour son dévouement et son désintéressement.

Je lui demandai quelles difficultés il rencontrait en tant que Noir dans un voisinage habité en grande majorité par des Blancs. Il regarda d'abord Debby, puis ses enfants. Puis il dit : « Ce n'est pas facile. C'est ce qui a empêché ma mère de rentrer dans une maison de soins pendant des années. Il a fallu pour finir que j'use de toute mon influence pour la faire admettre. Si je n'avais pas été policier ici, où tout le monde me connaît... » Et pourtant il s'empressa de m'assurer qu'il se sentait tout à fait accepté dans le voisinage. A nouveau, il regarda Debby comme pour qu'elle confirme que leurs voisins leur rendaient leur amitié. Elle acquiesça avec enthousiasme. Il était fier d'avoir été si bien accepté dans cette communauté de Blancs. Je notai l'importance que cela avait dû avoir au moment où ses enfants et lui se remettaient de la mort d'une mère et d'une épouse. Il m'assura

---

1. En français dans le texte. *(N.d.T.)*

que tous les voisins lui donnaient un coup de main chaque fois qu'il avait besoin d'aide. Ils faisaient en sorte qu'il ne soit pas esseulé et qu'il trouve toujours quelqu'un à qui s'adresser en cas de besoin.

Sa situation de policier respecté de tous était sans nul doute le facteur déterminant qui lui avait valu tous ces témoignages de soutien.

Charles reparla des bénéfices de la thérapie familiale. « Après la fugue de Yolanda, nous avons décidé de nous faire aider, guider par quelqu'un. Et cela a été un véritable miracle. »

Je sentais bien en effet qu'ils avaient tiré un profit inhabituel de cette expérience. Jusqu'alors, ils avaient vécu dans la tension et la tristesse parce qu'ils étaient une famille avec un seul parent. A présent, leurs relations étaient empreintes de joie, d'entrain. Charles avait une femme pour amie, un bateau, une vie personnelle en dehors du travail. Les problèmes de Yolanda s'étaient transformés en une révolte adolescente normale. Elle était passée par des expériences graves, mais semblait avoir retrouvé son équilibre. On fait moins pression sur elle pour qu'elle soit une adulte dans une famille sans mère. On dirait qu'elle se sent acceptée comme elle est, respectée, autorisée à être une adolescente. Elle bénéficie de la confiance et de la compréhension de son père — chose rare pour une adolescente. Charles Jr paraît aussi charmant et sûr de lui qu'avant. Il n'a pas grandi trop vite, je suis content de le constater. Charles Sr et Yolanda et leurs amis l'ont protégé et l'ont laissé profiter de son enfance. Debby doit jouer un rôle prépondérant dans tout cela, et moi aussi je lui en suis reconnaissant.

« Vous vous en êtes bien sortis, tous ensemble, leur dis-je.

— Je fais mon maximum, dit Charles. Je fais tout mon possible pour former une famille sans elle (il regarda la photographie de sa femme). Ensuite, ils ne devront compter que sur eux. Espérons qu'ils y arriveront. » Ce qu'il ne disait pas, c'est que lui aussi serait seul et qu'il espérait pouvoir le supporter. En partant j'avais la certitude que la famille Cooper avait déjà réussi.

La famille Humphrey

L'histoire de la famille Humphrey

Liz Humphrey, qui est née en Angleterre, est une rousse pétulante douée d'un indéfectible sens de l'humour. On dirait qu'elle passe tout son temps à essayer d'apporter du bonheur à tout son entourage. Au cours de nos conversations, je me suis rendu compte qu'elle n'était jamais aussi drôle que quand nous parlions de sujets sérieux. Tout en étant tout à fait disposée à faire face aux problèmes, elle paraissait vouloir les rendre moins pesants pour ses proches. A trente-sept ans, Liz travaille comme administrateur d'un cabinet médical ; elle est la mère de trois enfants : Chris, huit ans, Gillian, deux ans et John, âgé de cinq mois. Son second mari, Howie, travaille à l'Agence pour la protection de l'environnement. Il est bien bâti, c'est un bel homme blond et musclé. Il donne une impression de force inébranlable. Personne ne doit avoir envie de lui chercher querelle. Jovial, amical, il paraît tout à fait à l'aise avec les trois enfants. Au cours de nos rencontres, il observe chacun d'eux avec fierté et acquiesce à leurs paroles.

Chris, un garçon brun, maigre, est né du premier mariage de Liz. Il paraît adorer son beau-père. Il se tient près de lui, l'observe du coin de l'œil. Bien que ses gestes et ses paroles aient un peu de la vivacité de sa mère, il y entre également une part de Howie. Sa façon de s'identifier à Howie est perceptible à mes oreilles et à mes yeux : inflexions de la voix, façon athlétique de se mouvoir. Quand la petite Gillian arrive en courant pour s'accrocher aux genoux de

son père, Chris a un mouvement de recul. Je ne saurais dire s'il se sent exclu par Gillian ou s'il la veut
pour lui tout seul. Car Gillian et lui s'entendent très
bien. La petite fille de deux ans ne le quitte pas d'une
semelle, s'immisçant dans toutes ses affaires. Bien
que Liz redoute qu'ils ne soient jaloux l'un de l'autre,
j'ai constaté qu'il y avait beaucoup de tendresse entre
eux et que Chris s'occupait bien de sa sœur. Alors
que Gillian menaçait de détruire une tour qu'il avait
construite, c'est presque avec fierté qu'il lui a dit :
« Tu ne peux vraiment pas t'empêcher de te mêler de
tout ce que je fais. » Je pensais que Liz n'interprétait
pas bien leurs relations. Était-elle jalouse elle-
même ? Chris semblait presque avide de se dévouer
pour Gillian et pour son beau-père. Cela représentait
peut-être une perte pour Liz, la perte d'une intimité
antérieure avec Chris.

Au cours de nos entretiens, les trois enfants
allaient et venaient, mais Liz restait le pôle d'attraction. Je m'enquis de ses origines et elle me raconta
son histoire avec beaucoup de vivacité. A dix-huit
ans, elle était arrivée dans ce pays, chez une amie de
son âge, pour « échapper à mes sévères parents
anglais ». Plus tard, elle revint et resta pour travailler, s'intégrant peu à peu à la famille de son amie.
« Ils m'aimaient beaucoup et, moi aussi, je les aimais
beaucoup. Je considère toujours la mère de mon
amie comme une seconde mère. » Liz me raconta
l'histoire de son premier mariage en faisant sauter
John sur ses genoux. Elle quitta l'Angleterre définitivement à vingt et un ans, pour fuir l'« ennuyeux »
Anglais avec lequel elle s'était fiancée. Cinq ans plus
tard, elle rencontra le père de Chris et l'épousa sans
attendre. « Il s'est révélé très semblable à mon père
— terriblement rigide. Cela n'a jamais marché et, à
peine deux ans plus tard, après la naissance de
Chris, je suis carrément partie. Vous voyez combien
d'hommes j'ai quittés dans ma vie ? Chris et moi,
nous avons vécu seuls ensemble pendant quatre ans.

Ça a été quatre années formidables. Nous étions si proches et si libres en même temps. Puis Howie est arrivé, et la certitude que nous avions besoin l'un de l'autre. Il était prêt à prendre une femme divorcée avec son petit garçon, et il en était capable. Et voilà. »

Howie sourit. « J'ai eu une famille toute faite et nous sommes très heureux. Il y a des hauts et des bas, mais en général c'est plutôt fantastique ! Je fais très attention à mes relations avec Chris. C'est un petit garçon tellement merveilleux, si sensible. » Il jette un regard sur Liz, qui signifie : « comme elle ». « Je savais que c'était difficile pour lui d'accepter ma présence entre sa mère et lui. C'est pourquoi je me suis donné beaucoup de mal pour qu'il sente que je voulais être son papa. »

« Après ma rencontre avec Howie, je me suis rendu compte que, si Chris et lui ne s'entendaient pas, il était impossible de nous marier, dit Liz. Il fallait que Chris participe à notre relation. Dès le début, Chris a décidé tout seul qu'il n'appellerait pas Howie "papa", que Howie serait Howie. Nous lui avions donné le choix, et il a dit qu'il voulait l'appeler Howie — "Tu comprends, parce que j'ai un vrai papa." » Cette loyauté envers son père apporte à Chris un sentiment de stabilité, mais ce fut aussi un facteur d'isolement au sein de la nouvelle famille. « Tout allait bien, continua Howie, jusqu'à ce que nous ayons nos propres enfants. Ce qui a sûrement rendu les choses plus difficiles pour lui. Et peut-être pour moi aussi. C'est compliqué de voir clair dans ses sentiments. C'est simplement que je ne peux pas ressentir la même chose pour chaque enfant. Je le voudrais bien. J'ai toujours peur que Chris ait l'impression que je l'ai laissé tomber, mais ce n'est pas le cas. »

Les belles-familles

Consultation

La famille Humphrey est arrivée à mon cabinet avec Gillian et le bébé.

DR BRAZELTON

Bonjour, entrez. Comment allez-vous? Quelle est la raison de votre visite?

LIZ

Eh bien! Nous devons partir en vacances, et Gillian n'est plus elle-même depuis ces dernières semaines. Je ne sais pas si elle couve quelque chose ou si — enfin — ça pourrait être plus grave. Habituellement, elle court dans tous les sens, elle fait des tas de bêtises, mais depuis peu elle passe tout son temps pratiquement assise.

Un changement dans le comportement d'un enfant est toujours le signal de quelque chose. Dans une famille comme celle des Humphrey, qui a une existence pleine de nouveaux départs, ce changement pourrait avoir une signification particulière.

DR BRAZELTON

(Après avoir regardé Gillian.) Elle n'a pas de fièvre. Je le vois à son rythme cardiaque. Je ne constate aucun trouble physique. Y aurait-il quelque chose qui la tracasse?

LIZ

Peut-être. Son frère, Chris, est parti passer un mois avec son père. Son absence lui pèse et la perturbe.

DR BRAZELTON

La perturbe?

LIZ

Chaque fois qu'il dit qu'il va voir son père, cela la perturbe et, pendant un temps, elle tourne en rond avec l'air abattu. C'est peut-être ça, le problème ?

DR BRAZELTON

Elle est si sensible, si influençable. Chris joue un rôle très important dans sa vie, et dans la famille. Il n'est pas surprenant qu'elle soit contrariée quand il est parti.

Cette sorte de dépression est tout à fait courante, mais Gillian n'était pas la seule à sembler triste.

DR BRAZELTON

A vous aussi il vous manque ?

HOWIE

Eh bien, je dois dire que cette année, quand il est arrivé à la maison en déclarant qu'il désirait s'installer chez son père, nous ne savions plus où nous en étions.

DR BRAZELTON

Il a dit qu'il voulait s'installer chez son propre père ?

HOWIE

Oui. Nous nous sommes arrangés pour qu'il passe un mois chez son père et, vous savez, il faut reconnaître que c'est bon pour lui — pour nous tous. Mais j'étais partagé à ce sujet. Je ne savais pas vraiment comment réagir. Il est revenu à la maison croulant sous les cadeaux, et nous a tout raconté sur ce que son père et sa belle-mère avaient organisé pour lui : les matches, les fêtes, les gâteries.

DR BRAZELTON

Avez-vous eu le sentiment d'être rejeté?

HOWIE

Peut-être. En fait, je me sentais mal à l'aise. Je ne sais pas bien ce que j'éprouvais.

DR BRAZELTON

Vous savez que, si vous vous sentez rejeté, vous risquez de transmettre ce sentiment aux enfants.

Le trouble de Howie, sa souffrance — tout cela pouvait avoir un effet sur son beau-fils aussi bien que sur Gillian.

HOWIE

Chris nous met à l'épreuve. Vous savez, je suis entré en plein au milieu de sa vie pour prendre en quelque sorte le relais — en tout cas à la maison. Je pensais que je deviendrais pour lui un père ou l'image du père, et maintenant je vois que je n'avais aucune idée de ce qui m'attendait. Je ne suis pas son père et je ne le serai jamais.

DR BRAZELTON

(A Liz :) Est-ce que le fait d'être entre eux deux vous perturbe? Vous vous rendez compte que tout tourne presque toujours autour de vous?

LIZ

Oh! Bien sûr, depuis le jour où nous nous sommes mariés, Howie et moi. Ce fut un grand traumatisme pour Christopher. Après la cérémonie, il a dit : « J'aurais préféré que tu te maries avec mon papa. » Et je me suis simplement retournée — je pense que j'étais fatiguée — et j'ai dit : « Eh bien, ce n'est pas le cas et tu ne peux rien y changer. » Et je me suis sentie en quelque sorte soulagée en prononçant ces paroles. Je pensais : « Ma foi, c'est bien ce que je voulais dire. »

DR BRAZELTON

Vous étiez dos au mur.

LIZ

Exactement. Je pensais que je devais dire cela, mais lui, il en a été blessé. Son père s'était remarié le même mois, ça faisait beaucoup pour lui.

DR BRAZELTON

Vous n'avez pas à vous sentir coupable, pas nécessairement.

LIZ

C'est vrai. Mais je crois bien que c'est ce que j'éprouve. *Quand je l'ai poussée dans ses retranchements, elle a été claire, mais ensuite elle a fait marche arrière.* Je sais que Chris adore Howie — il a beaucoup de respect pour lui.

HOWIE

Nous avons eu des moments difficiles. Il y a eu quelques conflits *typiques* — le coucher et la télévision ont toujours posé des problèmes. Quand je lui dis qu'il est l'heure d'aller au lit, il considère simplement que ça ne relève pas de mon autorité. *Problème classique.*

DR BRAZELTON

Mais pourquoi un garçon de huit ans viendrait-il tout d'un coup vous dire : « Je veux vivre avec mon propre père » ? Serait-ce parce que vous avez votre propre fils à présent ? Est-ce que cela donnerait à Chris l'impression d'être laissé pour compte ? De ne pas savoir de qui il est le fils ?

HOWIE

C'est ce que je pense. C'est ce que je pense. (*En regardant son bébé de cinq mois.*)

DR BRAZELTON

Vraiment?

HOWIE

Oui, je crois avoir remarqué quelques réactions qui iraient dans ce sens. Mais rien n'a vraiment changé. Peut-être est-ce juste une impression de sa part.

DR BRAZELTON

C'est sans doute une très bonne occasion de mettre tout cela au point, pour le bien de tous, pas seulement pour Chris, mais pour toute la famille. Ça pourrait être bénéfique à Gillian aussi, en ce moment.

LIZ

Est-ce qu'elle comprendrait? Y a-t-il une façon de lui expliquer la situation?

DR BRAZELTON

Le problème, ce n'est pas d'expliquer. Ce serait probablement artificiel. Ce qu'un enfant éprouve est beaucoup plus profond que toutes les explications que vous pourriez lui donner. Ce dont Gillian a besoin, c'est que tous les deux vous n'éprouviez pas de sentiments ambivalents. Et que vous soyez à l'écoute de ses sentiments. Vous savez, Howie, si vous dites à Chris combien vous aimeriez qu'il soit votre fils, bien que vous sachiez qu'il doit voir son propre père, Chris se sentira plus fort. Il a de la chance d'avoir un beau-père qui l'aime autant. Dites la même chose à Gillian. Il faut qu'elle sache que Chris n'est pas exclu, et qu'il ne va pas partir.

Chris a de la chance. Et je pense qu'il le sait bien. Il est aimé par deux familles. Il leur appartient à toutes deux. Il est un Meyer et un Humphrey.

Les problèmes

L'ENFANT AVEC DEUX FAMILLES. Christopher est pris entre deux — deux familles font partie de sa vie. Qu'est-ce que cela signifie pour un enfant ? Que ressent-il à être un beau-fils dans une famille et un invité dans l'autre ? Peut-il vraiment avoir l'impression de posséder un territoire bien à lui ? Il peut estimer que, pour affirmer son identité, il lui faut provoquer Howie et Liz, ou bien les quitter. Tous les parents divorcés qui ont la garde d'un enfant passent par cette expérience, sous une forme ou une autre. Le père de Chris fait évidemment lui aussi tout ce qu'il peut pour se l'attacher. Les excursions, tous les témoignages de générosité sont autant de preuves de son désir de donner à Chris le sentiment de faire partie de sa famille. Mais Chris ne vit pas avec eux et il ne fait pas vraiment partie de la famille. Si c'était le cas, il aurait le même problème de relation avec la nouvelle femme de son père. Des visites pendant les vacances ne suffisent pas à enraciner dans l'esprit d'un enfant le sentiment qu'il est chez lui. Son père et sa belle-mère le traitent encore comme un invité. Il les considère assurément comme secondaires par rapport à sa « vraie » famille. Cependant, le fait que son véritable père se soucie de lui et désire des visites régulières de sa part est très important. Quelles que soient les difficultés du divorce et des relations entre parents, je suis *toujours* d'avis que chaque parent reste en contact aussi étroit que possible avec l'enfant. L'enfant qui voit ses deux parents installés dans leur nouvelle vie trouvera plus facile de renoncer à s'imaginer qu'ils vont revenir ensemble.

La première règle, dans un divorce quel qu'il soit, c'est de ne pas se servir de l'enfant comme d'une balle entre les deux parents séparés. Les droits de visite doivent être clairs et aussi bien précisés que possible pour que l'enfant puisse compter sur la possibilité de se trouver avec l'un et l'autre parent. Dans *T. Berry Brazelton vous parle de vos enfants* [1] ; je traite des façons d'exercer avec succès le droit de visite ou la garde conjointe.

Le moment où l'enfant rentre à la maison, après une visite chez le parent avec lequel il ne vit pas, sera toujours difficile. Howie et Liz sont très conscients que le père de Chris a tendance à le gâter. Il n'a pas d'autre enfant et a donc le temps de s'occuper de lui. Il n'a pas de véritables responsabilités et peut jouer le rôle du parrain. Chris ne peut pas s'empêcher de s'en vanter à son retour. Il le fait probablement pour mettre ses parents à l'épreuve, pour s'assurer qu'il est désiré « à la maison », mais cela fait surgir une comparaison douloureuse. Chris doit fatalement tester les limites à son retour. Bien que son propre père et que sa belle-mère soient sévères avec lui, il passe trop peu de temps avec eux pour que surgissent beaucoup de problèmes. En tant qu'hôte de passage, il ne se sent pas prisonnier de leurs règles. Leur objectif principal est d'ailleurs de rendre Chris heureux et de lui donner envie de revenir. Le contraste entre cette situation plutôt irréelle et son propre foyer, où il doit se conformer quotidiennement aux besoins et aux exigences de quatre autres personnes, le pousse à la désobéissance. Il a un comportement provocateur. Quand Liz et Howie réagissent, ou bien il fait marche arrière et leur lance des sarcasmes en évoquant son autre foyer, ou bien il les culpabilise de lui imposer des règles. Les enfants qui sont dans cette situation deviennent experts dans l'art de faire passer un double message — sentiment de fierté blessée et de vulnérabilité assorti d'un comportement provocateur et insolent. Ce sont des constantes dans toutes les belles-familles.

Un garçon qui vit seul avec une mère divorcée a besoin d'une figure masculine à laquelle s'identifier.

---

1. *Op. cit.*

Cela peut affaiblir l'intensité de sa relation avec sa mère. Howie est arrivé dans la famille à un moment critique pour Chris. Et pourtant, l'adaptation à un beau-père, après une intense intimité avec une mère seule, ne peut s'effectuer sans conflit. Dans l'absolu, un garçon aura plus de facilité à s'entendre avec un beau-père s'il a l'approbation de son propre père. Le changement entre le fait d'être le bébé de maman, et la nécessité de faire connaissance avec un beau-père inconnu est suffisamment ardu sans que l'enfant se sente obligé de choisir entre deux pères. Le meilleur service que son vrai père puisse lui rendre, c'est de l'assister d'une façon ferme, affectueuse pendant qu'il apprend à nouer des relations intimes avec Howie. Mais peu de pères divorcés sont capables de se comporter avec une telle abnégation. Leurs propres craintes d'être abandonnés et leur sens de la compétition sont autant d'obstacles.

La naissance d'un bébé dans la nouvelle famille constitue une autre menace pour la relation avec le beau-père ou la belle-mère. Si la situation est abordée avec compréhension, l'aîné devient capable de s'attacher profondément à sa nouvelle demi-sœur ou à son nouveau demi-frère, comme Chris avec Gillian. Il s'identifie avec ses deux parents en s'occupant de Gillian. Il peut s'être senti exclu par elle, d'une façon, mais il semble qu'elle lui ait également servi d'introduction dans la famille. Quand je les ai vus ensemble, il était fier de s'occuper d'elle. Le fait qu'il puisse se servir d'elle, pour exprimer ses sentiments et sa peur d'être rejeté par sa famille quand il s'en va, prouve l'intimité de leurs relations. Quand il rentre et qu'il l'évite, tout en demandant expressément des nouvelles du nouveau bébé, il essaie de blesser sa sœur. Au cours de la dernière grossesse de Liz, ils avaient conclu une alliance — à la fois positive et négative — face au nouvel intrus. En cela, ils agissent comme de véritables frères et sœurs.

PARTAGER UN ENFANT APRÈS UN DIVORCE. Après avoir souffert de la rupture de son mariage, tout parent attentionné voudra inévitablement apporter des compensations aux enfants de ce mariage. S'il se remarie de façon heureuse, il aura l'impression de faire de la peine ou éventuellement du mal aux enfants du premier mariage. Liz a vécu « quelques années de grand bonheur » seule avec Chris. Elle ne peut que se sentir obligée de le consoler de ce qu'il considère (et elle aussi) comme une rupture de cette intimité. Dès qu'il paraît triste ou contrarié, elle ne peut que se sentir visée. Un parent aussi attentif qu'elle va se culpabiliser à propos de tous les problèmes normaux que son enfant aurait de toute façon rencontrés à cet âge. Tout cela est inconscient, mais elle va inévitablement comparer leur vie actuelle — plutôt quelconque, selon elle — aux années passionnées qu'ils ont vécues lorsqu'elle était seule. Elle va se souvenir de son fils tel qu'il était pendant leur intimité et comparer ce souvenir avec ce qu'il est devenu depuis qu'elle l'a « sacrifié » en se remariant et en l'abandonnant pour une nouvelle famille. L'arrivée d'un nouveau bébé rappelle au parent divorcé l'intimité qu'il avait avec son premier enfant. Si l'aîné se comporte mal — parce qu'il est jaloux ou parce qu'il approche la pré-adolescence — il ressentira encore plus de regrets et de culpabilité.

A ce stade, beaucoup d'enfants qui vivent avec leur mère vont essayer de retrouver ce qui leur manque en se tournant vers leur véritable père. La réaction que cela provoque chez leur mère ne leur échappe pas. Jalousie et compétition sont inévitables pour un couple divorcé, après un remariage. Les parents peuvent reprocher à leur enfant d'être gâté, ou de se vanter de ce qu'il vit chez l'autre parent. Inconsciemment, ils ont peur de la compétition. Les reproches risquent de renforcer chez l'enfant le sentiment d'être différent, d'être tenu à l'écart. L'enfant aura alors tendance à provoquer ses parents pour exciter des sentiments forts qui lui prouvent qu'il fait véritablement partie de la famille. De telles provocations nécessitent une réaction ferme, mais affectueuse.

Une mère dans la situation de Liz redoute fatalement de perdre son enfant, mais elle a tort. Il a besoin d'elle et de sa nouvelle famille, et il en est bien conscient. Il est sage d'éviter toute comparaison entre les avantages et les privilèges de l'une et l'autre famille. Un enfant sait bien lesquels sont les plus réels, mais il a besoin des uns et des autres. Les comparaisons mettent l'enfant en difficulté, comme s'il devait faire un choix. Il a besoin de ses deux parents, s'ils sont disponibles. Il a besoin d'eux différemment et il peut définir ces différences, tant qu'il n'est pas lui-même un enjeu entre eux.

Une des façons les plus efficaces pour donner à un enfant le sens d'appartenir à une famille, c'est de fixer des règles strictes et de lui demander de participer de façon spécifique. L'enfant aura davantage le sentiment de faire partie d'une famille où il joue un rôle utile et responsable, que d'une autre où il sera comblé de faveurs. La famille de garde n'a aucun besoin de rivaliser à ce niveau, puisque c'est chez elle que l'enfant vit.

Lorsqu'un enfant revient d'un séjour chez l'autre parent, il y a trois étapes que sa famille peut suivre pour faciliter son retour.

1. Donnez-lui l'impression qu'il est le bienvenu, qu'il est attendu. « Nous voulons que tu reviennes. Tu es important pour chacun de nous. A ton retour, dès que tu en as envie, fais-nous à chacun un câlin. Nous en avons besoin. Nous avons besoin que notre famille soit à nouveau au complet. Quand tu n'es pas là, nous ressentons un vide. »

2. Donnez-lui l'impression qu'on a besoin de lui. « Dans notre famille, pour que tout marche, chacun doit effectuer certaines tâches. La tienne c'est de...; ta sœur doit..., et quand le bébé sera assez grand, il devra... Tu pourras peut-être lui montrer comment faire. Il t'aime tellement. »

3. Arrêtez de parler des problèmes de l'enfant. L'enfant semblera peut-être prendre un malin plaisir à mettre la zizanie dans la famille. Mais un tel comportement l'exclut de la famille. De plus, d'une façon imperceptible, il pousse l'enfant à s'identifier avec l'échec du premier mariage. L'enfant qui sait que sa famille a confiance en lui, ne ressentira pas le besoin de faire une comédie pour attirer l'attention et cessera peu à peu de mettre à l'épreuve le reste de la famille.

BEAU-PÈRE OU BELLE-MÈRE. De nos jours, on utilise souvent l'expression « mixte » pour qualifier les familles qui rassemblent des enfants de mariages antérieurs. Ce genre de famille est très courant. D'ici 1990, les personnes vivant dans une famille formée par un second mariage seront plus nombreuses que celles qui vivront dans le foyer du premier mariage. Mais le fait est que ces familles mixtes ne se mélangent véritablement que rarement. Les enfants et les adultes qui ont un passé différent restent distincts les uns des autres. Ils vivent ensemble, mais ils portent leur histoire avec eux. L'idée de deux familles homogènes, sans aucune tension, est tout à fait illusoire. L'histoire de Cendrillon et de sa méchante belle-mère dans le conte de fées exprime la façon dont nous comprenons, inconsciemment, le conflit potentiel. Les bonnes intentions ne vont pas effacer les différences. Cependant, quand on admet ces différences et qu'on accepte d'y faire face, on voit surgir des forces insoupçonnées et des solutions. Howie, par exemple, a reconnu qu'il s'était mis entre Liz et Chris, dérangeant leurs rapports ; cette prise de conscience lui a donné la patience d'attendre que Chris l'accepte. Comprendre les efforts d'adaptation que fait un autre membre de la nouvelle famille aide à maîtriser l'hostilité qu'on peut ressentir à son égard. Cependant, de nouveaux conflits, surtout en ce qui concerne la discipline, surgiront toujours pour rappeler qu'il y a une différence entre un beau-père et un père.

Voici ce dont les beaux-parents se plaignent habituellement :

1. Manque de respect de la part des beaux-fils ou belles-filles. Aux moments de grandes explications, les beaux-enfants déclarent sans ambages qu'ils n'ont pas à obéir, et qu'ils n'ont aucune intention d'obéir, à un beau-parent.

2. Les rapports avec un beau-fils ou une belle-fille ne sont jamais pareils à ceux qu'on a avec son propre enfant.

3. Les beaux-parents ont le sentiment que leur conjoint, le parent naturel, n'est pas de leur côté, et qu'il protège excessivement leurs propres enfants, ce qui rend la discipline encore plus ardue.

4. Ils ont l'impression de ne jamais pouvoir passer un moment en tête-à-tête avec leur conjoint. Quand ils parviennent à s'isoler, les couples remarquent souvent qu'ils s'entendent mieux sans leurs enfants.

5. Les beaux-parents trouvent qu'ils passent toujours en second.

6. Les beaux-enfants ne sont jamais aussi désagréables que quand ils rentrent d'une visite au parent qui n'a pas leur garde.

Tous ces problèmes de beau-père (ou belle-mère) apparaissent clairement dans le cas de Howie. D'abord, Liz ne peut qu'avoir une attitude protectrice vis-à-vis de Chris. Il a eu beaucoup plus de difficultés que les deux autres enfants. Ceux-ci ont toujours connu une famille stable. Liz sait tout ce que Chris a subi à cause d'elle et elle voudrait en quelque sorte lui offrir des compensations. Au même moment, elle se rend compte qu'elle a tort de saper l'autorité de Howie ou de détériorer ses rapports avec Chris, mais c'est pour elle une réaction quasi instinctive.

Dans beaucoup de familles, les problèmes de discipline n'apparaissent que des mois après le mariage. Liz et Howie s'étaient donné beaucoup de mal pour annoncer leur mariage à Chris et pour le préparer à la séparation que cela entraînerait pour lui. Au moment où ils avaient pris leur décision, Howie et l'enfant étaient déjà en bons termes. Cependant, Chris aimait Howie comme un *invité*. Quand il devint évident qu'il allait être un intrus permanent, Chris se mit à manifester de l'hostilité.

Au début, Chris avait recherché avec avidité une présence masculine. Après avoir passé des années seul avec sa mère, Chris était subjugué par Howie. Mais bientôt, la présence de Howie devint un obstacle au rêve universel : la réconciliation entre son père et sa mère. Bien que chaque parent ait un nouveau conjoint, dans l'esprit d'un enfant de cinq ans, la pensée magique peut accomplir des miracles. Howie empêchait la réalisation de ce rêve.

A cinq, six ans, il y avait obligatoirement des moments où Chris avait besoin d'autorité. Liz avait du mal à le reprendre parce qu'elle le plaignait — d'être déraciné et de ne plus bénéficier de toute son attention. Si Howie s'en mêlait, il était sûr de provoquer une double réaction : de la part de Chris : « Tu n'es pas mon père » ; de la part de Liz : « Tu es tellement dur avec lui. Tu ne comprends pas tout ce qu'il a subi. » Howie se sentait donc exclu. Et Chris percevait un message double, juste au moment où il avait besoin d'unité. Ce sont des situations que les belles-familles me racontent tout le temps.

La résistance au beau-père en tant qu'autorité légale est inévitable. Si Liz est capable de laisser à Howie de l'autorité sur Chris, cela améliorera leurs rapports. Chris a besoin de Howie et il l'adore, c'est évident quand on les regarde ensemble. Si Howie peut participer à l'éducation de Chris, leur dépendance mutuelle va s'approfondir, se renforcer. La discipline est une partie vitale des relations parent-enfant. Le fait même que Chris ressente le besoin de tester ses limites à chaque fois qu'il revient à la maison, à un moment où il est moins sûr de son rôle dans le clan Humphrey, en est la preuve.

Howie ne pourra jamais traiter réellement Chris et ses propres enfants de la même façon. Cela aide beaucoup les beaux-parents de se rendre compte que les parents eux-mêmes ne traitent jamais leurs propres enfants de la même façon. Ils s'y efforcent, mais c'est tout simplement impossible. Des personnalités différentes exigent des attitudes différentes. Ces différences sont amplifiées dans une belle-famille. Les beaux-parents ne peuvent éviter de se demander s'ils sont trop sévères, injustes à l'égard d'un beau-fils, ou trop laxistes. Les beaux-enfants vont naturellement en profiter. Howie et Liz doivent continuer à se parler des différences individuelles entre Chris, Gillian et John, différences en âge, en stade de développement, différences que tous revendiquent auprès de leurs parents. Autrement, au moment des crises, Howie et Liz auront tous deux le sentiment qu'ils ne traitent pas Chris comme les autres. S'ils ont ce sentiment, l'enfant l'aura lui aussi.

Plus Howie sera détaché, objectif, mieux ce sera pour leur relation. Mais il est difficile de ne pas se sentir personnellement visé par un comportement provocateur. Un beau-père désire souvent jouer un rôle aussi stable avec un beau-fils qu'avec ses propres enfants. Quand on est aussi attaché à un enfant que Howie l'est à Chris, c'est difficile d'accepter que le rôle de beau-père soit un rôle conditionnel. Le fait qu'il n'ait eu aucun rapport avec Chris pendant les quatre premières années de sa vie sera toujours là. Connaître l'enfant depuis le début donne à un père un plus fort sentiment d'assurance. Howie peut être fier de tout ce que Chris a appris grâce à lui, et de la façon étroite dont il s'identifie à lui. A l'approche de l'adolescence, Chris ressentira le besoin de se révolter contre cette intimité pour l'éprouver. Howie en sera peiné, à moins qu'il ne

voie que cette attitude est fondée sur le sentiment de
sécurité que Chris a acquis grâce à lui.

Mark Rosen, dans son livre *Stepfathering* [1], propose des principes importants pour aider les belles-
familles à voir au-delà de leur expérience propre les
aspects universels de leur situation. Les voici résu-
més et adaptés :

1. La personnalité et les besoins de chaque enfant
sont uniques ; ils sont issus en partie de l'éducation
première et des effets du divorce, mais aussi du
caractère inné. Donc les différences entre les enfants
biologiques et les beaux-enfants ne résultent pas
toutes des différences d'éducation.

2. Vous êtes obligé d'avoir des réactions différentes à l'égard de chaque enfant, et les différences
entre enfants biologiques et beaux-enfants n'en sont
qu'une cause parmi d'autres.

3. Le comportement des beaux-enfants va évoluer
après votre mariage, quand ils se sentiront plus en
sécurité.

4. Chaque changement dans votre propre famille
aura pour effet à la fois de menacer et de renforcer
votre relation avec vos beaux-enfants. Cette relation
ne peut pas rester immuable. Aidez vos beaux-
enfants à le comprendre et à s'y adapter. Il n'est pas
nécessaire que ce changement leur plaise, mais ils
ont besoin de comprendre leurs propres réactions.
Un nouveau bébé, par exemple, sera obligatoirement
perçu comme une menace.

5. Les sentiments positifs que vous ressentez à
l'égard de votre conjoint influenceront peu à peu vos
rapports avec vos beaux-enfants.

6. Soutien mutuel et franche communication sont
de la plus haute importance pour maintenir de bons
rapports entre un beau-père (belle-mère) et un beau-
fils (belle-fille). Si votre partenaire ne vous soutient

---

1. New York, Ballantine Books, 1988.

pas, s'il désapprouve votre rôle dans la vie de ses enfants, vous aurez moins de chances d'établir de bons rapports. Lui ou elle doit vous apporter son soutien, spécialement pour les questions de discipline ou les problèmes critiques.

7. Un beau-parent peut réduire les problèmes en se retenant de toute réaction émotionnelle, en désamorçant les conflits plutôt qu'en les encourageant ou en les perpétuant.

8. L'autre parent est toujours présent dans la vie d'une belle-famille. Maintenez une relation aussi positive que possible avec lui ou elle.

Une des mesures les plus importantes que Howie et Liz pourraient prendre serait de passer chaque semaine un moment spécial avec Chris, en dehors de la présence des autres enfants. Si chacun peut avoir un tête-à-tête avec Chris, celui-ci aura une chance de développer et de renforcer ses rapports avec eux, et de percevoir clairement qu'il appartient vraiment à cette famille.

Questions courantes

QUESTION

Le départ et le retour de mes beaux-enfants me semblent des moments particulièrement difficiles. Avez-vous des conseils à me donner?

DR BRAZELTON

Attendez-vous à ce que ces moments soient en effet difficiles. Chacun de vous doit à nouveau tester ses relations avec les autres. Préparez vos enfants, préparez-vous du mieux possible à l'avance. Parlez ouvertement des tensions pour que chacun puisse les comprendre aussi bien que possible. Avec le temps, chaque crise vous apportant son enseignement, vous aurez moins de difficultés. Tenez bon, soyez confiant!

QUESTION

Nos deux derniers enfants paraissent terriblement malheureux quand les aînés partent pour rendre visite à leur autre parent. Je ne sais jamais quoi dire.

DR BRAZELTON

Préparez tous les enfants à la séparation — dites-leur qu'ils vont se manquer et qu'ensuite, ils vont probablement se disputer. Demandez à ceux qui partent d'appeler pour maintenir le contact ou bien appelez-les vous-mêmes. A leur retour, faites une sorte de réunion au cours de laquelle chacun racontera ce qui s'est passé pendant la séparation. A cette occasion chacun pourra à nouveau se sentir membre de la famille. Pendant l'absence des autres, les plus jeunes enfants, à la maison, vont se sentir seuls, emmenez-les faire une sortie spéciale pour compenser.

QUESTION

J'ai un problème avec mon beau-fils quand on en vient à fixer des limites. Il se renfrogne et se met à bouder. Cela me rend furieux, mais j'ai peur de me fâcher avec lui. Je ne sais pas quoi faire dans cette situation. Il est à l'âge adolescent, et c'est très difficile. Il refuse de me répondre. Avec mes propres enfants je peux me fâcher, parce que je sais que, même quand je suis furieux, ils m'aiment, mais avec mon beau-fils je ne sais plus où j'en suis.

DR BRAZELTON

C'est ce qu'il y a de plus dur pour un beau-père — l'incertitude dans laquelle on se trouve en ce qui concerne le rôle à jouer. A votre place je lui en parlerais. Demandez-lui de vous dire comment et quand, selon lui, vous pouvez intervenir. Faites-lui sentir que vous pensez à son bien et que vous l'aimez vraiment. Il n'y sera sans doute pas insensible. En lui permettant de vous aider à fixer ses propres limites, vous lui faites savoir que vous le respectez. Non pas que cela puisse supprimer les tensions entre vous. Ce ne sera pas le cas. La révolte est inévitable à ce stade du développement. Mais le fait d'en avoir parlé assiéra vos rapports sur une base plus solide.

QUESTION

Est-ce qu'un beau-père — ou une belle-mère — peuvent vraiment réussir à s'entendre avec les enfants de leurs conjoints? Je me le demande. J'entends dire aux amis qui envisagent d'épouser quelqu'un avec des enfants : « Est-ce que cela peut marcher un jour? »

DR BRAZELTON

Oui, à condition de ne pas trop espérer. Vous ne pourrez jamais remplacer tout à fait leur véritable parent. Et vous devez apprendre à vivre avec soit le mythe soit la réalité du véritable parent. Mais vous pouvez néanmoins être quelqu'un de très important pour ces enfants. Ils ont besoin de vous. Et ils peuvent être pour vous une source d'expériences nouvelles si vous savez nouer de bons rapports avec eux — à mi-chemin entre un parent responsable et un ami.

QUESTION

Mon mari et moi-même sommes apparemment plus exigeants en ce qui concerne la conduite que le père et la belle-mère de nos enfants. Ceux-ci nous le font remarquer.

DR BRAZELTON

A votre place, je préciserais de façon claire et nette les règles à suivre dans votre foyer. Laissez l'autre avoir les siennes. N'essayez pas de rivaliser ou de mélanger les deux modèles. Tout comme les enfants apprennent à avoir des relations différentes avec chaque parent, ils apprendront à se comporter différemment dans chaque foyer. Un des problèmes c'est qu'ils vont sans cesse dénigrer vos règles par rapport aux autres. Faites en sorte d'être aussi peu vulnérables que possible, et les comparaisons diminueront. Mais tenez bon sur vos principes.

QUESTION

Parfois je trouve le comportement de ma belle-fille outrageusement prétentieux. Sa mère appelle cela de la sophistication. Avez-vous des conseils à me donner?

DR BRAZELTON

Est-ce que sa mère et vous, vous prenez cela comme prétexte pour vous disputer? Votre désaccord ne peut que renforcer ce comportement. Si vous n'y prêtez pas attention, quand votre belle-fille se trouve avec vous, elle comprendra, surtout si vous vous entendez bien avec elle pour commencer.

QUESTION

Lorsque mes filles regardent autour d'elles, elles voient que l'on admire les valeurs matérialistes de mon ex-femme, plutôt que celles plus idéalistes de ma femme. Que pouvons-nous faire pour neutraliser cette influence?

DR BRAZELTON

Leur mère et leur belle-mère ont chacune quelque chose de très différent à leur offrir. Est-ce que vous continuez à rivaliser avec votre ex-femme? Cela ne peut que faire du tort à vos filles.

QUESTION

Une de mes filles n'a pas arrêté de pleurer le jour où je me suis remarié. Au début de son adolescence, elle était tellement difficile que j'étais prêt à la mettre dehors. Mais après son départ pour l'université, sa première lettre était pour nous dire combien elle appréciait d'avoir deux familles. Son comportement provocateur nous avait vraiment traumatisés, mais nous sommes parvenus à tenir le coup. Après avoir acquis un peu d'indépendance et avoir été séparée de la famille, elle a eu suffisamment de recul pour se dire enfin combien nous comptions pour elle.

DR BRAZELTON

C'est ce qu'il faut — de la patience, de la tolérance et beaucoup de temps.

Quelques années plus tard, chez les Humphrey

Par un beau soir de septembre, quatre membres de la famille Humphrey m'attendaient dans la cour de leur petite maison campagnarde, au cœur d'un village situé près de Worcester, Massachusetts. Chris qui avait maintenant onze ans était parti avec un ami, dans les bois derrière la maison, monter une tente pour la nuit. Gillian, cinq ans, et John, deux ans et demi, se tenaient avec leurs parents ; ils avaient les couleurs de leur mère et la robuste constitution de leur père. Comme ils s'avançaient à ma rencontre, Gillian témoignait d'une certaine vivacité, tout comme sa pétulante mère. John bougeait plus lentement de façon plus décidée, comme son

père. Howie paraît calme et confiant quand il
observe sa femme, plus active, plus bavarde.

Leur jardin est magnifiquement entretenu avec de
belles rangées de fleurs et de plantes. Il y a toutes
sortes de jeux éparpillés — jouets usés, tricycles,
panier de basket, équipement d'escalade. C'est une
cour de jeux, mais Liz a su y apporter une touche de
beauté malgré le désordre inévitable des enfants.
Nous sommes entrés dans la maison où tout était
propre et rangé. Le salon sortait tout droit d'un livre
de décoration. Je ne pouvais croire qu'il était tenu
tout le temps de cette façon, jusqu'à ce que je jette un
coup d'œil dans la pièce voisine où se tenait habituellement la famille. Il y avait là un chaos plus normal ! C'est bien une pièce pour tous — avec encore
des jouets, des sièges, des piles de livres, la télévision. C'était une pièce où on vivait.

On avait préparé pour nous du fromage et des
crackers. Les enfants piochaient dans le plat de
temps en temps, mais même le petit John respectait
le fait que c'était une réunion d'adultes. Ils étaient
venus pour m'observer, même pour écouter un peu,
mais ils repartirent bientôt pour jouer ensemble. Ils
ne semblaient pas avoir besoin d'attirer notre attention. Ils paraissaient savoir quand ils pouvaient
intervenir et quand ils devaient s'en abstenir. Je crus
comprendre la raison de leur sens sûr des limites.
Chaque fois qu'ils étaient sur le point d'envahir notre
espace, espace physique ou bien conversation,
Howie d'une main ferme ou d'une voix décidée les
arrêtait net. Ils le respectent. Et ils l'adorent aussi.
Les deux enfants grimpaient sur ses genoux pour s'y
laisser aller en silence, de temps à autre. Avec Liz il
leur arrivait d'être plus provocateurs, essayant de
l'interrompre alors qu'elle me parlait ou qu'elle plai-
santait. Quand ils n'y parvenaient pas, ils jetaient un
bref regard à Howie et se calmaient. Howie semblait
vraiment être un élément stabilisateur pour ces deux
petits enfants.

Un peu plus tard, Christopher entra en trombe dans la pièce, tout sourire, pour me saluer. Il se rappelait notre première rencontre. C'est un grand préadolescent au teint coloré; il regarde les gens droit dans les yeux tout en paraissant manquer d'assurance. Ses manières enjouées sont moins hésitantes que celles de sa mère. Je pouvais sentir qu'il avait encore des problèmes et cela avec un certain trouble intérieur. Cependant, il est si beau, si confortablement masculin et si attirant qu'on voit bien qu'il trouvera la solution. Il avait amené son ami, un garçon de onze ans, plus grand que lui, qui m'examina comme si Chris lui avait fait la leçon.

« Nous construisons un feu devant notre tente », annonça Chris. Il semblait connaître la réponse d'avance.

« Pas d'allumettes, dit Howie.

— Nous ferons attention. Nous avons mis des pierres tout autour, comme ça, même si l'herbe prend feu, ça ne peut pas s'étendre.

— Pas d'allumettes », dit Howie. Chris continua à essayer de persuader Howie qui se tourna vers sa femme, comme s'il recherchait son approbation. Elle prit immédiatement le relais et dit : « Chris, Howie ne plaisante pas. Pas d'allumettes. » Chris me regarda et renonça de bon cœur, mais j'avais le sentiment que ce genre de scène pouvait être typique. Howie qui est si sûr, si décidé, avec ses deux enfants, doit bouillir intérieurement quand on le harcèle. Alors il se tourne vers sa femme qui intervient. Je soupçonne qu'habituellement Chris ne s'en tient pas là.

Quand j'ai reparlé de cela à Howie, plus tard, il a avoué qu'il était toujours profondément perturbé que Chris ait deux pères. Il pense avoir besoin d'être ferme et déterminé avec Chris, mais il n'est jamais sûr d'en avoir le droit. Et pourtant il était clair à mes yeux que Chris avait besoin d'une véritable autorité. Et il n'y a pas de doute que Howie est très attaché à

Chris. Avant mon arrivée, il était dans les bois pour aider les garçons à dresser leur tente. Il observe Chris avec un regard profondément affectueux. Il parle comme s'il était son père. Il n'est pas un étranger pour Chris. Mais quand arrive un conflit, comme ce petit épisode de harcèlement, une certaine insécurité fondamentale semble gagner Howie, et Chris le sent et en joue. J'avais le sentiment que l'incertitude de Howie rendait Chris anxieux et le poussait à le provoquer et à le mettre à l'épreuve. Cette zone d'incertitude doit projeter une ombre sur leurs rapports.

« Chris a passé une année rudement difficile, dit Liz. Il a été malade plusieurs fois, il a eu plusieurs accidents — un hameçon dans le pouce, trois piqûres d'abeille, deux dents arrachées. » Chris hocha la tête comme pour acquiescer. « Et il n'a pas très bien travaillé à l'école, nous l'avons donc emmené chez un thérapeute. » A ces mots, Chris quitta la pièce, mais resta avec son ami dans la pièce voisine, comme pour écouter. J'en conclus qu'il était souvent la cible de ce genre de discussion sur son bien-être, je n'essayai donc pas de changer de sujet.

« Chris est perturbé, dit Liz. Il va passer un week-end sur deux chez son véritable père et y séjourne un mois l'été. Là, il est seul avec son père et sa belle-mère. Ils n'ont pas d'enfant ; elle n'est pas en bonne santé et ne doit pas en avoir. Chris est donc le centre de toutes leurs attentions. Ils l'emmènent faire toutes sortes de voyages dont nous n'avons pas les moyens. Et puis ils semblent se faire un devoir de nous raconter tout ce qu'ils ont fait pour lui. Chez nous, il est juste un membre du lot. Nous le traitons simplement comme les autres. Son père est très formaliste, très exigeant. Quand il est là-bas, on attend de Chris une conduite parfaite. Il rentre à la maison épuisé. A son retour, il se défoule en nous provoquant, et en mettant la pagaille. Il s'en prend surtout à Gillian. Lorsque nous vous avons vu il y a deux ans, vous nous avez annoncé tout cela. Quand John est né, vous nous avez dit que le pire pour Gillian serait le moment où Chris la délaisserait pour le bébé. A présent, quand il est tendu ou furieux, il la laisse tomber et va voir John. Cet été, il a téléphoné de chez son père en demandant de parler à John, mais pas à Gillian. Cela rend Gillian très, très triste. Quand Chris s'en aperçoit, il se met à l'exciter, ce qui exacerbe leurs sentiments de rivalité. »

L'inquiétude de Liz montrait que, par ce comportement, Chris était assuré de toucher toute la famille. « Gillian est une enfant si facile. Elle paraît tellement à l'aise. Je pense que ça énerve son frère. Il se donne du mal pour ne pas être dépassé ici. Quand il se sent menacé par elle, quand elle réussit quelque chose, il entreprend de la dénigrer. Ni l'un ni l'autre nous ne pouvons le supporter, et il se fait attraper par chacun de nous. On a l'impression que cela lui plaît, et c'est pourquoi nous lui faisons suivre actuellement une thérapie. Il n'arrête pas de rivaliser avec Gillian pour l'affection de Howie. Il demande : "Qui de nous est le meilleur ?" ou "Qui préfères-tu ?" Qu'est-ce que Howie peut répondre à cela ? Du moins est-il plus décontracté avec Howie qu'avec son propre père. Il doit être si parfait avec son père. Son père lui apprend à jouer au golf ; il l'emmène tous les soirs au restaurant. Nous n'avons pas les moyens d'offrir de tels extras à Chris. De toute façon, nous faisons les choses en famille. »

Je me demandai pourquoi Liz et Howie paraissaient encore se tenir sur la défensive vis-à-vis du père de Chris. Il me semblait que n'importe quel enfant serait heureux de faire partie de leur grande et chaleureuse famille.

« Je pense que son père voudrait réécrire l'histoire, dit Liz. Il veut être le seul père de Chris, et il ne l'est pas. C'est difficile pour lui d'accepter tout ce que Howie représente pour Chris. »

Je me demandai ce que signifiait pour Chris le fait

d'être l'objet d'un enjeu. Quand je mentionnai cela à Liz, elle dit : « Je n'ai pas l'impression de rivaliser, je me sens juste en état d'infériorité. Le Dr M. (le psychiatre pour lequel elle travaille) dit que je me sens coupable de la monotonie de notre vie comparée à la vie du père de Chris, et que je transmets à Chris la jalousie que j'éprouve à l'égard de son père.

— Peut-être Chris a-t-il besoin de remuer ces sentiments pour détourner votre attention de vos deux autres enfants, suggérai-je. Je peux voir que vous avez tous deux des rapports si faciles, si confiants avec eux.

— C'est difficile de ne pas se faire piéger par la compétition. Cela perturbe Chris. Il ne travaille pas à l'école, et n'y a que des ennuis. Il en arrive même à ne plus avoir d'amis. Il fait l'idiot, il cherche à être le clown de la classe. Il a de gros problèmes.

— J'étais juste comme lui, dit Howie. Je ne m'appliquais pas, je refusais de m'intéresser au véritable problème et j'étais devenu le pitre de la classe. J'étais le plus jeune, avec deux sœurs aînées, et j'étais gâté. Je m'identifie beaucoup à Chris — trop peut-être. Sa façon désagréable d'attirer l'attention est exactement celle que j'employais. »

Pendant qu'il parlait, je ressentais combien ce garçon comptait pour lui. Son propre passé pouvait bien interférer avec son autorité sur Chris.

« Le psychothérapeute dit que nous devrions passer une heure ou deux en tête-à-tête avec Chris, dit Liz. Mais nous n'avons pas encore mis cela au point.

— Je trouve moi aussi que c'est un excellent moyen pour chacun de vous de vous rapprocher de lui, et de le lui faire sentir. Chacun de vous devrait le faire séparément. Il aura ainsi, de temps en temps, une chance de se décharger de ses tensions.

— Le problème, dit Liz, c'est que, lorsque je m'occupe spécialement de lui, il devient désagréable, comme s'il ne se sentait pas bien en tête-à-tête avec moi. Et, quand il est désagréable, je ne peux pas le supporter. Je sens même en moi de l'antipathie à son égard, et j'ai horreur de cela. Il a été un si gentil bébé, un garçon merveilleux jusqu'à quatre ans. Il était tout à moi jusqu'à mon mariage avec Howie, et depuis il n'a cessé d'être difficile. »

Je sentais qu'elle n'avait pas encore reconnu la relation entre la colère naturelle de Chris à l'égard de son remariage et sa propre culpabilité. Il fallait qu'elle s'attaque à ce problème de son côté à elle.

Liz poursuivit : « Mon père ne pouvait tolérer que je divorce, bien que la vie conjugale soit devenue infernale. Il se contentait de me dire : "Tiens bon !" Il était anglais, vous savez, très collet monté. Maintenant, il préfère Howie, et il est content que j'aie divorcé. Mais à l'époque, il a vraiment apporté à mon divorce un énorme sentiment d'échec. »

La perspicacité de Liz jetait peut-être une lumière sur la source du comportement difficile de Chris. Ce pouvait bien être une réaction à tous ses sentiments de culpabilité. A ce moment, comme pour ôter un poids à Liz, Howie se mit à évoquer sa récente recherche d'emploi et le désordre dont il se sentait responsable.

« J'ai fait passer des moments difficiles à Liz et à son garçon, je le sais bien. Je n'aimais pas vraiment le travail que j'avais — ou peut-être que je me sentais devenir trop vieux. J'étais chargé, par l'Agence pour la protection de l'environnement, de contrôler les suies. Il me fallait escalader toutes les cheminées dans cette partie du pays. Pendant longtemps cela a été passionnant. Mais j'ai commencé à me sentir vieillir ; j'avais l'impression que je ne pouvais plus continuer. J'ai donc arrêté et, pendant cinq ans, j'ai passé d'un emploi à l'autre. J'aime à penser que j'ai découvert d'autres possibilités de carrière, mais je sais combien cela a été difficile pour Liz et la famille. Nous n'avions pas d'argent et nous continuions à dépenser comme si nous en avions. Maintenant j'ai un emploi à trois quarts d'heure d'ici, et un revenu régulier. C'est un véritable soulagement. »

Liz, en plaisantant comme à son habitude, avoua la tension qu'elle avait ressentie. « Je savais qu'il était brillant, mais personne d'autre ne semblait s'en apercevoir. Il fallait beaucoup de culot pour continuer comme si de rien n'était. Le Dr M. me permettait de faire des heures supplémentaires pour nous aider à passer les moments vraiment difficiles. Il fallait sauver les apparences dans cette petite ville. Tout le monde nous connaît si bien. »

Je me demandai si elle incluait son ex-mari, et peut-être même Chris, dans le public pour lequel elle devait sauver les apparences.

« Nous avons quand même de la chance, continua Howie. Nous avons une famille formidable. Voyez tout ce que nous avons traversé. Quand nous vivions au-dessus de nos moyens, cela me faisait peur. Mais c'est ce que je voulais pour Liz. Maintenant, nous avons réussi, et nous sommes parvenus à la sécurité, pour changer. Je dis à Liz : "Profites-en, enfin !" Mais c'est une anxieuse — même quand tout va bien. »

L'explication que Liz avait donnée plus tôt semblait convenir : elle pense qu'elle mérite d'échouer pour avoir été obstinée, butée, pour avoir quitté son premier mari. Sa crainte de l'échec avait placé les problèmes de Chris au premier plan. Elle en faisait une affaire personnelle. Le danger, c'est qu'elle peut inconsciemment le pousser à l'échec. Je voulais absolument l'aider à voir que ses succès pesaient plus lourd dans la balance que tout ce qu'elle considérait comme des échecs. C'est une femme si courageuse, si charmante.

Howie ramena la conversation à Chris. « Chaque fois que je m'en prends à lui, je me sens coupable. J'ai l'impression d'être deux fois plus dur avec lui qu'avec mes propres enfants, et pourtant les règles sont les mêmes. Si je le reprends pour avoir été désagréable, je passe ensuite des heures à me faire du souci.

— Il ne fait que vous mettre à l'épreuve, dis-je. Il

vous manipule. Cela vient de son âge, bien plus que de toute autre cause. Il a besoin de vos règles, strictes, autant que de savoir que vous l'aimez. Et ça, ça ressort de tout ce que vous dites.

— Oh! Bien sûr que je l'aime, dit Howie. J'ai l'impression qu'il est une partie de moi, qu'il me ressemble presque trop.

— Du moins, en réglant vos démêlés avec Chris, apprenez-vous beaucoup; ça vous servira avec vos enfants.

— Quand John devient buté, tu perds ton calme, tu sais, dit Liz.

— Mais ce n'est pas la même chose. Avec John, je sais ce que je fais. »

Je dis à Howie et à Liz combien j'étais heureux qu'ils aient eu recours à une thérapie pour traiter tous ces problèmes. Il y a des tensions universelles qui affectent les familles séparées et les belles-familles. Il faut les sortir au grand jour et y travailler ensemble. Quand elles paraissent persister et s'envenimer, il est sage de chercher de l'aide. Si Howie parvient à démêler ses sentiments à l'égard de Chris et à découvrir les effets perturbateurs de l'étiquette « Pas à moi », s'il parvient à voir quelle force aurait son identification avec Chris à condition de pouvoir ne plus avoir peur de lui transmettre ses échecs, peut-être pourrait-il se décontracter et profiter mieux de Chris. Au fur et à mesure que Chris se rapprochera de l'adolescence, les conflits augmenteront naturellement en intensité. A travers les conflits, Chris doit gagner son indépendance, mais aussi trouver comment s'identifier avec Howie en toute sécurité. Howie doit avoir assez de confiance pour tolérer ce comportement.

Bien que Liz déclare : « J'ai appris à ne pas m'en mêler », je ne peux pas la croire tout à fait. Quels que soient ses efforts pour ne pas trop s'impliquer en tant que mère, elle fait partie du triangle. Chris et Howie ne peuvent qu'être des rivaux. Il faudra

qu'elle ne fasse pas une affaire personnelle des
échecs de Chris, afin de pouvoir lui apporter un soutien plus objectif. Chris lui-même doit apprendre à
réussir dans ses relations personnelles les plus
importantes. J'espère que la thérapie le lui permettra.

Chris est plein de force et d'avenir. Son caractère,
l'intérêt qu'il porte aux autres le mèneront loin. Il
avait de toute évidence envie de venir à moi, malgré
le rôle que je semblais jouer — sonder ses parents à
son sujet. Il m'emmena dans la pièce familiale. Il me
demanda si j'avais des questions à lui poser. Je n'en
avais pas, car je pensais qu'il aurait été importun de
sonder ses sentiments sans rien lui offrir en échange,
en matière de relation durable. Je déclarai que j'étais
ravi de le revoir. Il rayonna. Je lui demandai ce qu'il
avait fait cet été. Il dit qu'il avait séjourné chez son
père et déclara alors : « J'ai de la chance d'avoir deux
familles. Cela signifie que j'ai plus de cadeaux, deux
fois plus d'amis — un dans chaque maison. Je peux
jouer au golf et pêcher avec mon père, et faire du
basket ici ! »

Les deux autres enfants apparurent alors qu'il me
faisait visiter leur salle de jeux. Ils éprouvaient visiblement de l'admiration pour Chris. On voit tout de
suite qu'ils le reconnaissent pour leur aîné et qu'il
fait vraiment partie de la fratrie. En fait, dans
l'ensemble, le climat qui règne dans cette maison est
bon. Ce sont des gens si sérieux, si affectueux, et ils
se donnent tellement de mal, ils mettent tant de
talent à réussir leur vie ensemble. Je souhaite que
toutes les belles-familles parviennent à se serrer
autant les coudes, à mettre autant de détermination
pour trouver une solution à leurs problèmes.

En rentrant dans ma voiture après avoir dit au
revoir, je me retournai et vis Liz, Howie et Chris
jouer ensemble au basket. Il régnait apparemment
une amicale émulation. Ils paraissaient si bien assor-
tis !

La famille McClay

L'histoire de la famille McClay

Kevin et Valérie McClay sont un couple travailleur, très épris l'un de l'autre et tout dévoués à leur famille. Kevin a trente ans ; il vient d'un milieu irlandais catholique pratiquant ; il a été élevé à Boston avec ses deux frères. Son père a fondé sa compagnie de transport pétrolier et sa réussite lui a permis d'offrir des études universitaires à ses enfants. Kevin a suivi des cours pour devenir officier de police, et a trouvé un emploi au Département fédéral de sécurité. Quand leur père est tombé malade, Kevin et son frère se sont partagé les transports de pétrole, effectuant les livraisons après leur propre travail. Récemment, Kevin a repris toute l'affaire. A présent il a deux emplois à temps complet. « Au moins, cela paie les factures », dit-il. Mais il travaille très dur et a eu beaucoup de difficultés au cours des quatre années précédentes, en jonglant avec cet emploi du temps et les exigences familiales.

Valérie, trente ans elle aussi, vient d'une famille italienne, pratiquante également et très unie. Valérie a été une mère à plein temps pour ses trois enfants. Kevin et Valérie se sont rencontrés adolescents, à une soirée, sont sortis régulièrement ensemble, et se sont mariés après leurs études universitaires. Les parents de Valérie sont morts alors qu'elle était juste adolescente. Elle a été élevée par une sœur plus âgée de huit ans qui reste son soutien à chaque crise familiale. Chaque fois que quelque chose arrive, Valérie se tourne d'abord vers elle. « Elle ne m'a jamais laissée tomber », dit Valérie avec une ferveur presque religieuse. Ses deux sœurs aînées sont infirmières, et elle a aussi un frère plus jeune dont elle est très proche.

Kevin Jr, le seul garçon de la famille, très gâté en tant que tel, a six ans ; il est blond et bien charpenté comme son père. « Nous avons exactement la même façon de lancer les balles », dit Kevin Sr fièrement. Les deux autres enfants sont des filles — Lauren, trois ans, est mince, avec de grands yeux sombres, comme sa mère. Elle donne l'impression d'être une bonne petite fille désireuse de plaire. Habillée dans un ensemble impeccable, elle veille à se tenir bien droite, avec un air réservé, et jette un regard scrutateur aux gens avant de les laisser s'approcher. On peut voir qu'il se passe beaucoup de choses derrière ces yeux de braise.

Stéphanie, le bébé d'un an, était déjà une véritable bombe. Elle allait toute la journée à la recherche d'une bêtise, en rampant, en vacillant sur ses jambes. Dans mon cabinet, elle ignora tous les jouets qui se trouvaient à sa disposition pour foncer vers les livres et les dossiers. Elle ne lâchait pas Lauren, la harcelant pour la faire réagir, tant et si bien que Lauren ne put s'empêcher de se départir de son calme apparent pour lui lancer des reproches bien sentis. Valérie paraissait ne pas pouvoir échapper à la tension qui régnait entre les deux filles. Elle avait peine à mener une conversation avec moi, tellement Stéphanie était remuante. Je me rendis vite compte que Stéphanie conservait le devant de la scène grâce à son activité incessante, provocante, inventive, au milieu de cette famille plutôt soumise. Chaque fois qu'ils souriaient, c'était à une pitrerie de Stéphanie. Elle était une source intarissable de stimulation et d'amusement. Tout cela au détriment de Lauren.

Au cours de l'année précédente, la maisonnée bien réglée des McClay avait été confrontée à une série de drames. La mère de Kevin, sur laquelle tout le monde comptait, apprit qu'elle avait un cancer du sein et que le mal avait gagné les poumons. Malgré la radiothérapie entreprise, le pronostic n'était pas bon. Le père de Kevin, qui était entièrement dépendant d'elle, mourut très soudainement d'une crise cardiaque, peu après le diagnostic concernant sa femme.

« C'était comme s'il savait qu'il ne serait pas capable de vivre sans ma mère », dit Kevin.

Pendant la même période, Kevin Jr se mit à donner des signes de fatigue, d'épuisement. Bien qu'il ait toujours été énergique et athlétique, il ne voulait plus jouer dehors, ni manger, ni faire quoi que ce soit. Valérie attribua tout d'abord cela à l'absence de Kevin Sr. Il était parti pour un entraînement de six semaines dans le cadre de son activité de policier. Il manquait à toute la famille. Mais même après son retour, il ne fut pas souvent là, car il travaillait douze heures par jour. Kevin Jr restait assis, hébété, apparemment à attendre son père. A la naissance de Stéphanie, tout le monde était excité. Kevin pleurait disant qu'il aurait voulu un frère; personne ne fit attention à lui jusqu'à ce qu'une semaine plus tard il se plaigne de douleurs dans le dos et dans les jambes. Il souffrait tellement qu'il ne pouvait pas marcher. Remarquant combien il était pâle et apathique, Valérie l'emmena voir un docteur au Massachusetts General Hospital. En une semaine, on avait trouvé qu'il souffrait de leucémie aiguë lymphoblastique et on avait commencé un traitement.

Toute la famille fut bouleversée. « Je ne peux même pas me souvenir de ces moments, dit Valérie. Ma sœur a dû venir prendre les choses en main. J'avais ce petit bébé à nourrir et à soigner; il m'empêchait de perdre contact avec la réalité. En dehors de lui, il n'y avait plus rien. Je ne pouvais me charger de rien. Je ne peux toujours pas. Naturellement, c'est Kevin Sr qui a été le plus secoué. Il n'arrêtait pas de dire : "Je sais que, d'une façon, c'est ma faute." Il restait assis comme une borne à côté du petit. On nous avait dit que le pronostic était plutôt favorable, mais nous savions ce qu'étaient et le cancer et les traitements. Nous ne pouvions donc que nous en remettre complètement au Dr Truman et à l'équipe du Mass. General. Jusqu'à présent, nous en avons été récompensés. Nous nous sommes tournés vers notre foi et Dieu nous a entendus. Mais nous sommes toujours sous l'emprise de la peur. »

Je lui demandai comment les autres enfants s'en sortaient. « C'est pour Lauren que je me fais du souci, dit Valérie. Elle paraît si inquiète. Elle en fait trop avec Kevin. Elle est trop gentille avec lui. Elle le laisse lui marcher dessus. Elle essaie d'être gentille avec le bébé. Mais, chaque fois que je suis sur le point de quitter la maison, elle s'effondre. Elle se plaint d'avoir mal à la tête, aux jambes. Elle ne peut supporter que je la quitte des yeux. »

Valérie exprima ses nombreux soucis à propos de Lauren et de Stéphanie, qui n'avait pas d'appétit. Mais je ne parvenais pas à comprendre ses inquiétudes à propos de Kevin. Je respectais les raisons de son silence ; elle souffrait encore et elle était trop effrayée pour pouvoir regarder en face l'angoisse qu'il lui causait. Une crise provoque différentes réactions, et il me fallait respecter la façon dont elle affrontait son épreuve si je voulais pouvoir les aider, elle et sa famille, d'une façon quelconque.

Quand j'ai rencontré la famille pour la première fois, Kevin Jr suivait un traitement de chimiothérapie pour son cancer et avait repris l'école depuis six mois. On avait dit à la famille qu'il avait la bonne forme de leucémie — celle qu'on peut vraiment traiter. Les McClay essayaient bien de croire aux discours encourageants qu'on leur adressait, mais ils avaient l'impression d'une épée de Damoclès suspendue au-dessus de leur tête. Les drames qui avaient déjà frappé la famille aggravaient ce sentiment. Qu'allait-il leur advenir encore ?

Kevin Jr était bouffi ; les stéroïdes accompagnant sa chimiothérapie l'avaient fait grossir. Il avait un visage pâle, immobile, avec des yeux tristes qui vous fixaient lorsque vous lui parliez. « Qu'est-ce qu'il sait au juste ? » demandai-je à Kevin Sr à un moment où le jeune garçon se trouvait ailleurs. « Nous n'en parlons pas beaucoup, dit son père. Nous allons l'élever comme s'il devait vivre jusqu'à cent ans. Il se débrouille d'ailleurs vraiment bien. Il n'a pas tellement manqué l'école. Les religieuses, qui sont ses professeurs, savent ce qu'il a, mais nous leur avons demandé de ne pas en parler aux autres enfants. Nous ne voulons pas qu'il soit sans cesse confronté à sa maladie. Il joue dans l'équipe de base-ball, mais, en ce moment, il est très lent et il doit faire attention. Tout son corps est tellement boursouflé. Les enfants pensent qu'il grossit, tout simplement, mais ils ne posent pas trop de questions. Il fait encore toutes sortes d'exploits sur son vélo-cross rouge. Nous devons nous retenir pour ne pas intervenir, mais nous lui laissons tout faire. Nous ne voulons surtout pas que sa vie soit trop assombrie par sa maladie. Nous ne pensons pas qu'il sache exactement ce qu'il a. »

Cette famille s'est retirée dans ses retranchements. Ils se sont repliés sur eux et n'ont pas d'énergie pour faire quoi que ce soit d'autre. Ils s'accrochent les uns aux autres pour se soutenir. Heureusement, la mère de Kevin Sr a survécu assez longtemps à sa propre maladie pour voir Kevin retourner à l'école. Et la sœur de Valérie les aide. Les efforts des McClay pour traiter Kevin aussi normalement que possible ne vont pas sans problèmes. Récemment, il s'est mis à piquer des colères à la moindre provocation. Son père pense que Kevin teste les limites. Il trouve que c'est très difficile de devoir gronder Kevin tout le temps, mais, comme il le dit, « si Kevin s'en sort, il sera un véritable monstre, à moins que je ne sois sévère avec lui maintenant ».

Je n'avais pas de mal à encourager Kevin Sr dans cette voie. Bien que la famille ait essayé de garder ses habitudes et de nier la crise en refusant d'en parler, il n'y avait aucun doute dans mon esprit : Kevin connaissait son état. Cela dit, si tout le monde l'avait traité avec des gants, ça l'aurait effrayé bien davantage. Après son expérience de la chimiothérapie, la crainte de mourir devait prédominer dans son esprit. Quand il allait bien, la discipline faisait tellement partie de la vie de Kevin que cela a dû le rassurer de voir son père recommencer à le traiter « normalement ».

Les maladies dans la famille

Consultation

Kevin McClay est venu à mon cabinet avec le jeune Kevin qui est timide, réservé et très courageux. Cela fait maintenant dix mois qu'on a diagnostiqué sa leucémie. Bien qu'il soit en phase de rémission, ses joues bouffies et sa tendance à se fatiguer rapidement ne peuvent faire oublier qu'il suit une chimiothérapie.

DR BRAZELTON

Salut, Kev, comment vas-tu ? Je suis content de te voir. Pas de piqûre ni de médicament pour cette fois. Nous sommes là juste pour parler. Mais ton père m'a dit que, quand tu vas à l'hôpital, tu es très brave. Tu tends toi-même le bras pour les piqûres sans pleurer. *Kevin reste assis sans rien dire.* Je pense que tu n'as pas envie de parler de tout cela.

KEVIN SR

Non, Kev est un peu timide.

DR BRAZELTON

Il y a des crayons dans la pièce là-bas. Si tu allais dessiner un peu pendant que je parle à ton papa ? Ça te dit ? *(A Kevin Sr :)* Avez-vous des questions particulières ? *Kevin est parti chercher des crayons et du papier.*

KEVIN SR

Parfois je me demande pourquoi il n'est pas plus ouvert avec nous.

Le père de Kevin avait raison d'être inquiet. C'était plus que de la timidité. C'était une façon d'être : Kevin gardait les choses pour lui. Moi aussi, j'étais ennuyé. Nous avons parlé un moment jusqu'à ce que Kevin revienne avec un dessin.

DR BRAZELTON

Parle-moi de ton dessin, Kev.

KEVIN JR

Voilà les mauvaises cellules, et Pac Man est du côté des bonnes cellules. Et les bonnes cellules mangent toutes les mauvaises, d'accord ?

DR BRAZELTON

Quelles sont les bonnes cellules et quelles sont les mauvaises ?

KEVIN JR

Voilà les mauvaises.

Il avait un sourire timide sur le visage, mais ses yeux me regardaient avec tristesse, me demandant de le rassurer.

DR BRAZELTON

Oh ! Il y a là vraiment *beaucoup* de bonnes cellules, n'est-ce pas ! Et juste quelques mauvaises là-bas ? *Le dessin était très simple — mais il m'en disait long.* Maintenant, Kev, est-ce que tu voudrais bien aller aux toilettes pour me donner un échantillon d'urine ? Il y a des bocaux sur l'étagère. Tu peux ? Tu vas faire cela et papa reste avec moi. Quand tu as fini, tu reviens, d'accord ? *Je voulais parler seul avec son père pour apprendre ce qui l'ennuyait.* Vous dites qu'il tient cette idée de bonnes cellules mangeant les mauvaises de quelqu'un à l'hôpital. Pour moi, cela vient aussi du fond du cœur. Ce qui m'inquiète, c'est ce que cela doit lui coûter de ne pas pouvoir poser les questions qui l'angoissent. Regardez comment il a fait ce dessin : ici il y a surtout des bonnes cellules, et dans un coin, quelques mauvaises. Eh bien, quand un enfant parle du « bien » et du « mal », il peut vouloir dire : « Suis-je assez gentil ? Est-ce qu'il faut que je sois tout le temps gentil ? » Et ce que je vois, c'est un petit garçon qui est très refoulé et très gentil, et qui fait beaucoup, beaucoup d'efforts. A votre avis qu'est-ce qu'il sait déjà ?

KEVIN SR

En gros, juste qu'il a cette maladie, et que ce sont des mauvaises cellules, et qu'il faut travailler à les éliminer et qu'il doit suivre un traitement. Il lui arrive parfois d'avoir mal à la bouche. Il a très mal, vous savez, et cela dure trois ou quatre jours, mais il sait que cela passera — que c'est seulement un effet du traitement. Et ça lui donne l'impression que le mal disparaît. Les stéroïdes, la cortisone le font enfler — il a horreur que les gens le voient ainsi. Mais il sait que ça aussi ça disparaîtra. Il sait que ce sont des ennuis passagers.

DR BRAZELTON

Et que faites-vous des ennuis qui ne lui semblent pas passagers ?

KEVIN SR

Vous voulez dire, les chances de guérison ? Nous essayons d'en parler autant que possible. Il sait qu'il peut en venir à bout ; nous essayons de le lui répéter sans cesse.

Il avait mal interprété ma question. Je considérai cela comme une sorte de refus de sa part.

DR BRAZELTON

Si l'on en juge par ce dessin, Kevin a beaucoup de choses en tête. Il en sait plus qu'on ne le pense en général. Je crois aussi qu'il s'inquiète plus que nous ne le pensons. Tout garder pour soi ne peut que l'inhiber, en terme de développement émotionnel. C'est très difficile. C'est douloureux pour lui, et bien sûr, affreusement douloureux pour vous autres. Son regard me dit combien il est réellement préoccupé et combien il souffre. Et votre regard me dit la même chose.

KEVIN SR

Hé oui, nous avons bien des soucis. Cela n'est pas près de finir.

DR BRAZELTON

Pour vous, c'est trop dur de partager cela avec lui ?

KEVIN SR

Nous essayons de l'aider du mieux que nous pouvons ; nous voulons lui éviter autant de souci que faire se peut. *C'était compréhensible, mais ce n'était pas ce que son fils demandait.*

DR BRAZELTON

Imaginez qu'il vous pose une question dans le genre : « Et si les bonnes cellules ne sont pas assez bonnes ? »

KEVIN SR

C'est une question grave. Je ne sais pas si j'irais carrément lui exposer les chances qu'il a. *Ma question l'avait vraiment secoué.* Comment pourrais-je lui en parler sans l'effrayer?

DR BRAZELTON

Êtes-vous effrayé?

KEVIN SR

Bien sûr.

DR BRAZELTON

De quoi avez-vous peur?

KEVIN SR

De la mort. *Pour commencer, c'était à Kevin d'affronter ses angoisses.*

DR BRAZELTON

D'une part, vous savez qu'il réagit très bien au traitement, et de l'autre vous êtes mort de peur.

KEVIN SR

L'inconnu, c'est cela qui est effrayant.

DR BRAZELTON

Exactement. Et vous pourriez très bien faire vous-même un dessin comme celui-ci, n'est-ce pas? Vous savez, si vous considérez vos angoisses, vous verrez que les siennes sont forcément parallèles aux vôtres. Il ne peut en être autrement. Les choses dont vous avez peur ne peuvent qu'être celles qu'il tait, parce que quand votre femme et vous *réussissez* à parler de quelque chose qui vous effraie, cela éloigne un peu la peur. *Kevin acquiesce de la tête.* Vous savez, c'est un surprenant petit garçon. *On frappe à la porte.* Qui est là? Ah! Voyez qui arrive! Tu t'es débrouillé? Bravo.

Entre. *(A Kevin Sr :)* Je pense que ce que vous faites ensemble, tous les deux, est formidable et j'adore le dessin de Kev. C'est un bon dessin. Tu es un garçon doué. De temps en temps, il doit t'arriver d'avoir des questions sur tout ce qui t'est arrivé. J'aimerais que tu en parles à ton père.

KEVIN SR
Moi aussi, Kev.

KEVIN JR
(Au Dr Brazelton :) Vous voulez ça ?

DR BRAZELTON
Un autre dessin de toi ? Oh ! J'aimerais bien. Qu'est-ce que c'est là ?

KEVIN JR
Un arc-en-ciel.

Il avait dessiné un arc-en-ciel juste au-dessus des mauvaises cellules, comme pour les oublier.

DR BRAZELTON
C'est très beau. Merci.

Je montrai le dessin à Kevin Sr qui saisit immédiatement la signification de l'arc-en-ciel. Son expression changea. Il me regarda comme s'il avait compris l'importance de ne pas laisser Kevin affronter seul ses angoisses.

Les problèmes

Chaque famille a sa façon de réagir aux problèmes. Après le diagnostic d'une maladie qui peut être fatale, il peut y avoir un moment de choc, d'incrédulité. Comme Valérie, beaucoup de parents sont incapables de se rappeler les quelques jours qui suivent. Le problème numéro un, c'est simplement de survivre. Les parents n'ont plus assez d'énergie pour aider l'enfant à supporter sa part de l'épreuve. Le mieux que la famille puisse faire c'est d'être là, comme soutien, au fur et à mesure que surgissent les crises. Si l'enfant doit être hospitalisé — ce qui n'a pas été le cas pour Kevin —, un des parents devrait essayer de rester avec lui. Heureusement, la plupart des bons hôpitaux encouragent la présence et la participation des parents. Ils peuvent dormir sur un lit de camp ou un fauteuil à côté du malade, et c'est ce qu'ils font. On leur montre comment administrer les médicaments et certains soins, ce qui a l'avantage de donner à l'enfant malade le sentiment réconfortant que les parents sont encore maîtres de la situation. On les encourage à préparer l'enfant à l'avance à chaque étape du traitement — surtout aux soins douloureux ou invasifs. La participation active des parents apaise la crainte de l'inconnu qu'éprouve l'enfant et aide les parents à confronter leurs idées sur la maladie de l'enfant à la réalité.

Rien de cela n'est aisé. Au Children's Hospital, nous insistions auprès des parents pour qu'ils préparent les jeunes enfants à l'hospitalisation et aux soins médicaux, et nous avons découvert que seuls 20 p. 100 des parents pensaient pouvoir le faire sans aide. Notre aide consistait à s'asseoir avec eux pour discuter de leurs craintes à propos de la maladie de leur enfant. Ensuite, et seulement ensuite, ils étaient capables d'aller préparer l'enfant à affronter la séparation, la peur de la mutilation et de la douleur, de soins étranges et d'environnement inconnu. Nous savions déjà, de par nos recherches et celles des autres, que le fait d'avoir été préparé par ses parents diminuait de façon appréciable les peurs de l'enfant et sa tristesse d'être hospitalisé; cela augmentait véritablement la capacité de l'enfant à bien supporter la maladie et le traitement, et réduisait de même les problèmes sérieux à la sortie.

Quand on découvre qu'un enfant a une maladie grave, il est très courant, les premiers jours, de refuser les implications du diagnostic quant à une issue fatale ou la possibilité que le traitement puisse ne pas réussir. Le médecin responsable du traitement ou de l'opération insistera sur le côté optimiste du pronostic. On a tendance à l'idéaliser, comme une sorte d'être divin qui va sauver l'enfant. Quand l'enfant va mieux ou entre dans une phase de rémission, le respect des parents et leur gratitude n'ont souvent plus de limite. Cette perspective encourageante aide tout le monde à traverser la première phase éprouvante. Dans le cas de Kevin, le Dr Truman n'a pas cessé d'être optimiste, car il avait l'impression que le genre de leucémie dont souffrait Kevin devait être sensible à la chimiothérapie. Il n'a jamais ouvertement envisagé la possibilité d'un dénouement malheureux avec la famille, en partie parce qu'il ne croyait pas que cela arriverait, en partie parce qu'il pensait que l'optimisme les aiderait à supporter cette épreuve. Et ça a été le cas. Ils se sont renfermés sur ce pronostic plein d'espoir et ont abordé la suite de leur épreuve avec, en place, un très puissant système de défense : le refus. Le refus est la façon la plus courante et la plus efficace de se protéger dans une situation effrayante.

En fait, les parents doivent affronter la réalité de la menace et commencer à envisager l'avenir. Ils doivent essayer de comprendre le diagnostic, les effets indésirables du traitement et les résultats possibles. La plupart des parents ne sont pas prêts à le faire d'emblée. Ils gardent en eux leurs angoisses et leur souffrance jusqu'à ce qu'ils aient surmonté le choc initial. Puis tous les parents aimants se mettent à éprouver des sentiments mêlés, y compris de la *culpabilité*. Quels que soient leurs efforts pour être optimistes, l'angoisse surgira, avec la question lancinante : « Qu'aurions-nous dû faire d'autre ? » Le sentiment de culpabilité des parents n'est pas rationnel.

Il peut n'avoir aucun fondement réel, mais il ne cesse de surgir. Kevin Sr peut se demander : « Si seulement je n'étais pas parti ? Si seulement je n'avais pas eu deux emplois ? » Valérie peut s'interroger : « Et si je n'avais pas mis au monde Stéphanie ? Aurais-je pu faire plus pour Kevin ? Y avait-il une façon de lui éviter cela ? Est-ce que cela vient de sa nourriture, de l'eau, des produits chimiques — ou de quelque chose que j'aurais pu changer et qui l'aurait empêché d'attraper cela ? » Un parent ne peut que se sentir responsable et submergé par la culpabilité.

Il y a aussi le stade de la colère : « Pourquoi notre famille ? Est-ce que le docteur a commis une erreur ? A-t-on fait assez ? Cette infirmière est tellement occupée, on ne la trouve jamais. Si seulement elle daignait s'arrêter et me donner toutes les explications, je serais mieux en mesure de réconforter Kevin. » Cette réaction est elle aussi normale, saine. Mais elle peut faire peur à des parents qui ne sont pas sûrs de pouvoir garder leur calme.

La culpabilité et la colère sont généralement suivies par d'autres réactions de défense. Le refus persiste ; refus d'envisager que le traitement ne réussisse pas, que l'issue ne soit pas une guérison complète. Cela peut arriver lorsqu'on écoute de façon sélective les rapports des médecins et des infirmières. Les parents peuvent aussi éviter les questions susceptibles d'entraîner des réponses effrayantes. Le refus est une arme à double tranchant. Il empêche Kevin Sr et Valérie de penser à la mort. Mais il les empêche aussi d'être réceptifs aux angoisses de Kevin et de percevoir la tristesse sous-jacente à son courage. Bien que le refus aide les parents à survivre, il faut arriver à l'atténuer. En m'attaquant à cela avec les McClay, je n'avais pas l'intention de les priver des armes dont ils avaient besoin, je désirais au contraire les amener à mieux se rendre compte de la situation pour aider Kevin à surmonter ses angoisses en les partageant.

On se défend aussi souvent en rejetant la faute sur autrui. Je n'ai pas observé tellement de manifestations de ce comportement dans les paroles des McClay, mais cela peut arriver à n'importe qui dans les moments difficiles. Les parents peuvent reprocher aux autres (médecins, infirmières, membres proches de la famille) de n'avoir pas pris soin de leur enfant, de n'avoir pas su trouver le bon traitement. Ils ont tendance à projeter sur les autres les sentiments de culpabilité qui sont inévitables, surtout dès que quelque chose tourne mal. Quand le traitement réussit et que tout va bien, comme dans le cas de Kevin, les parents sont habituellement bien trop reconnaissants pour oser critiquer le corps médical. Cette attitude est une manifestation de la « pensée magique » ; les parents ont peur de se porter malheur. Mais, quand le traitement échoue pour des raisons auxquelles personne ne peut rien, les parents se répandent en reproches, et fuient leurs sentiments de douleur et de culpabilité en rejetant la faute sur le personnel soignant. Souvent les membres de l'équipe médicale sont furieux et ripostent pour se protéger. Je les incite à voir dans ces réactions des parents un réflexe de défense contre des sentiments dévastateurs. Si nous parvenons à aider les parents à se rendre compte que ces sentiments sont nécessaires et normaux, bien que non fondés sur la réalité, ils auront moins de mal à supporter leur part de l'épreuve.

Il peut aussi arriver que des parents dépassés se réfugient dans une sorte de *détachement* vis-à-vis de la maladie ou de l'enfant. Ils peuvent ne pas se montrer aux côtés de l'enfant malade. Ils regardent la télévision dans la chambre de l'enfant plutôt que de s'intéresser à lui. Il y a des parents qui ont l'impression de ne pas pouvoir supporter la souffrance de leur enfant et des autres enfants à l'hôpital. Cela peut être un système de défense nécessaire. Mais il est du devoir de ceux qui aident les parents de leur montrer qu'ils ont assez d'énergie et de ressources pour assister et réconforter leur enfant.

Chacun de ces systèmes de défense devrait être respecté par les parents qui souffrent autant que par les professionnels qui ont affaire à eux. J'ai suggéré à Kevin Sr de s'efforcer d'être plus ouvert avec son fils. S'il n'avait pas été prêt, il ne m'aurait pas entendu. Il m'aurait fallu accepter que c'était trop tôt, que ses plaies étaient trop à vif. Quand Kevin Sr se mit à parler de discipline, ce fut un signe clair. Bien que le fait de lui fixer des limites soit optimiste (qui se soucie de gâter un enfant mourant?), les parents qui sont trop occupés à refuser la réalité, à nier la peur, sont incapables de remarquer qu'un enfant a besoin de limites. Kevin montrait qu'il était prêt à prendre en compte les besoins et les sentiments de son fils.

Un enfant gravement malade qui peut dessiner les « mauvaises cellules » de son corps est prêt à parler à ses parents de ces cellules. Les McClay pourraient encourager Kevin à leur dire ce qu'il pense des mauvaises cellules — et ce qu'il redoute. Même si l'enfant efface immédiatement la menace avec de « bonnes cellules » (ou un arc-en-ciel, comme dans le dessin de Kevin) il y a là une opportunité. Tous les parents ne seront pas capables comme Kevin Sr de faire la relation entre l'arc-en-ciel, ou tout autre recours magique, et la suppression des angoisses. Mais, si on écoute avec attention, une autre occasion surgira bientôt.

Le guide suivant pourra être utile; il montre schématiquement les besoins et les angoisses que ressent un enfant malade à des âges différents :

0-3 ans	Les enfants ont besoin de la présence des parents pour les préparer, leur tenir la main, leur permettre de protester, les réconforter et pour revivre l'expérience par le jeu plus tard.
4-7 ans	La maladie et les soins douloureux sont vécus comme une punition. Les

enfants considèrent toutes les maladies comme contagieuses. Ils estiment que les traitements qui font mal ne sont pas thérapeutiques. La peur de la séparation, de la mutilation et de la douleur est forte.

8-12 ans   Les enfants ont un sentiment d'infériorité à l'égard de ceux qui sont en bonne santé. Ils ne peuvent comprendre les nombreux aléas de la maladie. Les changements d'humeur et autres effets indésirables ne sont pas perçus comme dépendant de la maladie ou du traitement. Les enfants ont encore des difficultés à comprendre le rôle des différents systèmes organiques.

13-18 ans   Le souci de l'aspect corporel, de l'autonomie et de l'identité sexuelle prédomine. La tendance à nier la maladie est forte. Les adolescents ont besoin d'avoir plus d'information et de jouer un rôle plus important au niveau des décisions.

Avec en tête ce qui précède, on peut imaginer le genre de questions susceptibles d'être posées par l'enfant. Par exemple, voici un échantillon des questions qu'un enfant entre quatre et sept ans pourrait poser.

« QU'EST-CE QUE J'AI ? QU'EST-CE QU'ILS VONT ME FAIRE ? » En réponse à des questions aussi directes, les parents peuvent donner d'une manière simple toute l'information assimilable selon eux par l'enfant. Le seul fait de répondre et, pour commencer, d'être prêt à écouter les questions sera rassurant. Plus l'enfant est jeune, plus les questions seront concrètes, et plus les réponses devront être simples. Par exemple : « Tu as un problème avec ton sang. Dans ton sang, il y a de bonnes cellules qui transportent l'oxygène que tu respires dans tout ton corps. D'autres cellules attaquent ces bonnes cellules. C'est la raison pour laquelle tu étais pâle et tu manquais d'énergie. Tu te rappelles ? Maintenant que les docteurs aident les bonnes cellules à vaincre les mauvaises, tu te sens mieux, tu as retrouvé tes joues roses, et tu as plus d'énergie pour jouer et aller à l'école. » Quand l'enfant pose des questions auxquelles vous ne pouvez répondre comme : « Comment le traitement agit-il ? », vous pouvez dire : « Je ne sais pas exactement. Peut-être que le docteur pourra nous l'expliquer. Nous allons le lui demander. »

« JE N'AI PAS L'AIR NORMAL. TOUS LES ENFANTS SE MOQUENT DE MOI. QUE PUIS-JE FAIRE ? » Quand un enfant est en butte aux moqueries, parce que la chimiothérapie l'a rendu chauve ou que les stéroïdes l'ont fait enfler, par exemple, ses parents doivent l'écouter avec compassion. On peut lui demander : « Veux-tu qu'ils sachent que tu es malade et que tu suis un traitement ? Tu pourrais le leur dire, tu sais. » Si l'enfant veut garder le traitement secret, il faut respecter sa décision. Ce qu'un parent peut faire de plus important pour soutenir son enfant, c'est de lui accorder un endroit et un moment pour écouter ses souffrances. La maison doit être un lieu où l'on puisse se plaindre et laisser aller ses sentiments en toute sécurité.

« POURQUOI SUIS-JE TOMBÉ MALADE ? EST-CE QUE J'AI FAIT QUELQUE CHOSE DE MAL ? » Parfois, un enfant dans la situation de Kevin se mettra à avouer des fautes réelles ou imaginaires, de la « méchanceté » parce qu'il pense que c'est peut-être la cause de sa maladie. Il a besoin d'être sans cesse rassuré. « Rien de ce que tu as fait ne t'a rendu malade. Ce ne sont que des bêtises et tous les enfants les font. Moi aussi je les ai faites et je ne suis pas tombé malade. On ne peut pas comprendre pourquoi tu es tombé malade — ou pourquoi cela arrive à certains enfants et pas à d'autres. C'est tout. Ça n'a absolument rien à voir avec ce que tu as fait ou n'as pas fait. Mais je peux comprendre combien tu te sens coupable. Sais-tu que moi aussi je me sens coupable ? Je me demande ce que j'ai pu faire pour que tu attrapes cela. Et pourtant je sais bien que je n'ai rien fait. Mais chacun de nous (maman, papa, tes sœurs, tes frères) nous souhaitons si fort que tu ne sois pas malade, que nous pensons que c'est arrivé par notre faute. C'est normal que tu ressentes la même chose, mais ce n'est pas vrai. A partir de maintenant, quand tu as une question de ce genre, dis-le-moi. Je pourrai peut-être t'aider à y répondre. Si je ne peux pas, je te le dirai. »

« QU'EST-CE QUE JE DOIS FAIRE QUAND J'AI MAL ? J'ESSAIE TRÈS FORT DE NE PAS PLEURER QUAND ON ME FAIT TOUTES CES CHOSES, MAIS, QUAND ÇA ME FAIT MAL, JE NE PEUX PAS M'EN EMPÊCHER. » Il faut dire aux enfants que quand on souffre, tout le monde pleure, y compris les adultes. Si les parents se laissent parfois aller à pleurer, les enfants sauront que c'est normal et permis.

« POURQUOI EST-CE QUE TU ME PUNIS, ALORS QUE JE SUIS MALADE ? » Les parents peuvent expliquer que les règles de la famille restent les mêmes, malade ou pas malade. Cela rassurera l'enfant. Du même coup, cela permet aux parents de bien préciser que d'être gentil tout le temps ne fera pas disparaître la maladie. « Quand tu es vilain, je retrouve mon vieux Kevin. Mais cela ne veut pas dire que tu t'en tireras aussi facilement ! »

« EST-CE QUE JE VAIS MOURIR ? » Tant qu'il y a un espoir de guérison, les parents doivent absolument l'entretenir. Mais ils doivent également être francs à propos de la gravité de la maladie, car l'enfant va comprendre ce qui arrive aux enfants qu'il voit à l'hôpital. Pour un enfant en phase terminale, il peut arriver un moment où l'enfant sait qu'il est en train

de mourir et où les parents sont certains qu'il le sait.
Il est temps de parler ouvertement de la mort.

« COMMENT EST-CE QU'ON MEURT ? EST-CE QUE JE SERAI
TOUT SEUL ? EST-CE QUE TU VIENDRAS AVEC MOI ? » Là, les
parents doivent dire ce qu'ils croient et admettre ce
qu'ils ignorent. Le plus important pour un enfant
c'est de savoir que tant qu'il est vivant, ses parents ne
le quitteront pas, qu'ils seront là pour le réconforter
et le tenir dans leurs bras. Pour la plupart des
enfants de cet âge, la crainte la plus importante c'est
la séparation. Les parents peuvent aborder le sujet
en disant : « Nous n'allons pas te laisser, nous reste-
rons tout le temps avec toi. » Il est aussi important
de ne pas concocter une belle histoire à l'eau de rose
à laquelle les parents ne croient pas. Il vaut mieux
transmettre des croyances profondes ou une honnête incertitude. Le fait que tout le monde meure et
que tout le monde se pose des questions sur la mort
peut être utilisé pour rapprocher les vivants et les
mourants.

« ET SI LE TRAITEMENT CESSAIT D'AGIR ? » « Alors nous
nous attaquerons ensemble au problème. » Un
parent peut faire remarquer que de nouveaux traitements sont découverts chaque jour, mais aussi que,
quoi qu'il arrive, la famille y fera face en bloc. Laisser les questions médicales au médecin ou à l'infirmière, et encourager l'enfant à leur poser directement ses questions ne peut que lui donner un
sentiment d'impuissance.

Pour être prêts à répondre à de telles questions et
à toutes celles qui peuvent surgir, les parents doivent
se donner le temps de réfléchir à leurs propres sentiments et à leurs croyances les plus profondes. Cela
ne vient pas d'un seul coup. Beaucoup ne parviennent pas à être francs avec leur enfant malade,
au début. Une phase d'hébétude ou de refus ne peut
pas faire de mal à l'enfant. Les parents doivent sur-

monter leur part de l'épreuve pour pouvoir être calmes et honnêtes. L'enfant aura besoin de temps pour être prêt à entendre des réponses franches. De toute façon, avec le temps, la capacité de la famille à dialoguer ouvertement va augmenter. Peu à peu, ce dialogue se renforcera et les parents seront prêts à affronter l'avenir, quoi qu'il puisse leur réserver. Bien qu'il n'y ait aucun moyen d'éviter à l'enfant les angoisses ou la tristesse, les parents peuvent partager les sentiments au fur et à mesure qu'ils émergent et peuvent offrir à l'enfant une intimité constante et affectueuse tandis qu'il fait face à son propre destin.

Questions courantes

QUESTION

La veille, ma fille était en bonne santé et brusquement, le lendemain, elle se retrouvait à l'hôpital avec de graves brûlures. Je n'arrivais pas à l'accepter. Pensez-vous que les parents doivent porter le deuil de l'enfant sain avant de pouvoir accepter l'enfant malade?

DR BRAZELTON

Oui, je le pense. Une des tâches que doit assumer une équipe hospitalière, c'est d'aider les parents à porter le deuil, à régresser, à souffrir et ensuite à se réorganiser autour de l'enfant réel et de sa maladie. C'est la raison pour laquelle on demande aux parents de rester à l'hôpital avec l'enfant. Ils apprennent leur nouvelle tâche au fur et à mesure de la guérison de l'enfant, avant son retour à la maison.

QUESTION

Quand nous avons appris que ma fille avait du diabète, nous lui avons tout passé, et cela pendant un bon moment. Maintenant elle s'attend à ce que nous fassions tout à sa place.

DR BRAZELTON

Avec les maladies de longue durée, comme le diabète ou l'asthme, le plus important que puissent faire les parents, c'est d'inculquer à l'enfant le sentiment que c'est *lui* qui est responsable. Dès qu'il en aura l'âge (cinq ou six ans), apprenez-lui à faire ses analyses d'urine, à déterminer sa dose d'insuline, et éventuellement à se l'administrer lui-même. Je pense qu'il faut l'aider à comprendre les réactions de son corps et la façon de les contrôler. Chaque fois qu'il a réussi à venir à bout d'une crise, faites-lui-en la remarque : « Tu vois, tu sais comment contrôler ton diabète. » Quand il a réussi à se contrôler plusieurs jours de suite, donnez-lui le sentiment qu'il est responsable de sa maladie. On peut enseigner à un enfant asthmatique le même genre de contrôle. Ainsi vous pouvez l'aider à éviter les risques psychosomatiques de la maladie — le sentiment d'être infirme, d'être impuissant, d'être amoindri ou différent. Plus tôt les parents peuvent encourager l'indépendance et l'automédication, mieux cela vaudra. C'est particulièrement important qu'un enfant atteint d'une maladie chronique apprenne tôt à effectuer des tâches ménagères, à être responsable de certains secteurs de la vie familiale. C'est une façon de lui rappeler qu'il est membre à part entière de la famille. Il grandira avec une meilleure image de lui-même, malgré son diabète.

QUESTION

Notre fils a une paraplégie causée par une spina bifida. Avoir la maîtrise d'une activité est particulièrement important dans son cas. A partir du moment où il a obtenu son permis de conduire, où il a été capable de monter et de descendre de voiture seul, on peut vraiment dire qu'il a grandi, qu'il s'est épanoui. Il a conduit avant la plupart de ses amis. L'autre domaine qu'il maîtrise, étant donné qu'il a l'usage des membres supérieurs, c'est l'eau. Il adore barboter parce que dans l'eau il peut se propulser où il veut. Faut-il l'encourager dans ces domaines ?

DR BRAZELTON

Par tous les moyens. Vous avez favorisé les bonnes activités. Un enfant avec une spina bifida ou une paralysie cérébromotrice a besoin qu'on l'aide, qu'on le pousse, pour découvrir qu'il maîtrise les muscles restés en état de fonctionnement. Je n'oublierai jamais le visage d'une fillette de trois ans, atteinte de paralysie, qui essayait de remuer un jouet lourd, lorsqu'elle m'a interpellé : « *J'ai dit :* viens ici et aide-moi. Je veux que tu m'aides. Allez, viens ici ! » A trois ans, avec ce sens de ses droits, elle était sur le chemin d'une existence à part entière.

QUESTION

Après l'accident de notre fille, les gens me répétaient que nous devions reprendre une vie « normale ». Mais ce qui est normal dans un foyer avec un enfant malade n'est pas la même chose que dans le monde extérieur. Tout ce que nous pouvons faire, je pense, c'est arriver à un mode de vie qui *nous* semble normal. C'est difficile. De plus, l'enfant grandit et, au moment où vous pensez que vous avez réussi, la vie change à nouveau. L'école, ou la colonie, ou les sorties sont autant d'obstacles importants à franchir. Aurons-nous jamais la possibilité d'avancer pas à pas, dans une existence quotidienne ordinaire ? Nous n'y arrivons qu'à peine.

DR BRAZELTON

Vos remarques sont très pertinentes. Ceux d'entre nous qui s'occupent d'enfants malades et de leurs familles doivent faire attention à ne pas avoir en tête des « normes » auxquelles ils se référeraient en présence de familles éprouvées par la maladie. Vous avez besoin de trouver votre propre niveau, votre propre sens de la norme et vous devez l'apprécier. A chaque étape de sa guérison, votre fille doit ressentir de la fierté pour les progrès qu'elle a accomplis. Vous avez l'impression que votre famille a du mal à s'en sortir pour le moment, mais avec le temps les choses vont devenir plus faciles. Ce serait sans doute profitable de regarder en arrière, de revoir les étapes que vous avez franchies. De cette façon, vous vous rendez compte des progrès accomplis grâce à votre organisation. C'est justement cette importante fonction que remplissent les groupes de soutien. Dans un groupe de parents ayant les mêmes problèmes, vous pouvez voir que votre combat et votre chagrin ont un caractère universel. Cela vous donne souvent la possibilité de rencontrer une famille qui a réussi, qui a vaincu ses difficultés. Le sens de ce qui est faisable peut surgir de telles rencontres.

QUESTION

Pourquoi les mourants sont-ils traités comme des sortes de poupées fragiles ou comme des saints ? A partir du moment où nous avons appris que mon neveu avait un cancer, tout ce qu'il faisait de répréhensible était immédiatement oublié. Une fois que nous étions ensemble, je me suis fâchée pour une broutille et nous nous sommes disputés. Je me sentais coupable de me disputer avec lui, mais plus je me sentais coupable, plus ma colère augmentait et plus nous nous querellions. A la fin, il s'est mis à rire et m'a remerciée. Je lui ai demandé de quoi, et il a dit : « Tu me traites comme si j'étais encore une personne, et encore en vie. »

DR BRAZELTON

Quelle belle description d'un jeune homme capable d'assumer son destin tragique. Le traiter comme une personne normale lui a donné l'occasion de retrouver cette image de lui-même. Nous avons tendance à isoler les mourants en les traitant avec des gants. De la même façon, la discipline rassure un enfant malade. Il sait trop bien pourquoi vous êtes indulgent. Fixer des limites à un enfant malade, lui faire suivre ces règles, c'est l'obliger à rejoindre le reste des humains. Il en sera reconnaissant.

QUESTION

Pourquoi les parents doivent-ils être francs à propos des faits médicaux effrayants ?

DR BRAZELTON

La franchise crée un climat propice à l'échange des craintes, des tensions, des angoisses générées par toute maladie. Si un enfant sait (et il saura) que vous mentez, il aura ce sentiment de ne pas pouvoir vous faire confiance. Alors non seulement il devra supporter ses craintes et ses angoisses sans vous, mais les inventions de son imagination risquent d'être pires que la maladie elle-même. Être abandonné dans le noir est pire que tout.

Une mère m'a raconté un jour l'histoire suivante. Son fils était hospitalisé pour suivre un traitement pour le cancer, et elle l'emmenait très souvent dîner au restaurant. Elle se rendit compte qu'il devenait plus nerveux à chaque fois. Finalement il lui dit : « Maman, qu'est-ce qui ne va pas ? Est-ce que mon état empire ? Tu n'arrêtes pas de m'emmener au restaurant. » Elle a réfléchi un

moment et lui a dit : « Tu te rappelles l'année dernière, quand tu jouais au base-ball ? Il y avait un
stand de hot dogs et nous avions l'habitude d'en
manger après le match. Cette fois, tu joues sur un
terrain qui n'a pas de stand de hot dogs — l'hôpital. Alors nous allons au Mac Donald's à la
place. » Parce que cette mère avait été honnête
avec son fils tout au long de son traitement, il fut
satisfait et soulagé de sa réponse.

Comment aider
les autres enfants

Consultation

A la consultation suivante, Valérie amena Lauren
et Stéphanie. Après m'avoir donné les dernières nouvelles de Kevin, elle se mit à parler de Lauren. Elle
s'inquiétait de l'importance que prenait la maladie
de Kevin pour elle. Lauren est une petite fille réservée de trois ans. Elle arriva vêtue d'une robe à
volants, les cheveux bouclés. Elle jeta un regard cir-
culaire pour s'assurer que nous la trouvions à notre
goût — une vraie petite fille modèle. Elle tendit la
main avec application pour me saluer.

VALÉRIE
Lauren et Kevin avaient l'habitude de se chamail-
ler pour des petites jalousies normales entre frère
et sœur, mais quand Kevin est tombé malade, elle
s'est mise à prendre soin de lui. Elle cédait au
moindre de ses souhaits. A deux ans et demi, elle
était déjà consciente de l'épreuve qu'il traversait.

Dès qu'il demandait quelque chose, elle se précipitait pour le chercher.

DR BRAZELTON

Est-ce qu'elle imitait votre comportement?

VALÉRIE

Oui, probablement. Mais, depuis peu, elle s'est mise à changer et elle est redevenue dure avec lui.

DR BRAZELTON

Qu'est-ce qu'il s'est passé? Essayez de me relater les faits dans l'ordre.

VALÉRIE

Kevin a commencé à avoir meilleure mine, puis à se sentir mieux et à mieux se comporter. Elle a alors décidé : « Halte là! Tout ça c'est terminé. » Parce qu'en réalité il avait tendance à l'exploiter.

DR BRAZELTON

Quand a-t-elle changé d'attitude?

VALÉRIE

Tout récemment. Pas avant qu'il n'aille mieux.

DR BRAZELTON

(*A Lauren, que Stéphanie rouait de coups de poing* :) Pour l'amour du ciel! Regardez-moi ce bébé! Elle te fait vraiment mal, Lauren. Voilà qui est mieux! Rends-lui ses coups. Elle n'a pas à te faire mal.

Lauren ripostait — c'était bon signe. Son agressivité et sa colère étaient plus que sous-jacentes, mais elle ne parvenait pas à se laisser aller tout à fait. Je voulais parler avec sa mère de ce qu'il y avait derrière tout cela; je suggérai donc à Lauren de se trouver des jouets dans la salle d'attente et d'emmener Stéphanie avec elle.

DR BRAZELTON

Je n'avais pas très envie de parler devant elles, parce que je pense qu'elles ont subi beaucoup d'épreuves et qu'elles comprennent énormément de choses. Vous savez, quand une famille souffre d'un excès de tensions, les enfants retiennent en eux leur chagrin et leurs propres problèmes. Quand chacun retrouve son équilibre, alors ils laissent éclater leur réaction. C'est à ce moment qu'ils deviennent furieux. Cette capacité de garder ses sentiments pour le moment où tout le monde pourra à nouveau les supporter est plutôt extraordinaire. A présent, Lauren paraît plus décontractée avec Kevin. Mais elle essaie encore d'être trop gentille avec Stéphanie. Elle se laisse vraiment martyriser par elle. Elle pourrait bien accumuler en elle une grande colère à l'égard de ce bébé — quand ce bébé lui donne des coups de pied, ou lui pince le visage.

VALÉRIE

A ce propos, hier, Stéphanie allait et venait à quatre pattes en mâchant un morceau de pain, et Lauren voulait le lui ôter de la bouche. Stéphanie lui a mordu le doigt. Lauren s'est alors précipitée vers elle pour la frapper. Et elle lui a vraiment donné une bonne claque.

DR BRAZELTON

Qu'avez-vous fait ?

VALÉRIE

Je lui ai gentiment dit de ne pas frapper Stéphanie.

DR BRAZELTON

Comment le lui avez-vous dit ?

VALÉRIE

Gentiment.

DR BRAZELTON

Vous êtes peut-être trop gentille. Vous devez vous aussi apprendre à être plus directe.

VALÉRIE

Souvent je me demande : jusqu'où puis-je les laisser aller ?

DR BRAZELTON

Avant d'intervenir ?

VALÉRIE

Oui.

DR BRAZELTON

Quand intervenez-vous, généralement ?

VALÉRIE

Eh bien, je les laisse se débrouiller pendant un petit moment, mais, quand elles commencent à se tirer sérieusement les cheveux ou à échanger des coups, alors j'interviens.

DR BRAZELTON

Sinon, qu'est-ce qu'il se passe ?

VALÉRIE

Il y en a une qui vient me trouver en pleurant : « Elle m'a frappée ! »

DR BRAZELTON

Ainsi, elles vous enferment dans un triangle. Elles font un triangle, que cela vous plaise ou non. C'est un conflit classique. *Valérie n'avait pas l'intention de faire la discipline, mais elle était incapable de laisser ses filles se débrouiller par elles-mêmes.*

VALÉRIE

Mais que puis-je faire? Faut-il que je déclare d'entrée : « Réglez ça entre vous » ?

DR BRAZELTON

Le pourriez-vous ?

VALÉRIE

Eh bien, cela me demanderait des efforts. Ce serait difficile.

DR BRAZELTON

Je le pense bien. *Et il en sera ainsi tant qu'elle ne sera pas capable de voir ce qu'il se passe.* Valérie, vous me décrivez leur précipitation à venir vous trouver comme si c'était une sorte de sauvegarde pour éviter de faire du mal. Avez-vous le sentiment que tant que vous êtes là et qu'elles se précipitent vers vous, elles sont en sécurité ?

VALÉRIE

Mmm... mmm... En fait, oui... *Elle commençait à voir qu'elle les surprotégeait.* Mais quand dois-je intervenir ?

DR BRAZELTON

Peut-être jamais, tant qu'elles vont et viennent de cette façon, parce que vous me dites que, tant qu'elles viennent vous trouver, vous vous sentez bien.

VALÉRIE

Mais je veux qu'elles arrêtent. *C'étaient les enfants qui lui donnaient la réponse.*

DR BRAZELTON

Avez-vous peur de vous laisser aller ?

VALÉRIE

Je crois que je suis encore trop tendue à cause des problèmes de Kevin. Je ne veux plus de contrariété, plus de colère, ni de bagarre. Comment vais-je pouvoir régler cela, moi ?

DR BRAZELTON

Vous savez, j'ai remarqué une chose aujourd'hui — combien vous êtes proches les uns des autres, combien vous vous serrez les coudes pour former une sorte de groupe, pour vous protéger de ce dont vous avez tous peur. Vous vous retenez tous, vous avez fixé des limites aux relations entre vous, chacun joue la comédie. C'est bien, temporairement. Mais cela ne va pas durer. Le stade suivant — et c'est en fait ce que vous demandez —, ce sera de laisser aux enfants une chance d'exprimer certains de ces sentiments.

Les problèmes

Je pousse Valérie à comprendre ce qu'a signifié pour ses filles l'adaptation à la maladie de Kevin. Elle peut ne pas être prête à m'entendre. Comme elle le dit, elle est passée par trop d'épreuves, récemment, pour prendre le moindre risque. Quelle opinion pourrait-elle avoir d'elle-même si elle laissait Stéphanie et Lauren se faire du mal ? Elle a déjà tant de raisons de se sentir coupable. Chez des parents sortant d'une épreuve dramatique, la moindre colère, la moindre démonstration de sentiments négatifs de la part de leurs enfants fait surgir des émotions très fortes. Ces sentiments violents sont à peine sous-jacents, à peine réprimés et les parents ont peur de perdre leur contrôle.

Quand un enfant est très malade, aucun membre de la famille ne sera épargné par la souffrance. Les parents voudraient pouvoir épargner cela aux autres enfants, et ils essaient de le faire. Mais c'est impossible. Les autres enfants sont contaminés par l'angoisse des parents. Ils sont gagnés par la peur et font ce qu'ils peuvent pour ne pas détruire le fragile équilibre qu'ils perçoivent. Je suis toujours stupéfait de constater que les enfants sont si sensibles à la baisse de tolérance de leurs parents qu'ils peuvent garder leurs réactions jusqu'à ce que le climat soit plus propice. Mais, si cela dure trop longtemps, cela peut être néfaste au développement global de l'enfant. Lauren, une petite fille apparemment heureuse, pleine d'entrain, s'était changée en une enfant tranquille, réservée — beaucoup trop sensible et désireuse de plaire. Quand sa mère quitte la maison, ça la met hors d'elle. Ces frayeurs d'être abandonnée, de perdre quelqu'un d'autre, sont très courantes chez les frères et sœurs d'enfants gravement malades.

Pour une enfant de trois ans, se sentir responsable du malheur familial est une réaction surprenante de sensibilité et de précocité. Cela signifie qu'elle ressent la tension de la famille et qu'elle n'ose pas mettre à l'épreuve le système. Juste après les provocations de la troisième année, cette petite fille que ses parents décrivaient comme « une sorte de diable, avant », a subi une transformation complète. On se demande si elle a vraiment pu venir à bout de son négativisme, de son besoin de provoquer, ou si elle a l'impression de devoir réprimer tout cela. Elle n'a aucune possibilité de donner cours à ses mauvaises pulsions ; elle ne peut pas rivaliser avec son pauvre frère pour attirer à elle une partie de l'attention et de l'inquiétude de ses parents.

Quand j'ai affaire à une famille comme celle des McClay, je me sens soulagé si les autres enfants se mettent à être exigeants, méchants même, lorsqu'ils essaient de reprendre leur envol. Quand ils redeviennent capables de se disputer, la famille entre peut-être sur la voie de la guérison. Tant que les parents essaient de ne pas soulever le couvercle, les enfants auront peur de perdre leur contrôle, peur d'être responsables d'un surcroît de problèmes pour le foyer.

Un bébé ou un petit enfant, dans une famille éprouvée, aura sa propre façon de manifester la tension environnante. Stéphanie, qui n'a pas suffisamment reçu de Valérie au cours de cette année difficile, a réagi en lui portant une attention obsessionnelle. Où qu'elle se trouve dans la pièce, ses antennes gardaient le contact avec le moindre mouvement de Valérie. Quand à un moment d'émotion le visage de Valérie devint triste, Stéphanie traversa la pièce précipitamment pour regarder sa mère dans les yeux, comme pour lui dire : « Tout va bien. » J'ai déjà observé ce quasi renversement des rôles, d'un bébé maternant sa mère, dans d'autres situations où la mère est déprimée. Valérie contrôle si bien ses sentiments qu'il est surprenant de voir l'inquiétude de Stéphanie. Je ne pense pas que cette sensibilité à la douleur maternelle soit néfaste pour un petit enfant, mais elle dénote une sorte de précocité sociale. C'est la contribution de l'enfant au système de défense de la famille. Je trouve cela très beau et très remarquable.

L'enfant qui, comme Lauren, n'est ni malade ni un bébé est peut-être celui qui souffre le plus de ces inhibitions. Elle est coincée entre un frère malade auquel tout le monde pense et une sœur d'un an, au comportement ouvertement agressif et provocateur. Dans les moments tragiques, on n'attend pas des bébés et des jeunes enfants qu'ils se conduisent bien, et ils apprennent rapidement à attirer l'attention des parents préoccupés. Mais un enfant plus grand, que l'atmosphère tendue inhibe, se retient. Les sentiments négatifs, la colère augmentent intérieurement.

Les parents peuvent aider le frère ou la sœur d'un enfant malade tout d'abord en lui donnant des explications sur ce qu'ils ont enduré. Ce faisant, ils disent

implicitement : « A présent, les épreuves sont termi-
nées pour nous, et nous pouvons supporter que tu
redeviennes toi-même. » Ils peuvent également aborder franchement la question : « As-tu l'impression
qu'il ne faut pas embêter Kevin de peur de lui faire
du mal ? Il n'est plus fragile » ou : « As-tu l'impression que c'est ta faute si Kevin est tombé malade ? Tu
n'y es pour rien, tu sais, on ne rend pas les gens
malades parce qu'on est en colère contre eux. Tu
peux te fâcher avec lui, maintenant, et avec papa et
moi. Vous ne devez pas vous faire de mal et cela je
ne le permettrai pas, mais tu peux tout à fait te
fâcher. »

Les parents dont l'un des enfants est malade ou
mort devront probablement aider les frères et sœurs
à surmonter leur peur de la séparation. Il leur faudra
découvrir ce qui se cache derrière. Pour les jeunes
enfants, la mort, c'est la même chose que la séparation. De plus, quand un enfant est hospitalisé, les
autres sont souvent séparés de leurs parents. Ce qui
provoque une angoisse accrue. Même lorsqu'ils sont
à la maison, les parents peuvent être perdus dans
leurs pensées, inaccessibles. Une attention renouve-
lée de la part des parents aide les enfants à exprimer
leurs sentiments sur ces pertes. Qu'ils puissent
raconter leurs problèmes ou non, des moments
d'intimité en tête-à-tête avec les parents recolleront
les morceaux d'une relation endommagée.

Questions courantes

QUESTION

Notre fils s'est blessé au ski et il est resté paralysé.
Ça s'est passé très soudainement. Je suis médecin.
Deux heures après l'accident, mon patron direct à
l'hôpital m'a déclaré : « Votre vie ne sera jamais
plus la même, mais nous allons vous aider à vous
en sortir. » Cela peut paraître très dur, mais sa

franchise m'a beaucoup aidé, en me faisant immédiatement comprendre que les choses ne redeviendraient jamais comme avant. Est-ce que vous approuvez ce type d'honnêteté brutale ?

DR BRAZELTON

Quand elle provient d'un associé proche, amical, une telle franchise peut être très secourable, même si elle est profondément douloureuse.

QUESTION

Après la maladie et la mort de notre fille, j'ai mis mes sentiments par écrit. J'ai tenu un petit carnet au jour le jour, pensant que plus tard je pourrais revoir tout à nouveau et en tirer quelque enseignement. Est-ce que le fait de tenir un journal n'est pas un moyen de se rendre compte comment on guérit d'une tragédie ?

DR BRAZELTON

Certainement. Non seulement l'écriture du journal peut être une sorte de catharsis, mais on peut y revenir, le relire de temps en temps pour voir quel chemin on a accompli.

QUESTION

Je suis inquiète au sujet de notre fils aîné. Son frère souffre de tumeurs fibrocystiques et son état exige beaucoup de soins et de temps de notre part. Cela dure depuis six ans, mais je continue à me demander si nous n'exigeons pas trop de celui qui est en bonne santé. Il lui a fallu mûrir beaucoup plus rapidement que les enfants de son âge. Il nous aide énormément. Nous lui donnons beaucoup de responsabilités et il s'en sort parfaitement. Pour les cas d'urgence, nous lui avons appris à conduire dès l'âge de treize ans, ce qui n'est pas légal, mais si quelque chose était arrivé, il aurait été capable de se servir de la voiture. Pensez-vous qu'il a été privé de son enfance ?

DR BRAZELTON

Il a sans doute autant bénéficié de ce traitement qu'il en a pâti. Je suis impressionné par les forces qu'un enfant dans sa situation accumule pour son avenir. Il sera probablement invulnérable aux tentations de la drogue ou d'autres comportements provocateurs auxquels ses camarades ne pourront pas résister. Il doit être fier de l'aide qu'il apporte à la famille. Cela ne veut pas dire que, de temps en temps, il n'éprouvera pas le besoin de rechigner et de vous critiquer pour lui donner autant de responsabilités. J'aimerais mieux qu'il le fît. Mais vous pouvez être sûr que vous lui avez donné la chance de cultiver un véritable sens de lui-même, y compris le sens de sa propre importance, de sa responsabilité envers ceux qui sont plus défavorisés que lui. Je souhaiterais que plus de parents attendent et encouragent cette réaction de leurs enfants lorsque l'un d'entre eux est en difficulté. Aussi longtemps que vous serez sensible à ses problèmes, que vous veillerez à ce qu'il ait du temps à passer avec vous et avec ses amis, c'est bien de compter sur son aide. Essayez de vous persuader qu'à terme, il en tirera profit.

QUESTION

Ma fille de quatre ans a perdu sa sœur. Comment savoir ce qu'elle en pense réellement et si, en fait, elle comprend ce qui est arrivé à sa sœur ?

DR BRAZELTON

La seule façon, c'est d'être patiente et de l'écouter avec attention. Soyez sensible aux sentiments que nous avons décrits plus tôt : sentiments de culpabilité, de responsabilité vis-à-vis de la maladie de sa sœur, impression d'être abandonnée par des parents malheureux et submergés de colère, obsédés par la question : « Pourquoi nous ? » Avec le temps, semaine après semaine, vous pouvez lui faire passer, petit à petit, ce message : c'est bien de vous confier ce qu'elle ressent. Alors écoutez. Ne lui dites pas quoi penser. Vous serez peut-être surprise ou blessée par ce qu'elle dira. Mais, si vous l'interrompez, si vous parlez trop, vous perdrez l'occasion d'entendre et de découvrir ses réactions.

QUESTION

Comment pouvons-nous empêcher notre fils de se sentir coupable pour l'accident de son frère ?

DR BRAZELTON

Ce n'est pas possible. Un enfant se sentira *toujours* responsable de ce qui est arrivé à son frère ; c'est irrationnel, mais inévitable. Vous pouvez donc vous attendre à cette réaction et aider votre fils à se rendre compte, peu à peu, que ce n'est pas sa faute.

QUESTION

Ma fille aînée est diabétique. Lorsque nous l'avons découvert, nous étions chez le médecin avec nos deux filles, qui se sentaient l'une et l'autre malades. En fait, la plus jeune allait bien, mais sa sœur avait du diabète. Elles s'étaient toujours beaucoup disputées, et la cadette souhaitait souvent que des choses épouvantables arrivent à sa sœur. Un an plus tard, elle manifeste encore des signes de culpabilité. Mais, bien que j'aie abordé le sujet une bonne centaine de fois, elle refuse de parler de son sentiment de culpabilité.

DR BRAZELTON

Peut-être vouliez-vous qu'elle se libère avant qu'elle y soit prête. Un enfant est programmé d'une certaine façon, il faut respecter cela et, quand le moment est venu, il faut écouter. Peut-être qu'en lui disant qu'elle pouvait se sentir coupable, vous l'avez empêchée de s'exprimer.

QUESTION

En février, ma femme et moi avons perdu notre premier enfant. Nous avons décidé, cette année, de ne pas fêter Noël, et nous sommes partis ensemble. Cela a provoqué beaucoup de ressentiment et d'hostilité chez certains membres de la famille dont l'impression générale était que nous pratiquions la politique de l'autruche. De plus, ils ne cessent de nous pousser à avoir un autre bébé. Comment leur expliquer que nous ne sommes pas prêts à cela ?

DR BRAZELTON

C'est leur problème. De toute évidence, ils voudraient vous aider et sont tristes que vous n'ayez pas surmonté votre chagrin. Mais c'est un fait. Ce qui importe c'est votre évolution, pas la leur. Je suis content que vous ne vous précipitiez pas sans attendre pour remplacer immédiatement l'enfant perdu. Si vous le faisiez avant d'être venus à bout de votre chagrin, vous pourriez faire peser un grand poids sur votre prochain enfant, en l'accablant d'une inquiétude excessive et surprotectrice. Nous appelons cela le « syndrome de l'enfant remplaçant », et c'est un véritable risque pour des parents endeuillés. Il faut donc vous en remettre à votre rythme propre et repousser la prochaine grossesse jusqu'à votre guérison. Ce sera alors l'occasion d'un bonheur que vous méritez tous deux. Vous serez quand même inquiets, vous aurez tendance à protéger votre enfant, mais avec beaucoup plus de chances d'être capables de contrôler vos réactions.

QUESTION

Pourquoi des parents devraient-ils penser d'abord à leur propre chagrin après la mort d'un enfant ? En tant que parent et en tant qu'adulte, je pense que je devrais mettre mes propres problèmes de côté pour aider les autres enfants. Étant donné ma maturité, j'ai des ressources qui me le permettent ; je ne pense pas que ce soit pareil pour un enfant.

DR BRAZELTON

La raison pour laquelle vous devez affronter d'abord votre propre chagrin, c'est que, sans cela, vous ne pouvez pas vraiment comprendre ce que vit l'enfant. Les parents doivent dépasser leur choc, leur hébétude, leur refus avant de pouvoir aider les autres enfants. Même s'il vous faut rattraper des erreurs ou des occasions manquées, vous serez bien plus capable d'écouter vos enfants et de les aider.

Quelques années plus tard, chez les McClay

Les McClay habitent une petite maison simple, située dans une impasse pleine d'enfants, au milieu d'un quartier ouvrier. Kevin Sr livre du fuel à des centaines de maisons dans tout Boston. Il a longtemps conservé son autre emploi, d'officier de police pour le gouvernement fédéral, afin de payer la maison et d'aider la famille à démarrer. Il aimait cette impression de « brûler la chandelle par les deux bouts », travaillant en équipe comme fonctionnaire pendant la journée, et seul pour livrer en fuel tôt le matin et tard le soir. Il a deux frères aînés, mais aucun d'entre eux n'a voulu s'occuper de l'affaire de fuel. « C'est drôlement sale. » Kevin a pris un congé temporaire à la police quand son fils est tombé malade et que sa présence est devenue nécessaire à la maison. Son père est mort à cette époque, et il devait consacrer d'autant plus de temps à l'affaire de fuel. « C'est dur, mais je me débrouille bien. Je suis sur le point de racheter une autre petite affaire, et cela nous permettra d'emménager dans une maison plus grande. Cela dit, les enfants sont contre. Ils adorent leur rue — il y a dans le voisinage douze enfants de leur âge. » En parlant de sa famille, Kevin Sr sourit, son visage s'adoucit. On voit bien qu'il est très attendri par ses enfants ; mais il n'en est pas moins capable de se montrer plus dur quand ils franchissent certaines limites, et ils le savent. Je le vois comme un homme avec de fortes convictions et de grands idéaux, qui espère que ses enfants seront à la hauteur, comme lui.

Quand je suis arrivé, j'ai sonné par erreur à la mauvaise porte. Le jardin et le porche étaient jonchés de jouets, de cartons et de boîtes de conserve. De toute évidence, c'était la demeure d'une famille nombreuse et active, mais cela ne ressemblait pas au style des McClay. J'ai été soulagé d'apprendre que les McClay habitaient la maison voisine. Leur maison a cinq pièces, sur deux étages, elle est gaie et bien tenue. Pendant que j'étais là, les enfants se sont fait un goûter. Ils avaient apparemment le droit de faire ce qu'ils voulaient à la cuisine et ont mis un bon désordre que je pouvais observer de ma chaise, dans la salle de séjour. Mais ils ont tout nettoyé sans qu'on le leur souffle. Ils paraissaient habitués à être responsables, à se débrouiller d'une façon organisée. Même Stéphanie, qui a maintenant quatre ans, bousculait tout le monde pour aider. Lauren a maintenant six ans et demi ; c'est elle qui est responsable et elle paraît materner et Lauren et Kevin qui a neuf ans.

A présent Lauren a le regard vif, l'allure énergique et c'est elle qui dirige tout. Ses manières maternelles ont remplacé le comportement réservé et les inhibitions de naguère. Bien que Valérie se plaigne de la fréquence des disputes et des provocations, je n'observe qu'une rivalité faible entre les enfants, et beaucoup de partage et d'attentions réciproques. « Je ne m'occupe pas de leurs disputes, me dit Valérie. Je les laisse se débrouiller. Je n'interviens que si le sang coule ! » Je suis heureux de voir que la tension qui entourait la maladie de Kevin s'est suffisamment relâchée pour qu'elle puisse laisser autant que possible les enfants à leurs propres conflits. Les trois enfants paraissaient étroitement liés ; avec Lauren au centre, qui dirige et materne les autres.

Valérie attend un quatrième enfant pour dans quatre mois. Kevin Jr veut un garçon pour « équilibrer la famille », Lauren veut une fille (peut-être pour qu'il n'arrive pas la même chose qu'avec Kevin). Stéphanie se contente de sourire dès que quelqu'un parle du bébé. Jusque-là, elle n'a pas vraiment pris conscience de la réalité. Je pense qu'elle se considère encore comme le bébé et qu'elle s'imagine que toute allusion à un bébé lui est destinée. En entendant Kevin Sr et Valérie parler, je sentais qu'ils considéraient ce bébé comme une récompense pour avoir survécu à toutes les tragédies des trois dernières années — la mort de la mère de Kevin, de son père, et la plus terrible, le cancer de leur propre fils de six ans. Ce nouveau bébé est presque leur assurance contre « Qu'est-ce qui va encore arriver ? ». C'est tout à fait typique de cette famille de supprimer la tragédie par un nouvel élan en avant.

La véritable surprise pour moi fut Kevin. En trois ans, il s'était transformé. La dernière fois que je l'avais vu, il suivait encore son traitement contre le cancer et prenait des doses importantes de stéroïdes. A ce moment, il avait des joues misérables, un corps plutôt gros et le regard éteint d'un enfant déprimé et malheureux. La leucémie aiguë ne provoque pas de douleur physique, mais une baisse d'énergie, des angoisses et la perte de l'appétit. Lorsque Kevin entra précipitamment dans le séjour des McClay, je n'en croyais pas mes yeux. Maintenant, c'est un beau garçon blond aux traits fins, avec les bonnes joues rouges qui sont la marque de la santé et le résultat de l'exercice physique. Comme il arrivait, tout essoufflé, après « un tour de bicyclette dans le quartier », le jeune garçon rayonnait de vitalité. Il est bien charpenté, et on peut prédire qu'il sera un sportif et un jeune homme énergique et sympathique.

Lauren et Stéphanie arrivèrent juste après lui, hors d'haleine. Tous trois me dirent gentiment bonjour. Je leur demandai s'ils se souvenaient de leurs visites à mon cabinet. Le visage de Kevin devint sérieux, son regard s'assombrit quand il dit : « Oui, je m'en souviens. » Il était assis en face de moi, sur le sol, pendant que nous parlions, comme si notre rencontre était trop grave pour qu'il reste debout. Ses yeux bleus, profondément enfoncés dans les orbites, trahissaient ses émotions alors qu'il se rappelait notre expérience ensemble. Ils s'assombrissaient et s'illuminaient tour à tour, et exprimaient les sentiments qu'il ne parvenait pas à dire avec des mots. Dans ses yeux, je trouvais ce qui manquait à ses réponses monosyllabiques.

« Est-ce que tu te rappelles ce dont nous avons parlé à mon cabinet ? demandai-je.

— Non. » Kevin me regardait comme s'il cherchait dans ses souvenirs quelque chose de trop douloureux pour pouvoir être aisément ramené à la mémoire.

« Tu te souviens que tu t'inquiétais de grossir ? »

Kevin acquiesça de la tête. « Je me sentais bizarre, dit-il.

— Bizarre ?

— Comme si j'avais l'air d'une fille. » Kevin jeta un regard sur sa mère enceinte.

« Est-ce que les filles sont grosses ? » demandai-je. Il hocha la tête. « Les enfants ne savaient pas pourquoi tu étais gros ?

— Vous voulez parler de ma leucémie ? dit-il. Je

n'en parlais pas. Ils ne voulaient pas en entendre parler. Les enfants n'aiment pas les malades. » Son regard devint très sombre, il fixa ses pieds.

« Alors tu pensais que tu ne pouvais vraiment pas leur dire pourquoi tu étais gros ? » continuai-je.

Son père intervint alors, comme pour protéger Kevin.

« Quand nous avons vu qu'ils se moquaient de lui, nous sommes allés voir les religieuses pour qu'elles le disent. Avant cela, nous leur avions demandé de garder le silence. Mais maintenant, de toute façon, il va très bien. Après quatre ans, c'est lui qui a le dossier le plus mince du service de cancérologie. Lorsque nous allons pour sa visite de contrôle au Massachusetts General Hospital, toutes les infirmières disent : « Le voici, notre dossier le plus mince. Nous pouvons reconnaître son dossier à un kilomètre, tellement il est plat. Tous les autres enfants ont des dossiers épais — avec des complications, vous savez. C'est le héros du service, tellement il se porte bien. A présent, Kevin peut tout faire — *tout.* »

Pendant son traitement, Kevin ne pouvait faire aucun sport de contact ni aucune activité qui aurait pu entraîner un saignement, car l'un des symptômes de la leucémie, c'est la tendance aux hématomes et aux hémorragies. A l'âge de six ans, ces restrictions étaient sans doute plus terribles que tout le reste pour un garçon qui avait été actif auparavant. Maintenant, Kevin m'affirmait qu'il ne se souvenait pas des saignements ni de l'interdiction de pratiquer un sport. Pour moi, c'était la preuve que cette expérience avait été très douloureuse pour lui — si douloureuse qu'il devait la refouler.

« A présent, je peux jouer au football, au hockey, dit-il. J'ai aussi une planche à roulettes. »

Son père sourit largement. « *Tout* », répéta-t-il.

« Donc tu n'as plus aucun saignement. » *Il acquiesça énergiquement.* Puis je demandai : « Te rappelles-tu le dessin que tu as fait à mon cabinet — avec les cellules sanguines dévorées par les cellules Pac Man ?

— Non. » Les yeux de Kevin me donnaient une autre réponse.

Je lui décrivis le dessin des mauvaises cellules en train de dévorer toutes les bonnes.

« Je me souviens que j'avais dessiné un arc-en-ciel, dit-il.

— Moi aussi, je m'en souviens.

— Les bonnes cellules ont mangé les mauvaises.

— C'est pour cela qu'elles étaient grosses ? »

A ce moment, Kevin Sr s'interposa. « Nous avons tant appris en parlant avec vous. Quand vous nous avez montré les dessins de Kevin, avec les cellules Pac Man, et puis l'arc-en-ciel au-dessus de la bataille, je me suis rendu compte des efforts que faisait Kevin pour que tout ait l'air d'aller bien. Maintenant, enfin, tout va vraiment bien. L'hôpital dit qu'il est un de leurs miraculés. »

Je voyais bien quelles difficultés ils avaient encore, comme toutes les familles, à regarder en face cette terrible maladie. Chaque fois que nous abordions un sujet pénible, il leur fallait se mettre à parler de quelque chose de remontant, de positif. On peut sentir l'importance de ces défenses lorsque les parents se soutiennent mutuellement et aident leur fils dans sa lutte contre la mort. La force, la puissance de ces défenses, ainsi que la nécessité du refus ne m'étaient jamais apparues aussi clairement que quand je parlais aux McClay.

Cependant, au cours de cette visite de suivi, j'étais frappé de constater qu'ils parlaient beaucoup plus ouvertement de tout, en présence des trois enfants. Ils n'avaient pas essayé de les faire sortir de la pièce alors que nous parlions de leucémie, de chimiothérapie, de rémission. Kevin n'est jamais resté bien longtemps hors de portée de nos voix, bien qu'à plusieurs reprises il ait été appelé du dehors par ses nombreux amis pour venir jouer. Cette famille paraissait maintenant avoir plus de facilités à aborder une discussion franche.

Nous avons parlé des deuils qui les avaient frappés au moment de la maladie de Kevin. La mère de Kevin Sr avait un cancer depuis un an au moment du diagnostic de Kevin ; elle avait survécu à son mari et avait tenu assez longtemps pour voir Kevin « tiré d'affaire ». Son mari, dont tout le monde s'inquiétait, était le plus faible des deux. Il avait été alcoolique (c'est maintenant qu'ils me l'apprenaient) et sa femme avait peur de mourir la première. Quand soudain il succomba à une crise cardiaque, elle dit : « Maintenant, je peux aller le rejoindre », et elle « se laissa mourir quelques mois plus tard ». Ces pertes successives avaient accompagné le diagnostic de Kevin et les débuts de son traitement. Kevin était très proche de sa grand-mère et avait pleuré pendant des jours après l'avoir vue sous respiration artificielle, juste avant sa mort.

Comme ses parents évoquaient tout cela, Kevin me demanda : « Qu'est-ce qu'il se passe quand on opère le cœur de quelqu'un ? Comment peut-on respirer ?

— On lui donne de l'oxygène au moyen de tubes, juste comme on l'a fait à ta grand-mère, et les tubes respirent à la place du malade pendant l'opération. Quand on se réveille, on respire à nouveau. Est-ce que tu t'intéresses à la médecine depuis que tu as eu toutes ces expériences ? »

Kevin fit non de la tête, mais oui des yeux, tout en me regardant intensément.

Les parents de Kevin relevèrent tous deux ma question. « Nous lui avons parlé de cela. Il a eu tellement de chance qu'il devrait vraiment utiliser ce qu'il a appris pour aider les autres. » Kevin se tortilla, mal à l'aise, sans cesser de m'observer.

« Kevin, c'est probablement une question bête, dis-je, mais as-tu retenu quelque chose de cette épreuve ?

— Eh bien, dit-il, je ne me moque pas des autres. »

Je lui demandai s'il pensait à ceux qui ont un problème. Il acquiesça et dit : « Je sais ce qu'ils ressentent. » Je ne pus m'empêcher d'ajouter : « Et le stade suivant, c'est de vouloir les aider. » Il eut un sourire presque imperceptible.

Les parents se mirent alors à parler du Dr Truman. Ils dirent qu'il avait été tout à fait franc dès le début, ne mâchant jamais ses mots sur la gravité de la leucémie de Kevin, mais leur donnant aussi de l'espoir. « Il y a deux sortes de leucémie — la bonne et la mauvaise. La vôtre, c'est la bonne. »

« Ça a été le jour le plus long de notre vie », dit Kevin Sr, et il soupira. « Ni l'un ni l'autre nous n'étions capables de simplement comprendre. Nous ne pouvions que survivre. Nous étions en état de choc. Tout ce qu'on peut faire, dans ces moments, c'est ne pas arrêter de respirer. Je ne sais pas comment nous avons été capables de continuer à vivre. Lorsque nous allions chez ma mère — elle était elle-même mourante, vous savez —, tous les deux nous nous écroulions, nous n'arrêtions pas de sangloter. Mon père ne pouvait pas le supporter. Il sortait de la pièce. Un mois plus tard, il mourait d'une crise cardiaque. Le Dr Truman nous avait dit : "Nous y arriverons" et nous lui faisions confiance. "Si nous avons une rémission, nous serons sur la bonne voie. Après une rémission, il y a obligatoirement des rechutes, mais nous pouvons les soigner. Nous ne savons pas combien il y en aura, et combien de temps il faudra les combattre. Mais nous sommes capables de le faire." »

Kevin Jr mentionna que le Dr Truman lui avait parlé comme à un adulte.

Je me tournai vers Kevin : « Si tu devais parler à d'autres enfants atteints de leucémie, qu'est-ce que tu leur dirais ?

— Ça fait mal, dit Kevin. Je veux parler de ces piqûres. Surtout celles dans la colonne vertébrale. »

Sa mère intervint pour préciser qu'il parlait des piqûres dans la moelle épinière. Il acquiesça. Mais je sentais qu'il parlait d'une autre douleur, plus profonde — la gravité de sa maladie et ses craintes à ce propos.

« Est-ce que tu voudrais que l'on dise aux enfants ce qu'ils ont ? demandai-je.

— Oh oui ! C'est important que les enfants le sachent. De toute façon, je leur dirais de prendre leur mal en patience. Cela ne durera pas éternellement.

— Est-ce que tu te demandais de quoi parlaient les gens quand ils disaient que tu avais une maladie grave ?

— Je le savais, répondit Kevin.

— Tu savais quoi ?

— Que je pouvais mourir.

— La mort, ça voulait dire quoi pour toi ? Que dirais-tu aux autres enfants qui sont menacés de mort ?

— Même si tu dois mourir, tu seras quand même heureux là-haut.

— Où as-tu appris cela ? demandai-je.

— Quand ma grand-mère est morte, répondit Kevin, elle avait l'air tellement paisible et heureuse. Avant, elle souffrait. Là, c'était fini. Ma tante m'a dit qu'elle allait être heureuse tout le reste de sa vie. »

Ses parents firent une remarque sur le temps qu'il avait fallu à Kevin pour se confier à eux. Ils avaient vraiment tout fait pour l'y inciter, parce qu'ils se rendaient compte qu'il gardait beaucoup de choses en lui. « Si j'avais su combien c'était important, dit Kevin Sr, j'aurais moins tardé à être franc avec lui. Je m'en serais mieux occupé. » Il porta son regard vers ce fils, beau et solidement bâti, comme si c'était son bien le plus précieux.

« Il me semble que vous vous en êtes très bien occupé, dis-je. Vous êtes tellement proches. » Kevin Sr acquiesça. « Mais peut-être avez-vous le sentiment que vous auriez voulu pouvoir lui épargner d'être malade ? »

Ses yeux se mouillèrent. « Nous n'osons pas penser de cette façon. Nous prenons les choses comme elles viennent. »

Je demandai comment ils avaient réussi à surmonter tout cela. Tous deux parlèrent du rôle important joué par leur famille. Les deux sœurs de Mme McClay, qui sont toutes deux infirmières, avaient pris la relève et les avaient soutenus à chaque étape. La sœur aînée de Valérie avait été leur bouée de sauvetage. Cette sœur qui avait toujours été une mère pour Valérie est en train de passer son diplôme d'infirmière spécialisée. Elle avait été pour les McClay d'un grand réconfort. « Nous trouvons tous qu'elle est la meilleure ! Je ne sais pas ce que nous aurions fait sans nos familles. » Les deux frères de Kevin, les deux sœurs et le frère de Valérie, tous leur avaient apporté leur soutien. Nous reconnûmes que la présence d'une grande famille apportait un soulagement considérable quand on essayait de se remettre de pertes aussi sérieuses.

« Nous avons trouvé un autre réconfort dans notre foi, dit Kevin Sr. Nous nous sommes vraiment tournés vers la religion quand Kevin était malade. Nous croyons tous deux à la miséricorde de Dieu et à la vie après la mort. Nous avons le sentiment que nos parents sont juste là, au-dessus de nous, et, si nous devons laisser partir Kevin, c'est vers eux qu'il ira. » Ils le regardèrent avec tendresse, et il rougit. « D'autre part, nous croyons que Dieu peut accomplir des miracles, et la guérison de Kevin en est un.

— Vous croyez aux miracles ? »

Tous trois hochèrent vivement la tête.

« Ce que nous croyons, dit Valérie, c'est que, si on se confie véritablement à Dieu, Il répondra. Nous étions désespérés et nous avons senti qu'Il répondait.

— Ce n'est pas seulement le fait d'aller à la messe,

dit son mari. C'est une chose que nous ne faisons pas toujours. Nous nous sommes confiés à Lui, et nous nous en sommes remis à Sa miséricorde.

— En fait, je n'ai jamais vraiment vécu cette sorte de dialogue, dis-je, mais cela me paraît très fort. Et toi, que ressentais-tu, Kevin ?

— Je ne faisais qu'attendre, attendre — jusqu'à ce que ce soit fini.

— Personne d'autre ne savait vraiment quelle épreuve nous traversions, dit son père. Finalement, nous nous sommes joints à un groupe d'autres parents confrontés à la leucémie. *Eux*, ils savaient. Ils vivaient la même chose. Et, tous ensemble, nous faisions face. Je conseillerais sûrement à tous les parents dans notre cas de se joindre à un groupe. C'était vital pour nous de nous trouver avec d'autres gens qui nous comprenaient *vraiment*. »

Tous trois se mirent à parler des enfants qu'ils avaient connus et qui étaient morts depuis. Ils parlaient même de certains enfants comme des « chauves ». Ils étaient très ouverts entre eux, et je trouvais que c'était pour eux un remarquable progrès de discuter si franchement de la leucémie.

« Au début, je ne savais pas exactement ce que ressentait Kevin, dit son père. Puis je me suis rendu compte qu'il me disait sa souffrance en s'attaquant à ses sœurs ou en donnant des coups de pied dans la porte ou les meubles. Je voyais que c'était sa façon de se défouler. Alors, je ne le lâchais pas avant qu'il me dise ce qui le tourmentait. Un jour, il était particulièrement hargneux, furieux. Il se trouva que les enfants du camp de vacances n'avaient pas cessé de se moquer de lui : "Ah ! Le gros ! Ah ! Le gros !" J'aurais voulu me battre à sa place, mais c'était trop tard. Le camp était terminé. Je lui ai dit que ça venait des médicaments, pas de lui, mais je pouvais voir qu'il y avait plus que le problème de poids. Il était furieux d'être malade. Moi aussi. Ça lui a fait du bien de le dire. Nous avons alors entrepris de l'amener à parler plus avec nous. »

Kevin Sr raconta qu'il avait commencé à apprendre à Kevin à se défendre, à ne pas se contenter d'encaisser. « Je l'ai même poussé à se battre contre le fils de nos voisins qui a deux ans de plus que lui. Je lui ai dit : même si tu as le dessous, tu te sentiras mieux. Plus tard, je les ai entendus se taper dessus. Kevin est revenu avec des plaies et des bosses, mais il ne s'était pas dégonflé. Depuis, cet enfant a toujours respecté Kevin. »

Valérie hocha la tête et se joignit à la conversation. « Apprendre qu'il faut parfois se battre peut faire de vous un gagnant. Je veux qu'il en tire deux leçons — se défendre et respecter les problèmes des autres. Kevin a appris cela. Quand il entend notre voisin infirme appeler sa nièce dans la rue, il va la chercher pour lui, pour qu'il n'ait pas à lui courir après avec sa jambe raide. Je pense que Kevin sait ce que c'est et je suis fière de lui. Je lui dis : "Dieu avait un dessein en t'épargnant." »

Je suggérai que Kevin ressentait peut-être encore de grosses pressions. Ils approuvèrent et se mirent à me parler (pour avoir mon avis, pensai-je) de ses problèmes scolaires. Il fréquente une école paroissiale et la première année de sa maladie s'était bien déroulée. « Il avait alors pour maîtresse une sœur très compréhensive. » Mais, quand il a commencé à aller mieux, ses parents demandèrent aux religieuses de ne plus lui accorder de traitement de faveur. » Et c'est ce qu'elles ont fait. Elles semblent d'ailleurs avoir carrément choisi la voie opposée. Elles ne lui laissent rien passer. Elles n'arrêtent pas de se plaindre à propos de son manque d'attention et de sa tendance à rêvasser. Il travaille très bien, mais apparemment elles veulent qu'il fasse toujours mieux. Elles ont l'air de penser qu'il est méchant quand il n'arrive pas à fixer son attention.

— Qu'en pensez-vous ? demandai-je.

— J'aimerais qu'il apprenne à faire attention pour ne plus avoir de problèmes, répliqua Valérie. Peut-être a-t-il trop de choses en tête, je veux dire le foot-ball, le hockey. Je voudrais le défendre auprès des sœurs, mais je sais que cela ne ferait qu'aggraver les choses. Je lui dis : tu dois apprendre à t'entendre avec elles. »

Kevin prit la parole. « Quand je ne termine pas mon devoir, elle dit : "Travaille plus vite." Quand je me dépêche, elle dit : "Tu l'as fait trop vite." Les sœurs ne s'intéressent pas vraiment à moi.

— Ni aux épreuves que tu as subies », ajoutai-je.

Il fait oui de la tête. Son père continue : « Il est un des meilleurs de la classe. Tout le monde l'aime et l'admire. Mais je crois qu'il se fait encore beaucoup de souci. Il a eu quelques séances de thérapie avec un psychologue, à un moment où il se sentait mal. Ce psychologue a dit que la meilleure façon de l'aider, c'était de faire en sorte qu'il s'ouvre et qu'il partage ses soucis avec nous. Nous faisons ce qu'il faut pour cela, n'est-ce pas, Kevin ? »

Kevin jeta un regard curieux, comme s'il n'était pas sûr de comprendre, mais je sentais en lui un véritable désir de faire plaisir à ces parents dévoués. Son expression était pleine d'intelligence et de déter-mination, même lorsque ses yeux devenaient tristes. Il subsistait dans ce petit garçon résolu encore beau-coup de conflits latents. Comment aurait-il pu s'empêcher d'être perturbé après cette période où tout le monde autour de lui manifestait une pro-fonde tristesse et portait une attention constante, débordante à sa maladie ? Quoi qu'il ait compris dans tout cela, il était fatal qu'il ait ressenti et par-tagé l'angoisse de ses parents. Je pouvais sentir une intimité toute particulière entre père et fils, comme si la solidité de ce lien devait servir à les protéger contre les risques de cette terrible maladie. C'est devenu une grande force. Je me demande si cette intimité leur causera des difficultés au moment où Kevin Jr adolescent éprouvera le besoin de se dresser contre son père. Comme s'il percevait mes pensées,

Kevin Sr dit : « Kevin et moi avons quelques problèmes depuis peu. Il ne peut obéir sans discuter.

— Bravo ! C'est peut-être le signe qu'il ose à nouveau se défendre après toutes ces épreuves. »

Valérie prit la parole. « Je fais tout mon possible pour ne pas le surprotéger. L'autre jour Lauren est arrivée pour me dire : "Kevin a dérapé à bicyclette, et il s'est assommé." Je suis allée à la porte. Kevin était bien là, étendu de tout son long, face contre terre. Je me suis retenue, et j'ai simplement appelé : "Tu vas bien ?" Il a marmonné : "Ça va", et je l'ai laissé se relever tout seul.

— En agissant ainsi, vous lui avez évité...

— ... le syndrome de l'enfant vulnérable ! J'ai lu vos livres. Je fais beaucoup d'efforts, mais c'est vraiment difficile. »

Kevin parut mal à l'aise ; il alla jouer dehors.

« Je sais, mais vous faites juste ce qu'il faut, dis-je. Un garçon qui peut encaisser une chute de bicyclette ou les coups d'un voisin sans avoir besoin d'être défendu par sa maman se sentira profondément sûr de lui. Quand les parents ressentent le besoin d'intervenir, cela renforce en l'enfant son sentiment d'incapacité. Il a l'impression qu'il n'est pas capable de se débrouiller comme les autres enfants. Cela peut de la même façon renforcer en lui le sentiment d'être différent ou handicapé. Se relever tout seul en cas de chute ou de bagarre c'est pour Kevin l'antidote aux impressions de faiblesse, d'infériorité ou de toute autre incapacité qu'il pourrait avoir ressenties quand il avait six ans et qu'il était un enfant très malade. »

En réponse à mes encouragements, Valérie dit : « Mais peut-être le poussons-nous *trop*. Nous désirons tant de choses pour lui, après tout ce qu'il a enduré.

— Naturellement, et ce serait normal de vouloir le protéger de toute difficulté supplémentaire. Mais cela ne l'aiderait en rien. Lui laisser voir qu'il est capable de régler ses problèmes, voilà qui lui donnera plus de forces. »

Kevin Sr poursuivit : « Si seulement il pouvait davantage partager ses sentiments. Quand il se met à parler, on ne peut plus l'arrêter. C'est tellement plus facile avec les filles. Lauren raconte tout ce qu'elle ressent, et cela ne la trouble pas du tout. Lui, quand nous lui demandons des nouvelles de sa journée, il dit : "Toujours la même chose." »

Je me demandai si « toujours la même chose » ne signifiait pas les mêmes craintes du futur. Un enfant a besoin de beaucoup de temps pour surmonter une expérience aussi terrifiante. Tout le reste doit sembler futile en comparaison. Mais j'approuvais leurs efforts pour l'amener à communiquer et à partager ses sentiments avec eux ; j'évitai donc d'émettre cette remarque, car je sentais qu'elle risquait d'être trop éprouvante pour eux. Ils n'ont toujours pas résolu leur propre conflit au sujet de sa maladie. Bien que Kevin paraisse « miraculeusement » guéri, un miracle porte en lui une certaine sorte de méfiance ; on sait qu'on y croit parce qu'on n'a pas le choix. En leur for intérieur, Valérie et Kevin pourraient bien ne pas oser croire que la guérison de leur fils est bien réelle.

« Kevin s'en sort, continua son père. Quand le petit voisin l'ennuie, il se défend maintenant. Il dit : "Je ne vais pas le laisser me marcher sur les pieds." Il sort de sa coquille. Peut-être que ça va l'aider à l'école, aussi. Il avait pris l'habitude de faire des trous dans son bureau quand il était frustré. Les religieuses se plaignaient de cela. A présent, il leur dit : "Vous avez tort", ou "Je ne comprends pas", et elles n'aiment pas beaucoup cela non plus, mais je pense que lui se sent mieux, qu'elles le comprennent ou non. »

Je l'approuvai de tout cœur.

« Nous n'allons pourtant pas les trouver pour leur parler de la situation, dit Valérie. Nous ne voulons pas qu'elles le traitent en bébé, mais n'exagèrent-elles pas ? Quand j'ai perdu mes parents, à l'âge de treize ans, j'ai appris qu'il faut continuer à vivre sa

vie. On n'a pas le choix. Mais on peut en tirer certains enseignements. On peut être gentil. Et toujours
essayer de progresser. C'est le mieux qu'on puisse
faire. Je veux que Kevin soit comme ça. Mais
sommes-nous trop durs avec lui? Quand je lui dis:
"Ne frappe pas tes sœurs", il me regarde comme si
j'étais trop sévère avec lui. Un jour, il a dit: "Tu ne
me prends pas dans tes bras comme elles." Ça m'a
vraiment fait mal. Est-ce que je fais ce qu'il faut?

— Vous essayez de lui donner le sentiment d'être
normal et de pouvoir régler ses affaires sans être
aidé comme un bébé. C'est ce dont il a besoin. Mais,
comme tout enfant, il veut sentir que vous êtes là
quand il a besoin de vous. C'est peut-être le cas en ce
moment, s'il a des difficultés à l'école. Cherchez à
savoir ce que disent les maîtresses. Ce n'est pas bon
pour lui d'être trop poussé. Il faut des années pour
qu'un enfant se remette de toute la colère, de toutes
les émotions causées par une telle maladie. Je pense
que tous deux vous avez été terriblement affectés par
cet aspect de son problème. Je me demande toujours
quelle est l'influence du psychique sur le physique
dans une guérison comme celle-ci.

— Nous aussi, dit Valérie. Quand il était en plein
dans sa chimiothérapie, j'ai dit à Kevin: "Nous
devons aussi l'aider moralement." Et c'est ce que
nous avons fait. Cela nous a tous aidés d'avoir
recours à un psychologue et de participer au groupe
de soutien de l'hôpital. » Valérie se tut un moment.

« Quand j'ai épousé Kevin, poursuivit-elle, il était
pratiquement imperturbable. Jamais il n'exprimait
le moindre sentiment.

— Comme Kevin Jr?

— Oui, peut-être, répondit-elle. En fait, je n'y
avais jamais pensé auparavant. Mais Kevin Sr ne
manifestait jamais ni joie ni tendresse. Quand le
petit est tombé malade, il a commencé à s'ouvrir.
Non, ça a commencé avant. En fait, c'est la naissance de Kevin qui l'a débloqué. C'était le premier

miracle : avoir un fils à lui. Kevin Jr et lui ont toujours été très, très proches. On dirait qu'ils comprennent ce que ressent l'autre, même sans se parler.

— C'est leur façon de communiquer.

— C'est vrai, dit Valérie. Mais j'avais besoin de plus de la part de Kevin, quand le petit était malade. Tous, nous devions apprendre à nous exprimer, Kevin s'y est mis, lui aussi, sinon je n'aurais jamais pu tenir le coup. Je suis italienne, je ne sais pas cacher mes émotions. »

Kevin Sr acquiesça de la tête. « Cela nous a tous beaucoup aidés. C'est une chose que nous devions apprendre. »

Comme si la discussion les poussait à se confier à moi toujours plus, ils soulevèrent un autre problème. « Dans la famille nous jouons au "lit musical". Kevin aime à se mettre au lit avec ses sœurs, et il vient aussi dans notre lit le soir. Il a sa propre chambre, mais il n'y reste jamais. Lauren reste dans son lit. Le bébé reste dans le sien. Mais Kevin semble incapable de dormir seul.

— Je ne peux pas vous conseiller sans en savoir un peu plus. Il se peut que Kevin soit toujours hanté par la peur de la séparation, sans compter la menace de sa maladie. Pour un jeune enfant, mourir signifie être séparé de tous ceux qu'il aime. C'est sa crainte la plus grande : "Où vais-je aller ? Est-ce que je serai seul ? Qui sera là pour s'occuper de moi ?" Peut-être n'est-il pas venu à bout de ces craintes, bien qu'il soit capable de parler d'aller "là-haut" avec ses grands-parents.

— Je n'ai jamais fait le rapport, dit Valérie. Pensez-vous que cela puisse l'aider de parler de cela avec nous ? C'est plutôt gênant de le trouver dans notre lit ; l'un de nous doit déménager. Nous ne savons jamais où nous allons finir notre nuit. Mais, en comparaison de ce que nous avons vécu, il n'y a pas trop à se plaindre.

— Est-ce que vous vous demandez si cette habitude de dormir dans le lit des autres est vraiment bonne pour Kevin?

— Oui, dit Valérie.

— Je ne suis pas sûr que cela le soit, surtout qu'il entre dans l'adolescence. Il est très proche de vous. Mais cela peut lui causer des difficultés à se trouver lui-même et à prendre son indépendance comme il le devrait.

— Peut-être devrions-nous penser davantage à ce que signifie cette histoire de sommeil pour Kevin, dit son père. Vous savez, après la mort de ma mère et de mon père, nous avons recueilli leur chien. Nous l'aimions tous beaucoup. Et puis le chien est mort. Il était vieux, c'était prévu. Mais Kevin n'a pas tenu le coup. Il s'est mis à martyriser ses sœurs. Cette fois, je savais ce qu'il se passait. Je lui ai dit: "Monte dans ta chambre, pense au chien et pleure un bon coup." Quand il est redescendu, il se sentait beaucoup mieux. Mais il lui avait fallu affronter de nouveau la mort.

— Comment les autres enfants ont-ils supporté la maladie de Kevin? demandai-je.

— Stéphanie était trop jeune pour bien comprendre, dit Valérie. Je ne pense pas que ça lui ait jamais posé un problème; de nos enfants, elle est la plus énergique, la plus décidée. C'est Lauren qui a le plus souffert. Une nuit, alors qu'il était en plein dans sa chimiothérapie, Kevin s'est réveillé, souffrant et saignant de la bouche. Elle était dans le même lit et elle s'est réveillée en hurlant. Elle avait vu tout le sang. Elle était hors d'elle. Elle n'arrêtait pas de crier: "Est-ce que c'est ma faute si Kevin est malade?" Depuis lors, elle n'a cessé de le protéger. Elle commence seulement à être moins anxieuse, et elle retrouve ses sentiments de rivalité à son égard. Elle est d'une nature timide, et se laisse un peu marcher sur les pieds. Mais maintenant, poussée par nous, elle cesse de le traiter comme quelqu'un d'aussi fragile. Elle se bat contre lui. Ça lui a pris un an et demi, mais elle va mieux. » Valérie soupira. « C'est difficile de se débrouiller avec plus d'un enfant pendant une période aussi pénible. »

Kevin Sr revint sur un sujet qui le préoccupait : est-ce que l'inattention de Kevin et ses rêveries pouvaient être une forme d'hyperactivité ? Les religieuses l'avaient obligé à envisager cette possibilité. Elles affirmaient que Kevin avait de si courtes périodes d'attention, qu'il était constamment si agité que cela pouvait bien indiquer une forme de déficience de l'attention que l'on appelle aussi hyperactivité. Bien qu'il fût un des premiers de la classe, elles ne cessaient d'insister. Elles en étaient arrivées à un tel stade de découragement qu'elles avaient suggéré un médicament spécialement destiné à traiter les enfants hyperactifs. Les McClay avaient le sentiment que ce n'était pas bien de lui donner un médicament « à moins qu'il n'en ait vraiment besoin ». Est-ce que je pensais qu'il était hyperactif ? Est-ce qu'il avait besoin de ce médicament ?

J'avais vu un peu plus tôt combien Kevin prêtait attention à notre discussion : il était resté assis, tranquille, pendant plus d'une heure. Non seulement il n'était pas agité, mais il n'était pas même distrait — les deux caractéristiques du syndrome évoqué. J'ai dit aux McClay que je ne le trouvais pas véritablement hyperactif. Je pensais que sa maladie avait été un tel choc pour lui, qu'il en était encore préoccupé. Le manque d'attention, la tendance à rêver que l'on observait à l'école, venait de ce qu'il était encore sous cette tension et ces manifestations me paraissaient tout à fait normales. C'étaient des signes de bouleversement intérieur ; quand il se sentait à l'aise, il pouvait faire tout ce que l'on attendait de lui. Mais, quand il avait le sentiment d'échouer ou de ne pas plaire à ses maîtresses, il devenait distrait, difficile à prendre.

« Je me demande si je le perturbe encore plus en

disant : "Tu ne joueras pas au hockey si tu ne réussis pas à surmonter tes problèmes à l'école." Est-ce que ça le perturbe ?

— Il me semble que oui. Mais Kevin pourrait bien être capable de régler tout cela en même temps. C'est un garçon si remarquable. Cependant, il n'a que neuf ans. Les religieuses n'admettent pas le besoin d'une soupape de sûreté. Elles veulent un enfant obéissant, attentif et, tant que Kevin se comporte de cette façon, elles sont satisfaites. Mais il a aussi besoin de défoulement. Moi non plus, je n'aimerais pas du tout vous voir le mettre sous traitement. Pour lui tout spécialement, les médicaments ont un sens plus fort. Ils signifient probablement tout ce que signifiait sa maladie — être triste, bizarre, handicapé. Je préférerais qu'on le bouscule un peu moins, qu'on lui permette de prendre son temps à l'école.

— Pensez-vous que nous devrions retourner voir la psychologue que nous avons déjà consultée avec lui ? demanda Valérie. Elle nous a si bien aidés.

— Cela peut être une bonne démarche. Vous méritez qu'on vous aide. Si elle comprend Kevin et s'il l'aime, je pense que cela lui permettrait de trouver de nouveaux moyens de régler des problèmes subsistant autour de sa maladie ; et elle pourrait bien aussi vous aider à apprendre comment régler d'éventuelles tensions à venir. »

Le fait que les efforts des McClay pour considérer le bon côté de la maladie de leur fils — pourtant une menace considérable — n'aient pas suffi à éliminer toute tension n'est pas étonnant. La façon dont leur refus de la réalité les avait aidés à traverser l'épreuve du diagnostic et du traitement est surprenante en soi. A présent, ils avaient retrouvé assez d'équilibre pour affronter ce qui leur restait de douleur, d'incertitude, et d'incompréhension sur leur expérience. Peut-être que cela rassurera Kevin et lui permettra de trouver sa voie. Avec le temps, Kevin a toutes les chances de devenir un chef de classe et de réussir

comme il le souhaite à l'école. Il en retirera des satisfactions, et ses parents aussi, et on peut dire qu'ils
méritent tous de réussir.

Au moment où je les quittai, je ressentais du respect et de la gratitude envers une famille qui m'avait
laissé pénétrer aussi profondément son intimité. Ils
m'avaient admis dans les profondeurs de leur
épreuve. A présent, en observant ce rayonnant garçon de neuf ans, je pouvais vraiment apprécier leur
« miracle ». Comme je partais, il fit la course dans la
petite impasse sur sa planche à roulettes, bondissant
en l'air, retournant au sol avec un bruit mat, bien
droit, capable de me montrer son intrépidité après
toutes ses épreuves. J'étais d'accord avec eux : Dieu
était certainement du côté de Kevin.

La famille O'Connell-Beder

L'histoire de la famille O'Connell-Beder

Eileen O'Connell et Barry Beder sont les parents de Jenny, un bébé coréen de quatre mois qu'ils ont adopté il y a un mois. Eileen est infirmière libérale en milieu psychiatrique depuis dix ans. Elle a réduit son activité à un mi-temps pour avoir la possibilité d'accepter toute adoption qui se présenterait. Eileen est grande, blonde, elle a l'air sûre d'elle. Barry Beder est brun et soigné; c'est un champion de tennis, l'image même du jeune cadre en pleine réussite. Il est consultant pour les problèmes de stress et organise des programmes de thérapie sociale. A partir de sa formation de travailleur social et avec de nouveaux concepts fondés sur l'hypnose, il anime des séminaires pour des sociétés du pays tout entier, au cours desquels il enseigne comment surmonter les problèmes de stress, d'alcoolisme et de tabagisme. Son succès a été rapide et l'a un peu submergé. Il a maintenant un bureau avec plusieurs employés, mais doit faire par lui-même la plus grande part du travail de conseil. Jusqu'alors il a beaucoup voyagé, mais récemment il a essayé de réduire le nombre de ses déplacements pour être plus disponible pour sa femme et le nouveau bébé.

Eileen et Barry ont fait connaissance alors qu'ils s'occupaient ensemble d'un groupe d'adolescents dans un hôpital psychiatrique. Comme beaucoup de couples à notre époque, ils ont attendu d'avoir terminé leurs études universitaires, d'avoir bien démarré chacun sa carrière, d'avoir établi une relation de couple durable pour vouloir un enfant. Ils s'attendaient alors à ce qu'Eileen devienne tout de suite enceinte. En s'apercevant que la grossesse tardait, ils ont eu un choc.

Suivirent huit années d'examens et de traitement éprouvants. L'expérience fut terrible pour eux, en tant qu'individus et que couple, provoquant en eux des sentiments d'incompétence, de douleur, de découragement et de colère. Ces sentiments étaient irrationnels, difficiles à maîtriser. Les inquiétudes que la plupart d'entre nous ressentent lorsque nous devenons adultes étaient ravivées par la blessure profonde portée à leur estime de soi. Eileen et Barry s'étaient habitués à la réussite. Parce que leur mariage et leur carrière étaient prospères, ils avaient toutes les raisons de croire que leur désir d'enfant serait satisfait. Et, bien que tous deux aimassent leur travail, ils le considéraient comme un investissement pour leur famille à venir. Tout paraissait prêt, tout paraissait attendre. Mais aucun bébé n'arrivait.

La stérilité

Consultation

Au cours de la première visite d'Eileen et Barry à mon cabinet, nous nous sommes occupés de leur problème de stérilité. J'avais besoin de comprendre ce qu'ils avaient enduré pour pouvoir les connaître et les aider à prendre un bon départ avec Jenny. Eileen paraissait avide de parler de son expérience, et Barry me semblait également prêt à participer. Leur besoin d'être aidés était à la fois touchant et irrésistible.

EILEEN

C'est une longue histoire. J'avais passé toute ma vie d'adulte à essayer de ne pas être enceinte et quand j'ai — quand nous avons — décidé d'avoir un bébé, j'étais prête à envoyer les faire-part, vous savez : dans neuf mois à compter du moment où nous nous y mettons, bien sûr, notre enfant sera né.

BARRY

En fait, la première visite au gynécologue, nous l'avons faite ensemble et le gynécologue a dit qu'Eileen était en pleine période d'ovulation. Nous sommes rentrés à toute vitesse à la maison. J'ai appelé au bureau et j'ai dit : « Je rentre chez moi pour faire un bébé. »

EILEEN

La seule question était : est-ce que ce sera un garçon ou une fille ?

BARRY

Exact. C'était aussi facile que ça.

EILEEN

Et puis, rien.

Eileen et Barry ont continué à essayer. Les mois sont devenus des années. Ils ont cherché de l'aide. Ce qu'ils ont trouvé, c'est davantage de frustration.

BARRY

Les médecins étaient incapables de trouver un problème quelconque. Ils nous ont diagnostiqué une « stérilité normale », ce qui voulait simplement dire qu'ils ne comprenaient pas. Ils nous renvoyaient toujours en disant : « Bon, peut-être que ceci..., peut-être que cela... », et puis ils nous faisaient passer un nouveau test. Finalement, ils ont quand même trouvé quelque chose, au bout de quatre ans environ.

DR BRAZELTON

Vous passiez des tests depuis quatre ans ?

BARRY

Par périodes.

EILEEN

Ils nous ont trouvé à tous deux une infection, et ils ont dit : « C'est cela. Prenez ces comprimés pendant douze jours. Ils vous donneront la nausée, mais tenez bon et alors vous pourrez avoir une grossesse. »

BARRY

Les comprimés nous ont bien donné la nausée. Pour ça, ils avaient raison. Mais sans plus. Pas de grossesse. A cette époque, presque tous nos amis avaient des bébés ou de jeunes enfants, et c'était dur de nous trouver avec eux.

DR BRAZELTON

Chaque fois que vous regardiez un bébé, vous aviez l'impression...

BARRY

Oui. Souvent dans un film ou dans une publicité à la télévision, il y avait un bébé, et nous nous regardions à la dérobée et cela nous rendait tristes.

EILEEN

Habituellement, Barry, tu disais : « Ça va venir. » Moi, je pleurais, je me trouvais au cinéma et il y avait une scène entre une mère et un enfant, et je me mettais à pleurer. *C'est une histoire que j'ai entendue tellement souvent.*

DR BRAZELTON

Est-ce que vous vous sentiez tous les deux anormaux ?

BARRY

Quand je me trouvais avec des hommes, ils faisaient des plaisanteries macho. Ils disaient : « Tu ne sais pas t'y prendre ? », ce genre de chose. « Tu veux que je te montre comment faire ? »

DR BRAZELTON

Les hommes vous disaient cela ?

BARRY

En plaisantant, vous savez. Ils disaient : « Eh ! Tu devrais t'y mettre » ou : « Quel est le problème ? »

DR BRAZELTON

Vous jouez dans les championnats de tennis, n'est-ce pas ? Est-ce que cela a affecté votre jeu ?

BARRY

Non. Je réussissais à me défouler sur le court, à me libérer de mes sentiments et de ma colère.

DR BRAZELTON

Oui, cette situation ne pouvait que vous affecter en tant qu'homme, et Eileen, cela devait vous affecter en tant que femme.

EILEEN

Oui, je finissais par avoir l'impression de ne pas être une véritable femme. Quelque chose de très profond en moi ne fonctionnait pas. Je ne me trouvais ni séduisante ni désirable. Parfois je pensais qu'il y avait en moi une sorte de...

DR BRAZELTON

... d'imposture.

EILEEN

Oui. Tous les gens des alentours avaient des enfants, et j'essayais moi aussi, mais cela ne donnait rien. La situation s'aggravait avec le temps au point où nous ne savions plus si nous désirions rester mariés. Nous en étions à douter de cela, je m'étais mise à m'imaginer que, quand il atteindrait quarante-cinq ans environ, Barry tomberait amoureux d'une fille de dix-neuf ans et qu'il aurait des enfants avec elle, et qu'il serait alors heureux. Lui, il pouvait échapper à cette pression biologique. Une partie de moi-même commençait à se demander s'il voudrait rester marié avec moi pour de bon.

BARRY

Elle n'avait pas tort d'imaginer tout cela, dans un sens. Non que j'aie eu l'intention de la quitter, mais à ce moment il m'aurait été plus facile de la quitter que de rester. C'était une réelle épreuve pour notre couple.

EILEEN

Je crois que c'est cette menace sur notre couple qui m'a fait renoncer à une grossesse. C'était moi qui ressentais la tension le plus vivement. Je ne pouvais plus continuer à essayer. Après quelque soixante cycles, j'ai dit : « Ça suffit ! Je ne peux pas continuer. Il faut que j'arrête, parce que cela me rend folle. » Dès que nous nous sommes décidés à l'adoption, ce fut un soulagement. J'avais l'impression que nous avions fait ensemble un long et difficile voyage et que nous avions fini par nous en tirer, que nous étions arrivés au bout. Et c'est cela qui rend la présence de Jenny si spéciale.

BARRY

Maintenant c'est comme une fête continuelle.

DR BRAZELTON

Je sais. Un vrai miracle, ce bébé. Elle est tellement mignonne, n'est-ce pas ?

Les problèmes

De plus en plus de couples attendent la trentaine, parfois un peu plus, pour avoir des enfants. Ils utilisent des moyens de contraception qui leur permettent de choisir le moment de mettre au monde leur premier bébé, et il peut arriver qu'ils aient fait des projets, des rêves à ce propos, des années avant même d'essayer d'avoir un enfant. Ayant réussi dans d'autres domaines, ils s'attendent aussi à réussir dans celui-ci. Quand tout marche comme prévu, ils ne sont ni surpris ni reconnaissants. La grossesse répond à leur attente : « Cela viendra quand nous serons prêts. »

Quand les couples qui ont trente-cinq ans environ, qui se trouvent à mi-chemin dans leur vie professionnelle, deviennent parents, ils sont à même de procurer à leur bébé un environnement stable, bien organisé. Ils peuvent aussi lui offrir un bon équilibre personnel qu'ils ont acquis par des années de réussite. Ils ont tout pour devenir des parents dévoués. Mais ils ont aussi certaines difficultés à établir des relations avec le bébé et à accepter un surcroît de responsabilités, ce qui les décontenance souvent un certain temps. Les couples de cet âge ont en général des habitudes et chaque nouvelle étape du développement de leur bébé exige de leur part une réorganisation. C'est pourquoi ce sont souvent des parents anxieux. Le pédiatre les trouve exigeants, parce qu'ils prennent tout tellement à cœur et qu'ils désirent faire tout parfaitement. Ils demandent plus de conseils que les jeunes parents. Ils se donnent beaucoup de mal pour comprendre les aspects psychologiques de la pédagogie et de l'éducation, souvent dans des cas qui ne sont pas facilement explicables. Les inconnues de la paternité ou de la maternité les mettent généralement mal à l'aise. Ils ont tendance à couver le bébé. L'art d'être parent s'apprend en commettant des erreurs et en laissant l'enfant en commettre lui aussi ; des gens qui ont une situation, qui ont jusque-là planifié, contrôlé leur vie, doivent apprendre de nouvelles façons de faire en tant que parents. Tout cela n'est pas facile, mais ces couples sont si désireux d'être des parents que leurs fortes motivations les aident à progresser rapidement.

Parfois, cependant, le simple fait de devenir un parent présente des difficultés. Un couple comme Barry et Eileen s'attend en tout à la réussite : la longue épreuve des tests de stérilité et des traitements mine cette assurance. Prendre quotidiennement sa température pour déceler l'ovulation, interrompre toute activité sexuelle jusqu'au moment précis, se demandant si le potentiel amoureux sera toujours là — toute cette routine jette une ombre sur l'acte sexuel entre deux personnes qui s'aiment. Alors, chaque mois, l'attente du miracle, l'accumulation des déceptions chaque fois que les règles surviennent, tout cela provoque l'angoisse et la tension. L'homme doit passer un test, se laisser examiner, recueillir du sperme au terme d'une masturbation dégradante dans une clinique. Quand les spermatozoïdes sont comptés, quand on vérifie leur mobilité, c'est comme si la virilité était mesurée. Pendant ce temps, l'homme ne peut que se demander : « Suis-je normal ? » Après des mois d'échec, la réponse paraît claire : bien sûr qu'il n'est pas normal, à moins... que ce ne soit la faute de sa femme. L'espoir inconscient que c'est elle et non pas lui qui est stérile lui fait éprouver des sentiments de culpabilité à l'égard de sa femme. Ces sentiments alternent avec des sentiments d'anormalité. La plupart des hommes ont envie de faire des essais extraconjugaux pour prouver que ce n'est pas leur faute. L'éventualité, pour le couple, d'une aventure devient une obsession, même si personne ne passe à l'acte.

Les remous intérieurs provoqués par la stérilité chez les femmes sont généralement plus insidieux, plus humiliants et parfois plus douloureux. Tous les aspects, toutes les fonctions de leur appareil génital, de leurs ovaires, sont examinés et réexaminés dans le moindre détail. Peut-elle simplement produire des ovules? Ceux-ci sont-ils défectueux? A-t-elle des règles irrégulières? Est-elle incapable de nourrir un œuf fertilisé et de le conserver? Les entretiens comprennent des questions intimes : « Aimez-vous avoir des rapports sexuels? Vous entendez-vous bien sur ce point avec votre mari? Avez-vous eu aupara-vant des aventures au cours desquelles vous auriez attrapé des infections susceptibles d'avoir endom-magé votre appareil reproducteur? Tout cela peut-il être psychosomatique? Si vous étiez plus décontrac-tée, moins tendue, vous auriez peut-être un bébé. » Tout cela provoque des tensions conscientes et aussi inconscientes. Elles sont toujours présentes à l'esprit d'une femme stérile. Quand un médecin la regarde, à la clinique, elle voit les questions dans ses yeux. Quand une nouvelle infirmière l'examine, lui fait passer des tests, elle sait que l'infirmière a ces ques-tions en tête. Après tout, elles sont aussi dans sa tête à elle.

Lorsque les couples stériles doivent affronter leur famille, de vieux conflits peuvent être ranimés. Par exemple : « Pourquoi as-tu épousé un juif? Pourquoi est-ce qu'un catholique ne te suffisait pas? Peut-être est-ce un signe de la volonté de Dieu? » Ou : « Une femme juive t'aurait donné tous les bébés que tu voulais. C'est mal de se marier en dehors de sa reli-gion. Cela détruit la pureté de notre héritage fami-lial. » « Ton mariage nous inquiète depuis toujours. Peut-être que, si cela ne marche pas, tu peux rompre, et épouser une fille bien (= catholique, juive, américaine, chinoise, etc.). Nous comprendrions et nous serions si heureux. » Même si les familles n'expriment pas de telles pensées, les couples stériles ont tendance à croire que ces pensées existent.

Et, comme de plus en plus de couples de leur âge ont des bébés, les rappels de l'échec sont constants. Les couples stériles trouvent que c'est une torture de fréquenter d'heureux parents débordant d'admiration devant un nouveau-né.

Pour un adulte, l'acceptation d'un échec aussi important que l'incapacité à se reproduire passe par un stade de souffrance. Souffrance causée non seulement par la perte du bébé imaginaire et de toute chance de se reproduire, mais aussi par le coup porté à l'image de soi. Tout au long de notre vie nous luttons pour nous sentir compétents. Chaque fois que nos sentiments de compétence, d'estime de soi, sont menacés, cela déclenche en nous une réaction d'alarme. Ce qui, alors, produit un surcroît d'énergie pour affronter la menace, tout en réactivant les expériences semblables déjà vécues. Nous régressons et nous nous réorganisons pour régler le problème. Lorsque nous réussissons, nous en sortons plus forts, en ayant ajouté à nos ressources une expérience positive et pleine d'enseignement. Si le succès se révèle impossible, comme dans la stérilité, nous souffrons de notre échec.

La dépression, le sentiment d'être incompétent, accompagnent cette souffrance. Souvent, la colère s'y ajoute : « Pourquoi moi ? » Les défenses que nous utilisons tous en cas d'échec s'installent : 1) Refus : « Ce n'est pas moi, ça ne peut être ma faute. » 2) Projection : « C'est lui, c'est elle, pas moi. » 3) Détachement, parce que c'est si douloureux de reconnaître à quel point on est touché. Ces trois systèmes de défense constituent une étape inévitable dans l'expérience de la stérilité, et il faut en prendre conscience de peur qu'ils ne deviennent une façon de vivre. Si on en discute ouvertement, si on les considère comme des sentiments inévitables, mais temporaires, il y a moins de risques qu'ils ne mettent en danger le mariage ou les autres relations.

Après un temps, l'un ou l'autre ou les deux membres du couple stérile vont mettre leur chagrin de côté pour penser à l'adoption, ou à la façon de construire une vie chaleureuse, fructueuse, féconde sans enfant. Quelle que soit la solution choisie par le couple, il est cependant important, pour leurs relations, et pour l'enfant qu'ils pourraient adopter, de savoir que les sentiments de défense seront toujours là. Chaque nouvelle tension, chaque échec feront revivre les angoisses, chaque nouvelle entreprise, chaque réussite les réduiront. Ces sentiments reviendront probablement à chaque banale difficulté au cours de la croissance de l'enfant. Quel que soit l'échec — et tous les parents en subissent — il provoquera de plus grands doutes dans l'esprit de parents adoptifs. S'ils parviennent à comprendre et à accepter ces réactions comme étant normales et prévisibles, ils n'en seront plus victimes au fur et à mesure qu'ils rencontreront les vicissitudes universelles de l'éducation. Lorsqu'un enfant adopté est pris dans un conflit de comportement — aussi normal que, par exemple, le négativisme à deux ans, le mensonge à quatre ans, le vol à cinq ou les remous de l'adolescence — les parents adoptifs peuvent s'inquiéter de façon excessive. Ils peuvent accuser l'enfant d'avoir de « mauvais gènes » ou s'accuser eux-mêmes de ne pas être assez vigilants. De telles inquiétudes peuvent avoir un caractère destructeur, aggravant pour la famille adoptive chacun des obstacles normaux. Les parents adoptifs qui sont préparés, qui se comprennent eux-mêmes, et qui connaissent le développement infantile, avec ses étapes, ses pièges inévitables, ceux-là peuvent cesser de se demander : « Est-ce que j'aurais été une meilleure mère, un meilleur père pour le bébé si seulement j'avais... ? »

Causes courantes d'inquiétude

La meilleure façon pour un couple stérile d'apprendre à vivre avec son problème, c'est d'entrer en contact avec d'autres couples ayant les mêmes difficultés, par le biais d'un groupe de soutien. Dans ces groupes, les couples découvrent que toutes leurs réactions sont normales, universelles. Aucun expert ne peut leur donner de meilleurs conseils pour s'en sortir que d'autres couples touchés par le même diagnostic. C'est pourquoi, au lieu d'essayer de répondre moi-même aux problèmes courants, j'ai transcrit des extraits choisis dans les séances d'un véritable groupe de soutien auquel j'ai participé. Les noms et les situations ont été modifiés par souci d'anonymat.

DR BRAZELTON

Combien de femmes ont-elles eu le sentiment que la stérilité était leur problème et non pas celui de leur mari ?

JANE

Moi, parce que c'était moi qui passais tous les tests, et bien que mon mari m'ait beaucoup soutenue, ils ne lui demandaient pas grand-chose, si ce n'est de m'amener et de revenir m'aider à la sortie, ou bien de venir pour une insémination. C'était toujours moi qui devais tout me faire faire. Il y a des moments où je me sentais furieuse, désespérément incompétente. Chaque mois c'était l'horreur de l'attente. Je disais : « Peut-être ce mois-ci », mais ça n'arrivait jamais.

NED

Pour nous, c'était le contraire. D'emblée, le problème a paru venir de moi. Et je pense que Sally se sentait coupable à cause de tout ce qu'on me faisait subir. J'ai dû me faire opérer deux fois, et elle ne cessait de dire : « Pourquoi ne me font-ils pas passer de tests ? » Étant donné qu'ils considéraient que j'avais trop peu de spermatozoïdes, il n'y avait aucune raison d'entreprendre quoi que ce soit avec elle.

SALLY

Le médecin que nous avons vu en premier estimait qu'il n'y avait pas de raison de me faire passer des tests. Étant donné le faible nombre de spermatozoïdes, je n'avais aucune chance de grossesse. Mais j'avais toujours considéré Ned comme quelqu'un capable de tout. Quand il avait décidé qu'il voulait faire quelque chose, il était du genre à se concentrer sur son projet, puis à l'exécuter jusqu'au bout. Et voilà qu'il y avait cette chose, qui était si importante pour nous deux, et qu'il ne pouvait faire. Cela m'a amenée à le regarder d'une façon très différente, beaucoup plus humaine. En fait, c'était terrible pour lui, et je me détestais de ressentir de la pitié.

EMILY

Mon problème a été décelé au moment où j'étais encore à l'école d'infirmières, et nous nous sommes mariés en sachant que nous serions peut-être incapables d'avoir des enfants. A ce moment, nous étions très jeunes et ça ne semblait pas tellement grave. Nous y pensions, mais, avant d'avoir réellement essayé, avant d'avoir découvert que nous avions des difficultés, nous n'en avions pas vraiment pris conscience. Lorsque nous avons commencé les tests, on trouva de petites anomalies chez mon mari pour le nombre des spermatozoïdes. Ce n'était pas grave, mais il en fut très affecté. Je me sentais coupable parce que mon endométriose était le facteur prédominant, et voilà qu'ils lui imposaient tout cela. J'ai suivi un traitement médical. J'ai subi une intervention

chirurgicale, et ça n'est pas terminé. Mon mari le
prend bien, mais j'ai peur que, peut-être, il n'ait
envie de partir pour se marier avec une autre.

SALLY

Ce que ce problème cause aux relations sexuelles
d'un couple, je suis sûre que nous l'avons tous
expérimenté. Je sais que pour nous, un rapport
sexuel ça signifie essayer d'avoir un bébé. Si ça
n'est pas pour avoir un bébé, pourquoi avoir des
rapports ? Et retrouver le désir, avoir un rapport
sexuel qui ne soit pas destiné à produire un bébé,
je pense que ça reste très difficile.

NED

Je me sens comme une sorte de pantin — c'est
l'heure de faire le bébé, c'est l'heure de faire le
bébé. Chaque fois, c'est à l'homme de s'exécuter.
Soyons honnêtes, c'est parfois dur. Ce but, le
bébé, c'est comme un papillon — plus on le poursuit et plus il est insaisissable. Parfois je me dis
que si nous restions simplement assis, tranquilles,
le papillon viendrait à nous. C'est ainsi que je vois
la grossesse.

DR BRAZELTON

Magique.

NED

Oui, je pense. Je le crois vraiment.

JANE

D'une certaine façon, nous avons eu plus de
chance. Après avoir passé beaucoup de tests, j'ai
découvert que je souffrais d'une incapacité ova-
rienne totale. Une fois sûrs qu'il n'y avait aucun
moyen pour moi d'avoir des enfants, nous avons
eu plus de facilité pour prendre une décision —
désormais ou nous adoptions un enfant ou nous
n'en avions pas.

MARY

Nous aussi, nous avons eu ce diagnostic dès le début. Ce que j'ai ressenti, c'est que sans enfant je ne voulais pas de mariage.

DR BRAZELTON

A ce moment, vous aviez vraiment envie de vous séparer?

MARY

Oui. Mais mon mari ne voulait pas l'accepter, et alors nous avons eu un enfant. C'est pourquoi il est si important de continuer à essayer, à consulter des médecins, bien qu'on ait envie d'abandonner.

JOHN

Je crois quand même qu'il est important de tirer un trait, un jour, parce que sans cela il n'y a pas de fin. Vous continuez à essayer, et à essayer encore, et à subir encore des interventions. Toute cette douleur, tout ce déchirement émotionnel qu'il faut endurer et l'inquiétude... il faut tirer un trait. Cela dit, le point de vue d'Emily c'est qu'elle est prête à souffrir physiquement et moralement autant qu'il le faudra pour que cela arrive. C'est tellement important pour elle. Pour moi aussi, c'est important, mais pas au point de risquer la vie de ma femme. Parfois j'en arrive à être un peu inquiet à ce sujet.

EMILY

Je ne vois pas les choses de cette façon. J'ai le sentiment que je ferai tout sans problème. Je suis tellement motivée. On m'a interrogée sur cette motivation, au cours de conversations avec d'autres couples stériles; c'est une motivation dont je m'étonne moi-même. Je me demande ce qui nous force tous à continuer cette quête, mais je trouve que les gens ont une grande force.

GEORGES

Nous avons adopté un fils. Pour moi, ce qui est fondamental c'est d'avoir un enfant, et d'être un père.

NED

Je ne suis pas sûr d'en être encore là, bien que j'aie toujours en mémoire un vers de Shakespeare : « Meurs seul et ton image meurt avec toi. » Je ne pense pas que ce soit une sorte d'égoïsme, mais c'est un trait de l'esprit masculin plutôt que féminin — le fait de désirer transmettre son nom, de créer quelque chose que l'on puisse laisser derrière soi. Quelque chose de tangible. Et je ne parle pas de construire un bâtiment, ou quelque chose dans ce genre, mais quelque chose qui continuera à *vivre* longtemps après qu'on a disparu — son propre enfant.

ALICE

Quand nous avons eu notre enfant adoptif, j'ai ressenti un manque, parce que je n'avais pas eu de grossesse. Je n'avais pas mis cet enfant au monde.

MICHAEL

Pour nous, prendre la décision d'adopter un enfant revenait à tirer un trait ; nous nous sommes dit : « Bien, nous avons pratiquement renoncé à l'espoir d'avoir un jour prochain notre propre bébé ; au lieu de cela, nous allons mettre en marche la procédure qui nous permettra d'avoir un bébé par adoption. » Cette décision a été très difficile à prendre. Nous l'avons repoussée pendant plusieurs années.

JANE

Je crois que j'ai perdu mon bébé imaginaire récemment, et je ne fais donc pas de comparaisons avec mon bébé adopté. Je ne sais pas pourquoi. Je l'ai simplement accepté, comme une petite personne en soi, et il est merveilleux.

L'adoption

Consultation

Jenny Beder qui repose sur les genoux d'Eileen est une ravissante petite poupée coréenne. Mais elle ne ressemble pas à Eileen ni à Barry, et ils ont du mal à croire qu'elle puisse être leur fille.

EILEEN

Nous l'avons eue à trois mois, sans la moindre idée de ce qu'elle avait vécu jusque-là. Quand elle s'est mise à pleurer pour la première fois, je ne savais pas ce qu'elle voulait. Je me sentais affreusement coupable, parce que je pensais qu'elle cherchait à retrouver une de ses habitudes et que je ne connaissais pas ses habitudes. Elle avait déjà vécu toute une vie avant que je l'aie.

DR BRAZELTON

Vous vous disiez : « Si seulement j'avais été là tout le temps. »

EILEEN

C'est cela.

Au bout d'un mois, ils continuaient à avoir l'impression que Jenny était une étrangère et se demandaient si elle allait bien.

EILEEN

Quand elle dormait, elle avait les jambes repliées et les bras serrés et, si j'entrais pour voir au bout de trois heures, elle était toujours dans la même position. Elle n'avait pas tourné la tête.

DR BRAZELTON

Une sorte de position fœtale.

BARRY

En fait, la première semaine — tu te souviens? La première semaine elle n'a pratiquement pas pleuré. La première fois qu'elle a pleuré, elle a poussé comme un gémissement.

EILEEN

Elle a pleuré poliment.

DR BRAZELTON

Comme si elle n'espérait aucune réponse.

EILEEN

Peut-être.

Nous nous demandions tous trois quel avait pu être son environnement avant son arrivée — si on s'occupait vraiment d'elle. Pour répondre à ces inquiétudes — si courantes dans les cas d'adoption —, je décidai d'effectuer quelques tests de développement. Je la tins les bras tendus, la redressant pour qu'elle s'assoie. Au lieu de cela, elle se mit immédiatement en position debout, regardant autour d'elle avec le sourire.

EILEEN

Depuis le jour où elle est arrivée, elle veut se mettre debout.

BARRY

Vous ne trouvez pas que sa façon de se tenir debout est adorable ? Elle tend les bras tout droits, parfaitement droits, comme si elle volait.

DR BRAZELTON

Voyons maintenant comment tu rampes.

Chez la plupart des bébés, quatre mois est une période de transition — des réflexes automatiques à des mouvements plus volontaires. Jenny devient plus motivée, plus déterminée pour se déplacer où elle veut. Elle ne rampe plus d'une façon automatique ; elle se dirige vers un but. A cet âge, beaucoup de réflexes néonataux comme le réflexe de la marche et de la reptation disparaissent. Ces réflexes sont irréfléchis, ils proviennent de la région inférieure du cerveau. A quatre mois, ils sont remplacés par des mouvements plus volontaires : le bébé rampe, essaie d'atteindre un objet, le pousse. Le comportement d'un bébé de quatre mois est un mélange d'actes automatiques et d'actes volontaires.

DR BRAZELTON

Regardez comme j'arrive à mobiliser son désir d'atteindre un objet simplement en touchant sa main. Quand je fais cela, ça la stimule pour essayer d'atteindre le jouet que je tiens.

BARRY

Je voudrais être sûr que nous ne passons pas à côté de quelque chose d'important.

DR BRAZELTON

Quoi, par exemple ?

BARRY

Quelque chose que nous ignorerions, quelque chose de naturel entre un parent biologique et son enfant. Comment puis-je savoir ?

Sa question m'évoquait quelque chose. Je pensais savoir ce qu'il y avait derrière. Une enfant sensible comme Jenny, dans ce nouvel environnement, pouvait bien se renfermer lorsque ses parents lui en demandaient trop. Je fis exprès de la stimuler excessivement. Jenny nous montra alors comment elle réagissait au surmenage. Elle ferma les yeux, tourna la tête. Elle devint molle. Je ne pouvais plus obtenir d'elle aucune réaction.

DR BRAZELTON

Elle en a eu assez. Est-ce qu'elle vous exclut de cette façon?

EILEEN

Oui. Il y a eu une période où elle me regardait droit dans les yeux avec une expression vide, puis elle se détournait et revenait à ses activités, babillage ou autre. Cela me brisait le cœur. Je me disais : « Oh! Mon Dieu! Elle ne m'aime pas! »

DR BRAZELTON

Avec ce genre de regard, un bébé peut vous donner le sentiment de ne pas être à la hauteur. *C'est le véritable souci d'Eileen.*

EILEEN

Le sentiment que j'avais, c'est qu'elle voulait retrouver sa mère biologique. Elle avait compris que j'allais désormais m'occuper d'elle, et elle me faisait savoir que je n'étais pas terrible. *Eileen et Barry se demandaient si leur fille adoptive serait jamais vraiment à eux.*

DR BRAZELTON

Vous aviez l'impression d'être rejetés. Pas seulement incompétents, mais *rejetés*. *Ils me regardaient tous deux avec le désir d'être rassurés, mais seule Jenny pouvait le faire.* Faisons une expérience. D'abord éloignez-vous tous les deux. Très bien. Maintenant, je veux que la maman s'avance en premier, et commence à lui parler.

EILEEN

(Chantonne doucement.) Jenny.

DR BRAZELTON

Elle continue à regarder au loin, mais observez ses mains et ses bras. Regardez comme ses mouvements deviennent plus doux. Regardez-la, regardez ses mains quand elle entend votre voix. Voyez maintenant, elle tourne à nouveau son regard vers votre visage, elle s'adoucit, elle vous accepte, et puis elle se remet à regarder au loin.

EILEEN

Elle a presque l'air ravie de me voir.

DR BRAZELTON

Barry, dites quelque chose sans vous rapprocher.

BARRY

(Doucement.) Coucou, coucou.

DR BRAZELTON

Regardez, ses épaules se relèvent, on dirait qu'elle perd l'équilibre quand elle vous entend ; elle a pour chacun de vous un langage totalement différent.

Jenny levait les épaules, les sourcils comme si elle reconnaissait la voix de Barry et qu'elle s'attendît à ce qu'il vienne jouer avec elle.

DR BRAZELTON

Jenny est dans un monde nouveau, bouleversant et terrifiant. Lorsqu'elle est arrivée, vous aviez tellement hâte de faire connaissance avec elle que vous avez pu la pousser un peu trop, et provoquer une réaction de recul. Vous savez que cette adaptation, c'est justement la clé de l'attachement. Vous êtes très sensibles en ce qui la concerne, et visiblement elle profite énormément de vous, à sa manière. Elle a un langage à elle, et c'est cela le langage de l'attachement. Regardez-la, voyez comme elle tient le doigt de sa mère, comme elle joue avec. Ce n'est pas le comportement d'un bébé que l'on néglige. Et, si on l'a jamais négligée, il n'y a aucun doute qu'elle se rattrape. Tous les signes d'attachement qu'elle manifeste prennent cette importance, n'est-ce pas, parce qu'ils vous permettent de savoir...

EILEEN

... que tout va bien pour elle, ce qui signifie que tout va aller merveilleusement bien de notre côté !

Les problèmes

L'adoption est un travail de longue haleine — infiniment gratifiant, mais parfois dur. Non seulement la décision d'adopter est une décision majeure, mais l'adaptation à ce rôle peut être difficile. S'adapter à un bébé pose des difficultés à tout parent, mais pour des parents adoptifs, c'est une adaptation d'un niveau plus élevé, du fait qu'ils ont désiré un enfant pendant très longtemps. Plus les parents ont envie d'être les meilleurs parents possible pour leur bébé, plus ils ont des motifs d'inquiétude.

Pendant une grossesse, le développement du fœtus permet d'entreprendre le processus d'adaptation. Pendant que les futurs parents se préparent, avec leurs souhaits, leurs rêves, leurs angoisses, le fœtus commence à bouger. Le comportement intra-utérin du bébé, ses mouvements aident les parents à éprouver la réalité du bébé à venir. Avant une adoption, les parents rêvent aussi, ils font des souhaits, ils éprouvent des craintes, ils se demandent comment va être le bébé. Ils ont peur qu'il ne soit pas normal, qu'il ne leur ressemble pas. De nos jours, nous connaissons de mieux en mieux les effets des expériences intra-utérines — malnutrition, drogue, tabac, café, infections — et les parents adoptifs ont toutes les raisons de s'inquiéter de ce à quoi leur bébé a été exposé avant qu'ils ne l'aient pris en charge. « Comment mon bébé a-t-il été traité pendant les premiers neuf mois ? » Si l'enfant adopté vient d'un pays étranger, il y a encore plus d'inconnues. L'influence des facteurs génétiques, opposés aux facteurs de l'environnement que les parents peuvent commencer à contrôler, est un problème que l'adoption rend plus aigu. « Quelle sorte de femme faut-il être pour abandonner son bébé ? A quoi ressemblait le père ? Y a-t-il dans la famille une maladie héréditaire ? Est-ce que les parents étaient intelligents ? » Quelles que soient les informations que l'on ait pu recueillir de l'agence ou de particuliers, les inquiétudes touchant l'héritage génétique ou l'environnement initial peuvent être fortes.

Pour des parents adoptifs, toutes les questions à propos des origines peuvent avoir pour effet de provoquer l'angoisse et les doutes inhérents à une grossesse normale. Si les parents parviennent à employer cette énergie anxieuse pour essayer de comprendre le nouveau bébé, d'établir des relations avec lui, en tant qu'individu, ils peuvent renforcer le processus d'attachement. Le mieux, c'est que les parents aient l'occasion d'observer le comportement et les réactions du bébé avec un professionnel, capable de comprendre et d'expliquer le caractère du bébé, ses réactions aux stimuli, son utilisation personnelle des états de sommeil et de veille pour contrôler son environnement. En faisant ces observations en présence des parents, le médecin ou l'infirmière ont l'occasion de les aider à comprendre que le bébé est une personne. Il me semblait que la meilleure façon d'aider

Eileen et Barry était de jouer avec Jenny. Je voulais qu'ils constatent son individualité *de visu*, et non seulement à travers mes commentaires. Je savais que s'ils pouvaient comprendre son caractère, sa façon de se comporter, ils en tireraient le sentiment d'être plus compétents dans leur relation avec elle. Si son comportement restait pour eux étrange ou confus, cela pourrait mettre entre elle et eux une barrière, alors même qu'ils essaieraient d'aller vers elle pour lui dispenser leurs soins et leur tendresse. Dans toutes leurs questions, je ne voyais pas seulement des interrogations spécifiques appelant des réponses, mais aussi le reflet de l'angoisse qu'ils éprouvaient tout au fond d'eux à propos du passé.

Pendant cette période, les parents adoptifs renoncent petit à petit au bébé imaginaire qu'ils auraient pu avoir ensemble. Chacun d'eux a rêvé d'un bébé qui ressemblerait à l'un ou à l'autre. De tels rêves peuvent ne pas disparaître complètement. Mais ils doivent, autant que faire se peut, renoncer au bébé imaginaire pour pouvoir être disponibles pour leur vrai bébé. Sans cela, ils seront sans cesse en train de comparer le bébé adopté à celui qui aurait pu exister. Par exemple, chaque fois que Jenny fait quelque chose qui rappelle Eileen à Barry, il se peut qu'il se retienne de s'exclamer : « Elle est juste comme toi ! » Ou si elle se met à imiter les rires enjoués de son père, Eileen peut marquer un arrêt avant de dire : « Elle apprend à imiter ton rire ! » La véritable identification du bébé avec ses parents adoptifs soulèvera ces questions : « Est-ce qu'elle peut vraiment lui ressembler — me ressembler ? Jusqu'à quel point pouvons-nous considérer qu'elle tient de nous ? » Ces attributions instinctives, qui font partie de l'apprentissage de la personnalité du bébé, sont naturelles et aisées pour les parents, sauf pour les parents adoptifs qui doivent sans cesse les remettre en question et les estimer. S'ils parviennent à oublier les comparaisons et à se réjouir de voir comme le bébé imite leurs façons, ils peuvent profiter sans regret du bonheur d'élever un enfant.

Questions courantes

QUESTION

Quel est le meilleur moment pour commencer à parler à un enfant de son adoption?

DR BRAZELTON

On devrait toujours en parler. Il n'y a jamais de « meilleur moment ». Vers trois ou quatre ans, un enfant va poser des questions précises et vous devrez être prêt à y répondre. « D'où je viens? Pourquoi mes parents n'ont pas voulu de moi? Est-ce qu'ils étaient méchants? Est-ce qu'un jour je rencontrerai mes parents? Est-ce que vous êtes ma vraie mère et mon vrai père? » De telles questions sont inévitables; il est donc sage de s'y préparer. Si vous ne savez pas grand-chose des véritables parents, dites à l'enfant ce que vous savez. Répondez à chaque question aussi honnêtement et directement que possible. Les questions d'un enfant adopté doivent être accueillies avec respect. S'il vous demande pourquoi une mère pourrait abandonner son enfant, vous pouvez dire en toute sécurité : « Pour que tu aies un avenir meilleur que celui qu'elle pouvait te donner » ou, si c'était le cas : « Parce qu'elle n'était pas mariée et qu'elle ne pouvait pas t'offrir la famille qu'elle souhaitait pour toi. »

QUESTION

Et si mon enfant me demande si sa mère naturelle l'aime toujours?

DR BRAZELTON

Vous pourriez répondre : « Comment pourrait-on ne pas t'aimer ? Elle t'aimerait si elle te connaissait. Je te voulais parce que je pouvais voir combien tu étais merveilleux. Je voulais être ta famille et c'est ce que je suis. Je fais partie de ta famille et tu fais partie de la mienne. Je ne te quitterai jamais et toi non plus tu ne me quitteras jamais. Si un jour tu veux retrouver ta mère naturelle, je t'aiderai, mais tu feras toujours partie de ma famille. » Un enfant a besoin de savoir, et mérite de savoir qu'on tient à lui, car la menace de l'abandon ne cesse de hanter les enfants adoptés. L'autre chose que cet enfant a besoin de savoir, c'est qu'il fait partie d'une véritable famille et cela pour toujours. Un enfant adopté pense souvent que si une mère a pu le renvoyer, la mère adoptive le pourrait aussi — surtout s'il est méchant. Trop d'enfants adoptés répriment tout sentiment négatif de peur d'être à nouveau repoussés.

QUESTION

Nous avons adopté notre fils par l'intermédiaire d'une agence à Bogota, en Colombie, et on ne nous a donné aucun détail sur son passé. Le dossier disait seulement : « abandonné ». Mon fils voudra savoir pourquoi il a été abandonné. J'ai plusieurs réponses en tête — inventer une histoire, lui dire la vérité, que nous n'en savons rien. Que suggérez-vous ?

DR BRAZELTON

Le mot *abandonné* a vraiment des implications terrifiantes. Je vous recommanderais de dire que sa mère ne l'aurait sans doute jamais « laissé partir » si elle n'avait pas été tellement pauvre, et si elle n'avait eu tellement peur de ne pouvoir le nourrir ou le soigner correctement. Elle devait beaucoup l'aimer, et souhaiter qu'il ait une vie meilleure. Étant donné que vous savez d'où il vient, vous avez la possibilité de vous renseigner sur sa culture, et de lui en transmettre les points forts. Quand il sera plus grand, il pourra en apprendre plus par lui-même. Un enfant qui connaît son propre héritage culturel en sera fier.

QUESTION

Nous avons été informés tout d'un coup que nous allions avoir notre petite fille, à peine deux semaines à l'avance. Nous nous sommes donc précipités pour tout acheter — vêtements, berceau, etc. Mais, en même temps, je me sentais très triste. Comme une sorte de crise d'angoisse. Je ne pouvais pas vraiment l'expliquer, et je me demandais pourquoi j'étais comme ça avant son arrivée, alors que j'aurais dû être tellement heureuse.

DR BRAZELTON

L'angoisse et la dépression qui accompagnent une étape aussi importante que l'adoption sont le revers de la médaille. La joie prédomine souvent, mais l'angoisse est aussi normale. A ce moment, vous en êtes encore à essayer de renoncer à l'image de l'enfant naturel. L'angoisse et la dépression font partie du processus d'adaptation. Si on est capable, comme vous, d'identifier ces sentiments, de les accepter, l'adaptation sera plus complète. Cette ambivalence appartient à une réaction d'« alarme » qui produit de l'adrénaline, et qui déclenche d'autres phénomènes physiques, tous destinés à favoriser une importante adaptation. Si une mère adoptive est à cent pour cent optimiste, cela m'inquiète. Cela signifie qu'elle ne s'autorise à ressentir qu'un aspect de l'adaptation. La dépression, les sentiments négatifs ont toutes les chances d'apparaître plus tard.

QUESTION

Nous avons adopté notre petit garçon alors qu'il avait déjà deux ans. Cela fait maintenant deux semaines qu'il est avec nous, et il reste toujours tranquille avec l'air affreusement triste. Comment l'aider à se sentir chez lui ?

DR BRAZELTON

Un enfant de deux ans commence à devenir négatif lorsqu'il est suffisamment sûr de lui ; négativisme et colères seront donc un bon signe de guérison. Il est normal qu'au début il soit réservé et déprimé. S'il a été placé dans un bon milieu, chaleureux, sécurisant, il peut manifester son regret de l'avoir quitté pendant au moins un mois ou deux avant de vous laisser pénétrer son intimité. Ses regrets ne prendront vraisemblablement pas une forme active, de pleurs ou de résistance, ce sera plutôt de la passivité, de la réserve. Vous devriez vous sentir soulagée quand il vous laissera voir d'autres aspects de sa personnalité. S'il a eu précédemment une mauvaise expérience, il sera déséquilibré, et vous aurez des difficultés à l'aborder et à communiquer. Il se peut même qu'au début il soit agité et qu'il refuse tout contact. Il peut même se débattre pour ne pas être pris dans les bras ou bercé, parce que c'est quelque chose qu'il a perdu autrefois, et que ça lui fait trop mal. Vous devrez être patiente, ne pas vous décourager. Mais il faut que vous sentiez bien qu'il a peur de croire à l'amour que vous voulez lui donner. Plus il le désire, plus il peut avoir besoin d'y résister. Vous devrez « lui faire la cour » pendant longtemps peut-être. Je dirais que six mois sont nécessaires avant que lui et vous vous sentiez en confiance. Ne le prenez pas mal.

QUESTION

Nous avons une fille de trois ans à nous, et venons d'adopter un garçon de cinq ans. Elle semble éprouver beaucoup d'hostilité à son égard.

DR BRAZELTON

Attendez-vous qu'elle lui en veuille, et ne soyez pas trop contrariée de cela. Essayez de la faire participer à l'adaptation du nouveau venu. Quand elle aura fini par apprendre à vous partager ainsi que sa maison et ses jouets avec son frère adoptif, elle aura appris une leçon importante pour son avenir. Mais elle n'appréciera pas forcément. Aidez-la à comprendre ses sentiments négatifs et montrez-lui que vous êtes capable de les accepter. Mais ne lui laissez jamais penser qu'elle peut vraiment se débarrasser de son frère juste parce qu'elle en a envie. C'est une chose qui lui ferait réellement peur. En la faisant participer, expliquez-lui le mieux possible la situation de votre fils. Quand elle parvient à s'entendre avec son frère, faites-le-lui remarquer et encouragez-la à voir qu'ils finiront par bien s'amuser ensemble. Laissez-les régler seuls leurs problèmes de rivalité. Ils auront plus de facilités pour devenir bons amis, et plus rapidement, si vous restez en dehors de leur relation. Dès qu'il se sentira plus en sécurité, il commencera à mal se conduire. Vous aurez probablement la réaction suivante : « Voilà ce qu'il a appris là où il était avant. Je ne veux pas qu'il se conduise comme cela avec elle. » Elle ne risque rien. Elle peut même l'imiter, elle n'adoptera pas son comportement définitivement. Et en l'imitant, elle se rapprochera de lui, en apprenant à mieux le connaître. Et lui, en exprimant ses sentiments négatifs, il se sentira plus en confiance. Donc, votre tâche, c'est de laisser tout cela se faire.

QUESTION

Nous avons une fille adoptée et un fils à nous, qui est plus vieux. J'éprouve pour lui des sentiments que je ne ressens pas avec elle. Est-ce que cela va durer?

DR BRAZELTON

Vous pouvez avoir de plus en plus de mal à vous y retrouver dans vos sentiments à l'égard de votre propre enfant et de celui que vous avez adopté. Votre fils peut vous dire : « Tu ne m'aimes pas. Il a fallu que tu ailles la chercher. » Ou elle dira : « Tu l'aimes plus que moi parce que je suis adoptée. » Même si leur jalousie ne s'exprime pas, vous aurez à vous contraindre pour avoir les mêmes réactions, les mêmes sentiments. Vous aurez tendance à vous retenir, pour essayer de les traiter de la même façon. Ce qui est impossible. Vous éprouverez fatalement des sentiments différents pour ces deux enfants. C'est utopique d'imaginer que vous puissiez ressentir exactement la même chose pour chacun. Si vous essayez de le faire, vous allez bloquer vos relations avec eux. Chacun d'eux représente quelque chose de différent pour vous, chacun a besoin d'un aspect différent de votre personnalité. Identifiez vos différents sentiments. Mettez-vous au diapason de chaque enfant, pour ce que vous aimez et respectez en lui, et comprenez qu'il convient que vous ayez pour chacun des exigences et des attitudes différentes. Il faudra qu'ils apprennent à vivre en étant traités de façon différente, parce que ce sont des personnes très différentes — pas parce que l'un est votre enfant et pas l'autre. Si vous donnez à chacun le sentiment d'être unique, si vous lui consacrez du temps et de l'attention en tête-à-tête, tout cela s'arrangera.

QUESTION

Comment est-ce que je vais faire quand ma fille voudra rencontrer ses parents biologiques ?

DR BRAZELTON

Vous vous sentirez trahi, jaloux. Vous aurez le sentiment que vous ne vous êtes pas fait aimer assez d'elle ; si c'était le cas, elle n'aurait pas besoin de rechercher d'autres parents. Ces sentiments possessifs sont entièrement naturels. On ne peut pas éviter de vouloir rivaliser avec les parents naturels, de se sentir menacé par eux. Mais vous pouvez aussi voir les choses de son côté. Elle veut en savoir autant que possible sur elle-même, et cette recherche les inclut, eux. A votre place, je l'aiderais dans sa quête, dans sa tentative pour les trouver. De cette façon, vous serez à même de la soutenir, quelles que soient ses découvertes. Vous serez là, indéfectible comme le rocher de Gibraltar, et elle s'en rendra bien compte. Ne vous en faites pas. Elle n'oubliera pas sa « véritable » famille, et elle la chérira plus que jamais. Sa démarche est un test d'elle-même, de ses racines — quelque chose dont chacun d'entre nous a besoin pour sentir qu'il est une personne à part entière.

Comment mon enfant
va-t-il être?

Consultation

Au cours de leur visite suivante avec Jenny à mon cabinet de consultation, Barry et Eileen m'ont demandé si je pouvais leur dire comment allait être leur fille en grandissant, sur le plan du physique et de la personnalité. Cette sorte de curiosité fait partie de leur affection. C'est une preuve de leur attachement à Jenny.

EILEEN

Nous sommes un peu préoccupés par sa prise de poids rapide — pas tellement pour maintenant, mais pour ce que cela peut signifier pour...

BARRY

... plus tard. Est-ce qu'elle sera grosse?

DR BRAZELTON

Certains travaux ont démontré que le nombre de cellules de graisse à son âge indique le nombre que l'on en aura plus tard. Mais qui peut vraiment dire combien on en a ou combien il en faut?

EILEEN

Depuis l'âge de trois mois, elle reste debout quand on lui tient les mains. Est-ce que cela signifie qu'elle marchera tôt?

DR BRAZELTON

Je n'en sais rien du tout. Ce n'est pas obligatoire.

Tout parent voudrait avoir une boule de cristal, et spécialement avec un enfant d'une autre race. Eileen et Barry ne peuvent que passer au crible le moindre élément du comportement de leur fille.

BARRY

Nous ne savons absolument pas d'où elle vient. Nous ne connaissons pas l'histoire de sa famille. Nous ne connaissons pas ses caractères génétiques.

EILEEN

Que pouvez-vous dire à propos de sa personnalité?

DR BRAZELTON

Je ne pense pas que nous sachions vraiment, dès à présent, quelle personnalité elle aura, car elle sort tout juste de ses expériences néonatales.

BARRY

Est-ce qu'on peut en avoir une idée? Par exemple, j'ai remarqué qu'elle adore regarder autour d'elle — son sens visuel est très développé. Est-ce que c'est une indication pour son caractère d'adulte?

DR BRAZELTON

En fait, c'est possible. Il est certain que les bébés asiatiques — j'ai observé des nouveau-nés au Japon et en Chine, et j'ai joué avec eux — ont des périodes d'attention deux fois plus longues que les nouveau-nés de race blanche, et ils manifestent une capacité visuelle et auditive deux fois plus importante. A leur naissance, ils démontrent aussi un comportement moteur plus calme, comme celui de votre fille, plus doux, ils ont un peu des mouvements de danseurs. Il y a donc peut-être là un léger facteur génétique.

EILEEN

Une prédisposition.

DR BRAZELTON

Exact. Et dans ce sens, cela peut indiquer dans une certaine mesure quel genre de personne elle va être. Ce que je continue à voir, c'est combien ses périodes d'éveil sont douces et tranquilles. Vous savez, elle reste éveillée pendant si longtemps. Il y a une chose que je voudrais essayer avec elle... regardez ses yeux. *Je frappe plusieurs fois dans mes mains.* Vous avez vu? Vous avez observé ses yeux? Chaque fois que j'ai frappé dans mes mains, elle a cligné les paupières. Elle est extrêmement sensible et elle ne sait pas encore très bien comment se protéger des bruits. Elle est encore à leur merci. Vous devrez faire attention à cela et essayer de lui donner un environnement plutôt calme pour son sommeil et ses jeux. Lorsque j'ai arrêté de taper, voyez ce qui est arrivé. Elle s'est mise à protester. Mais vous vous êtes précipitée et nous n'avons pas pu voir comment elle proteste. Mais je ne pense pas qu'on puisse vous arrêter.

EILEEN

Instinct maternel. *Elle sourit.*

BARRY

Elle est arrivée la première. Mais j'étais prêt, moi aussi, à prendre Jenny.

Barry et Eileen étaient si sensibles, si prompts à réagir, tellement avides d'information.

EILEEN

C'est toujours difficile pour moi de ne pas intervenir quand elle s'agite.

DR BRAZELTON

Parce que vous êtes encore en train de faire connaissance toutes deux. Chaque fois qu'elle vous dit quelque chose, vous mourez d'envie de saisir, de comprendre.

EILEEN

Les premiers jours, c'était difficile de ne pas la prendre. J'avais un mal fou à attendre qu'elle se réveille pour la prendre dans mes bras.

BARRY

Je fais sans cesse des choses nouvelles pour voir comment elle va réagir. Nous avons inventé un jeu pour lequel je la soulève dans mes bras, et quand je la soulève elle se met à rire, et elle dit : « Ai... ai... » Et quand ça dure trop longtemps, elle commence à pleurer.

EILEEN

Ce petit rire est nouveau — de cette semaine.

DR BRAZELTON

Elle fait de nouvelles choses chaque jour, n'est-ce pas ?

EILEEN

C'est vraiment passionnant.

BARRY

Parfois, quand elle se trouve assise au milieu d'un groupe, cinq ou six personnes autour d'elle, elle regarde une personne après l'autre, sans détourner les yeux, en souriant à chacun. Est-ce que cela signifie qu'elle sera sociable ? Est-ce que cela nous apprend quelque chose sur son caractère ?

DR BRAZELTON

Là, je répondrais oui.

BARRY

Oh ?

DR BRAZELTON

En partie à cause de vous. Le mieux placé pour faire des prévisions, c'est vous.

EILEEN

J'ai l'impression que beaucoup de bébés ont besoin d'être tenus à l'écart des gens. Elle, elle est si à l'aise avec tout le monde. En fait, nous nous demandons si elle conservera ce trait de caractère. *Il y avait quelque chose derrière ces mots.*

DR BRAZELTON

Je ne suis pas sûr de comprendre votre question. Va-t-elle rester sociable ? Est-ce cela que vous voulez dire ?

EILEEN

Eh bien, quand je me promène dans la rue avec elle, nous ne faisons pas cent mètres sans qu'on nous arrête. Nous ne sommes vraiment pas comme tout le monde. J'ai l'impression que cela sera toujours un problème, et je me demande comment elle va réagir.

DR BRAZELTON

C'est ce que j'avais compris.

EILEEN

Je veux qu'elle se sente à l'aise si on la questionne, parce que je pense qu'on l'interrogera, comme on m'interroge à présent. Les gens posent des questions, et j'essaie de répondre de façon décontractée : « Oui, elle vient de Corée. »

DR BRAZELTON

Ils la regardent et ils vous regardent, et puis ils cherchent un père asiatique.

EILEEN

C'est cela. Et ils attendent en quelque sorte une explication, et je voudrais qu'elle ait suffisamment de savoir-vivre pour...

DR BRAZELTON

... répondre avec élégance?

EILEEN

Pas tellement avec élégance. Mais en étant à l'aise. Je ne veux pas que cela lui pose de problème.

DR BRAZELTON

Vous parlez d'image de soi, pas de savoir-vivre.

EILEEN

Exactement.

Eileen et Barry sont déjà très attachés à Jenny. Leur véritable souci n'est pas tellement sa personnalité : ils voudraient savoir si elle sera vraiment à eux.

DR BRAZELTON

Ce que vous dites tous deux, c'est que vous voudriez qu'elle soit à vous et qu'elle en soit heureuse. Une grande partie de ce qu'elle sera dépendra de vous deux, c'est certain. Et ce qu'elle pense d'elle-même ne peut que venir de vous. C'est ce que vous pouvez lui transmettre de plus important.

EILEEN

Que pensez-vous d'elle, sur le plan de la personnalité et du caractère?

DR BRAZELTON

Est-ce que je pense qu'elle est normale?

BARRY

Oui.

EILEEN
  Pensez-vous qu'elle soit *merveilleuse* ?

DR BRAZELTON
  Je pense qu'elle est incroyable. Elle est non seulement adorable, mais aussi forte. Elle est très sensible, et pourtant capable de se débrouiller, ce qui
est un signe de stabilité intérieure. En plus, elle
fait déjà preuve d'une sorte de feu intérieur.
Quand elle a l'occasion de s'extérioriser, que vous
réagissez conformément à ses intentions, elle
s'illumine.

Les problèmes

  Il est naturellement impossible de prédire comment sera un petit bébé. Tout ce que nous pouvons
vraiment faire, c'est voir comment le bébé s'adapte à
la situation présente. La façon dont il s'accommode
de son environnement, son tempérament, voilà les
meilleurs indices de sa personnalité future, bien qu'il
existe beaucoup de données extérieures dans la vie
susceptibles d'influencer l'avenir. De plus, chaque
fois qu'un enfant progresse vers un nouveau stade de
développement, la façon dont il affronte chaque nouvelle difficulté, marche, parole, autonomie, va lui
constituer une histoire personnelle, un ensemble
d'expériences qui déterminera sa manière future
d'entrer en contact avec le monde.
  Les parents se donnent du mal pour essayer d'imaginer l'avenir de leur bébé, et s'attachent au moindre
signe distinctif dans leurs efforts pour le comprendre
en tant que personne. Chaque petite nouveauté dans
son comportement prend dans leur esprit une
importance énorme. Ils personnifient le moindre
trait (« exactement comme grand-mère ») dans leur
effort pour le faire correspondre au monde qu'ils
connaissent. Le désir de voir un bébé comme plus

mûr qu'il ne l'est réellement (« elle dit déjà "papa" ») appartient au même effort. Si les parents ont le sentiment de pouvoir imaginer comment sera le bébé, ils se sentent moins inquiets pour son avenir. Chaque parent craint inconsciemment de perdre son bébé. Plus l'attachement augmente, plus l'inquiétude grandit.

Pour des parents adoptifs comme Barry et Eileen, cette hâte de connaître l'enfant, avec l'angoisse qui l'accompagne, est plus grande encore. Chaque parent a un besoin profond de comprendre un nouveau bébé, de devenir important pour lui, de travailler à son avenir, mais chez les parents adoptifs, ce besoin est encore plus vif. Le désir d'imaginer l'avenir de l'enfant est alimenté par toutes les inconnues relatives à son passé, y compris les expériences intra-utérines et ce qui a pu arriver au cours d'un placement dans une famille d'accueil.

Dans les adoptions interraciales, les parents s'inquiètent rapidement des différences génétiques. Au cours de mes recherches personnelles, effectuées avec des nouveau-nés de quatre continents, j'ai observé et relevé des différences très faibles dans le comportement, l'activité motrice et les réactions aux stimuli parmi les bébés noirs, asiatiques et blancs. Dans ces études, je me suis servi du test que j'ai mis au point, l'Échelle Brazelton d'évaluation du comportement néonatal [1]. Cette échelle consiste en une évaluation de vingt-cinq minutes, portant sur les réactions du nouveau-né à la voix, au visage, à une crécelle, une cloche, une balle rouge, au fait d'être manipulé, bercé, apaisé au moment des pleurs, ainsi que sur les réflexes de base et l'activité motrice. Il y a un puissant caractère d'universalité chez le nouveau-né humain. Mais il y a des différences de style, de qualité, d'éveil, de comportement moteur, de réactions à la manipulation et au jeu. Ce sont des

1. Voir p. 29.

différences individuelles, auxquelles les parents vont réagir et qui forgeront vraisemblablement l'image que les parents se font de leur bébé. Les bébés noirs, dans l'ouest du Kenya, font preuve d'une activité motrice vigoureuse, qui en retour semble inciter leurs parents à les manipuler avec énergie. Bien qu'ils soient tout aussi réceptifs aux signaux visuels et auditifs que les bébés d'autres cultures, l'activité motrice paraît constituer le moyen de communication le plus gratifiant et le plus apprécié pour le bébé et ses parents. Tout le monde joue activement avec les petits bébés, au Kenya ; quand ils sont furieux, on les calme en les balançant énergiquement. Ainsi, le style inné des bébés paraît contribuer à déterminer le tempo selon lequel leurs parents vont réagir avec eux. Les bébés blancs américains ne sont pas aussi vigoureux.

Les nouveau-nés au Japon et en Chine ont un caractère différent. Par exemple, sur la table d'accouchement, après une naissance normale, sans médicament, un nouveau-né japonais de milieu paysan (j'ai fait ces observations dans les îles Goto, situées au large de la côte ouest du Japon) reste en général tranquillement allongé à côté de sa mère. Ses bras et ses jambes effectuent de lents mouvements circulaires, et ses doigts remuent doucement. Tous ces gestes sont doux, sans saccades. Allongé là, il regarde autour de lui et écoute. Si on lui propose un stimulus visuel et auditif atténué, comme une crécelle assourdie, ou une voix basse, il tourne lentement la tête pour rechercher le son. Il suit du regard les déplacements d'un visage en avant, en arrière, vers le haut, le bas, pendant de longues périodes allant jusqu'à vingt ou trente minutes, devenant de plus en plus attentif. Pour ces bébés, les échanges visuels et auditifs paraissaient la chose la plus importante. Quand nous avons observé dans les foyers les habitudes des adultes vis-à-vis de ces nouveau-nés, nous avons noté que les gestes étaient doux, les voix basses et les visages calmes. Il était évident qu'on respectait le besoin de relations « en sourdine » de ces bébés. Ces soins tranquilles et doux étaient accompagnés de fréquentes tétées destinées à calmer les bébés quand ils pleuraient.

En étudiant ces différences qualitatives d'une culture à l'autre, je constatais l'influence à la fois de l'hérédité et de l'environnement. Les prédispositions à certaines réactions motrices, le seuil de tolérance aux stimuli et leur utilisation, tout cela est déjà déterminé au cours de la grossesse par les mouvements de la mère, par son environnement et par le caractère de ses réactions à cet environnement. Dans les tranquilles villages primitifs des îles Goto, les femmes enceintes sont protégées d'une stimulation excessive. A Tokyo, où le rythme de vie et le niveau de stimulation sont similaires à ceux des villes américaines, il y a déjà une différence faible, mais nette dans le comportement des bébés. Ils restent plus tranquilles, plus doux dans leurs mouvements que les bébés blancs ou noirs. Les périodes d'attention restent nettement plus longues que chez les bébés aux États-Unis. Mais les bébés de Tokyo ressemblent plus aux bébés blancs américains, quant au caractère de leurs réactions, qu'à ceux des îles Goto. Les bébés américains font des mouvements plus saccadés, et se laissent plus facilement distraire. Ils sont plus actifs, leurs mouvements ont des sursauts et des réflexes brusques.

Lorsque je présente à des bébés blancs aux États-Unis un stimulus auditif ou visuel, comme un visage qui parle ou une crécelle assourdie, ils bougent leur tête en avant et en arrière vers le haut et vers le bas, mais pas plus de trois minutes. Quand ils essaient de rester attentifs plus longtemps, ils ont une réaction réflexe de tout le corps qui brise le cycle de leur attention. Il faut les calmer avant qu'ils ne puissent recommencer. Les bébés blancs des États-Unis et les nouveau-nés asiatiques et africains ont le même ensemble de réactions sensorielles et motrices, mais chacune paraît être qualitativement différente. Ces différences individuelles, à leur tour, influencent les réactions des parents.

Comme je tenais Jenny, j'avais conscience de son style particulier, je sentais ses réponses douces, « en sourdine ». Elle était docile et calme dans mes bras. Je remarquai que je pouvais facilement la surstimuler en parlant d'une voix forte et en la regardant d'une façon insistante. Elle réagissait en prenant un regard vague, ou en se détournant pour m'exclure de son univers. Si je la tenais de façon nerveuse ou si j'essayais de la retourner, elle se raidissait et s'arc-boutait, et puis son corps devenait tout mou. Tant que je ne respectais pas son seuil de tolérance dans ma façon de la tenir et de communiquer avec elle, je ne pouvais obtenir aucune réponse de sa part. Ses paupières se fermaient, son visage s'immobilisait et je comprenais que j'avais perdu le contact. Tandis que je jouais avec elle, Eileen confirma mes observations. « Il m'a fallu apprendre à ne pas être trop exubérante avec elle. Elle n'aime vraiment pas cela. Au début, je pensais que c'était parce qu'on n'avait pas joué avec elle dans son précédent foyer, mais je vois que c'est plutôt une question de caractère. »

J'ai remarqué parmi ma propre clientèle que les parents ayant adopté un enfant d'une autre race doivent faire davantage d'efforts que les autres pour comprendre leur bébé et les différences qualitatives des rythmes, réactions et comportement moteur. Quand je parle aux mères de mon travail de recherches sur la génétique comparée et des conclusions que j'en ai tirées, c'est-à-dire qu'il faut comprendre et respecter les différences génétiques, elles sont souvent soulagées et ravies. « J'ai d'abord pensé qu'elle n'aimait pas ma façon de la prendre. » Elles me disent comment, inconsciemment, elles se sont mises à accorder leurs réactions à celles de leur bébé. « Dès que je m'y suis mise, nous avons commencé à nous comprendre. Au début, ça m'a vraiment demandé des efforts. » Les parents trouvent qu'il leur faut se donner du mal pour adapter leur genre de réaction à celle du nouveau bébé. Au début, quand ils n'y parviennent pas, les parents éprouvent un sentiment d'échec. Certaines mères comparent cela à une dépression post-partum. Dans un sens, elles ont raison. Bien qu'elles n'aient pas ressenti la tension physique qui accompagne la grossesse, les difficultés psychologiques de l'adaptation peuvent être dévastatrices. « Personne ne nous a dit combien ce serait dur d'apprendre à s'occuper d'un bébé de trois mois. Est-ce que ça vient surtout de ce qu'elle est coréenne ? » (Ou colombienne, ou vietnamienne, etc.)

Il faudrait que les parents adoptifs soient préparés à rencontrer ces différences et à les comprendre. Sans cela, ils interpréteront les difficultés d'adaptation mutuelle comme une incapacité personnelle à s'entendre avec leur bébé. Nos rythmes de mouvement, nos réactions aux autres sont si profondément ancrés en nous que nous avons du mal à les modifier lorsque nous construisons une relation avec une personne différente de nous par son style ou son caractère. Les nouveaux parents sont si anxieux de bien faire que ces différences prennent de grandes proportions et peuvent même mettre en danger la relation qu'ils essaient d'établir. L'angoisse naturelle qu'éprouve une jeune mère ou un jeune père, les efforts intenses qu'il ou elle accomplit augmentent quand les sentiments sont refrénés, et peuvent les conduire jusqu'à la dépression. Lorsque les différences culturelles expliquant le comportement du nouveau bébé peuvent être, dès le début, discutées avec les parents, ces différences ne risquent pas de prendre des proportions exagérées ou d'être mal interprétées. J'espère que les infirmières, les médecins, les autres personnes qui s'occupent des familles dans le cadre des adoptions interculturelles ou interraciales pourront se sensibiliser à ces problèmes et se documenter à leur propos.

Au fur et à mesure que les adaptations se font, les parents vont découvrir que la personnalité de leur enfant adoptif emprunte peu à peu des aspects de la leur. Avec le temps, l'enfant va progressivement imiter leur façon d'être et assimiler leur style avec le sien. Mais, sous l'influence d'un stress comme une expérience traumatisante ou une nouvelle adaptation — l'école par exemple —, quand il faut apprendre rapidement des choses nouvelles, le style de comportement inné de l'enfant peut refaire surface. A ce moment, il a besoin de compréhension et de respect de la part de ses parents, tout comme au début. Plus tard, les parents pourront l'aider à se comprendre lui-même, à connaître son style de comportement. Je suis toujours surpris de voir quelle satisfaction tire un enfant de six à sept ans quand il commence à se comprendre lui-même ainsi que ses réactions. Si Barry et Eileen peuvent accepter les différences qui existent entre le caractère de Jenny et le leur, ils seront prêts à l'aider à les comprendre eux aussi. Leur compréhension mutuelle grandissante les rapprochera de plus en plus. Le but d'Eileen et de Barry, c'est de parvenir au sentiment qu'ils sont aussi proches d'elle qu'ils l'auraient été d'un enfant naturel et que rien ne manque à leur relation — ni pour elle ni pour eux.

Questions courantes

QUESTION

Qu'est-ce qui influence le plus un enfant — ses gènes ou la façon dont ses parents l'élèvent ?

DR BRAZELTON

La personnalité fondamentale est vraisemblablement héréditaire. Mais la façon dont nous utilisons notre capital génétique et notre comportement dépendent sans doute de notre environnement ainsi que des tensions vécues. Il n'est *jamais* possible de séparer l'inné de l'acquis.

QUESTION

On dirait que certains comportements changent et d'autres non. Y a-t-il des règles ?

DR BRAZELTON

Il n'y a pas de règles qui soient simples. Une des raisons pour lesquelles il est tellement difficile de prévoir ce que sera un enfant, c'est qu'à chaque stade de développement (et il y en a beaucoup) la personnalité de l'enfant est entièrement réorganisée. C'est une bonne chose, car ça signifie que, même s'il a un parent naturel marqué par un gros problème, l'enfant peut apprendre à canaliser des tendances similaires et à les utiliser positivement. L'organisme humain est malléable de nature. Chaque changement de notre vie est une perturbation, mais une source d'enseignement, et il nous permet sans cesse de changer, de nous développer. Sachant cela, un parent adoptif aura moins tendance à projeter sur l'enfant les « fautes » du parent naturel. Dire « étant donné que son père était irresponsable, elle le sera forcément », paraît une grossière injustice, mais c'est une pensée courante chez les parents adoptifs. Plus vous pourrez encourager le potentiel de votre enfant adoptif, moins vous le caractériserez par ses antécédents et mieux vous développerez son image de soi et sa capacité à utiliser positivement tous les traits et les comportements dont il a pu hériter.

QUESTION

Ma fille est calme et sensible, et de plus semble avoir des dispositions artistiques. Comme j'ai moi-même une profession artistique, j'espère qu'elle va continuer dans cette direction. Est-ce que nous devrions l'encourager?

DR BRAZELTON

Certainement. Non seulement parce qu'elle semble avoir un tempérament artistique, mais surtout parce qu'elle peut ainsi s'identifier à vous et à vos intérêts. Elle va sentir et apprécier votre talent, et c'est cela qui l'encouragera. Ne la poussez pas, mais aidez-la quand elle essaie d'« être comme maman ».

QUESTION

Actuellement, mon fils est vraiment très facile. Est-ce que cela veut dire que quand il sera plus grand il se laissera faire par tout le monde?

DR BRAZELTON

Pas nécessairement. Un enfant facile peut aussi être sûr de lui, décidé, obstiné. Il peut ne pas réagir à cause de l'idée qu'il se fait de lui-même. Quand on lui marche sur les pieds, ne vous précipitez pas pour le protéger. Si vous considérez son caractère conciliant comme un problème, lui-même le vivra comme un échec. Quand il se fait bousculer, dites-lui : « Tu sais très bien que tu peux te défendre quand il le faut. Tu peux apprendre à te débrouiller avec les enfants autoritaires. Si tu veux lui tenir tête, tu le peux. Et, si tu le fais, il te laissera tranquille. Mais si cela ne t'ennuie pas de le laisser faire, moi cela ne m'ennuie pas non plus. Je sais que tu es capable de te débrouiller. » Pour se protéger lui-même, il a besoin d'être sûr de lui.

QUESTION

Ma fille va chez une nourrice trois fois par semaine et, lorsque nous la quittons, elle ne paraît pas du tout ennuyée. De plus, elle boit son biberon toute seule. Elle ne nous laisse pas le lui donner, et je me demande s'il s'agit là de signes d'indépendance? Sera-t-elle ainsi toute sa vie?

DR BRAZELTON

Je l'espère. Elle semble très débrouillée, très sûre d'elle-même. A votre place je lui dirais combien vous êtes fière d'elle. Mais je ne m'attendrais pas à ce qu'elle soit aussi débrouillée tout le temps. Je la préparerais à l'avance pour ses visites chez la nourrice, et je resterais de toute façon un peu avec elle. Par ailleurs, je la tiendrais toujours dans mes bras quand elle boit son biberon. Tout enfant qui a besoin d'un biberon a besoin d'un moment d'intimité avec vous. Si elle se met à régresser et qu'elle manifeste un besoin soudain pour une dépendance accrue, saisissez l'occasion et profitez-en. Dites-lui que c'est permis d'être dépendante, quoiqu'elle sache très bien être indépendante.

QUESTION

Parmi les traits de caractère que nous remarquons chez nos enfants, combien en souhaitons-nous leur voir conserver?

DR BRAZELTON

Probablement une bonne partie. L'influence de nos désirs est très grande. Un enfant essaie de toutes ses forces, consciemment et inconsciemment, de satisfaire vos ambitions. Ainsi, vous ne cessez de le former à travers vos rêves. Ça lui coûte. L'enfant fait des efforts pour parvenir à ce que vous attendez de lui et va même incorporer vos objectifs aux siens. S'il y parvient, c'est parfait. S'il n'en est pas capable, cela peut lui coûter l'estime de soi. Il faut donc que, constamment, vous réadaptiez vos rêves à la réalité en étant à l'écoute de ce qu'il veut devenir et de ce qu'il peut devenir. Si vous réussissez à accorder vos rêves aux siens, vous lui donnerez la meilleure chance de se sentir bien dans sa peau.

QUESTION

Y a-t-il une relation entre le développement physique et verbal ? Chez ma fille, le langage se développe beaucoup plus tôt que la coordination.

DR BRAZELTON

Il semble y avoir une relation inverse, au moins dans les premiers stades du langage. Un enfant très actif ne semble pas avoir le temps de parler. Il lui faut sans cesse agir. Un enfant moins orienté vers les activités physiques a plus tendance à utiliser le langage pour obtenir ce qu'il veut.

QUESTION

Des deux côtés de la famille, il y a un problème de poids. C'est une chose dont nous sommes conscients. Y a-t-il des risques pour que mon fils ait aussi un problème de poids en grandissant ?

DR BRAZELTON

Pas mal de risques. Le type physique des parents a tendance à être héréditaire et dominant. Ce n'est pas toujours le cas, car il y a des gènes récessifs qui peuvent apparaître. Mais il serait surprenant qu'il n'ait pas un type physique semblable au vôtre. Il est donc important pour lui d'apprendre tôt à contrôler son poids. Il n'y réussira pas si c'est vous qui gérez son appétit et sa nourriture. Vous le pousseriez à la longue à se révolter et à manger excessivement. Il apprendra en imitant votre comportement. Si vous réussissez à suivre votre régime, sans que cela vous cause un problème, il y a toutes les chances pour qu'il vous copie. Si vous parvenez à montrer l'exemple pour l'exercice physique et les sports, il sera plus attiré par ce genre d'activité. La combinaison d'un régime surveillé et d'une pratique sportive régulière, voilà la façon la plus sûre d'éviter l'obésité.

QUESTION

Ma fille a tendance à être très agressive avec les autres enfants. Même quand elle essaie de les embrasser, elle finit par les faire tomber. Est-ce que cela signifie qu'elle sera agressive plus tard ?

DR BRAZELTON

J'espère que non. Ce comportement ne mène pas obligatoirement à l'agressivité. Actuellement, elle ne le fait pas exprès. Cependant, si elle fait peur aux autres enfants quand elle s'approche d'eux et si leur réaction l'effraie à son tour, cela peut déclencher des réactions en chaîne immodérées provoquées par l'angoisse, la poussant éventuellement à brutaliser les autres enfants. A votre place, je l'aiderais à voir que les autres enfants n'aiment pas la violence. Je lui dirais avant chaque sortie susceptible de l'exciter que je voudrais l'aider à trouver des façons de se contrôler. Et je m'y exercerais avec elle. Ne la grondez pas trop quand elle échoue, mais faites-lui savoir que vous ne tolérez pas qu'elle fasse du mal aux autres, et éloignez-la d'eux si nécessaire. Une des meilleures façons de l'aider serait de trouver un enfant qui lui ressemble et de les laisser jouer ensemble. Ils apprendront rapidement l'un de l'autre. Alors vous pourrez lui enseigner à aborder des enfants moins agressifs. Je ne veux pas dire qu'il faille réprimer toute agressivité en elle, mais vous pouvez l'aider à canaliser cette agressivité, à la transformer en une conduite acceptable, pour qu'elle

puisse plaire aux autres et se plaire à elle-même.
Apprendre à vivre avec ses sentiments agressifs, à
les contrôler, c'est le processus de toute une vie. Si
un enfant a peur de perdre son contrôle, il aura
tendance à se retenir et ensuite à exploser, et ris-
quera, par la suite, de devenir une personne
agressive et mal à l'aise.

Quelques années plus tard,
chez les O'Connell-Beder

En arrivant à la petite maison de deux étages
d'Eileen et de Barry, située dans un faubourg de Boston, je levai les yeux vers le porche, en haut d'un
escalier raide. Les trois membres de la famille se
tenaient là pour m'accueillir, Eileen, Barry et Jenny,
trois ans. Une voisine qui passait par là me vit en
train de les regarder. « Quel charmant tableau ! » dit-
elle. Je ne pus qu'acquiescer. Leur trio ne passe pas
inaperçu ; Eileen avec ses grands yeux bleus et sa
chevelure rousse est le type même de beauté qui plai-
rait à un directeur de magazine. Mais, en plus, elle
est chaleureuse, radieuse, accueillante. Barry est
mince et brun, il se dégage de son apparence une
impression de force et de calme. Et puis Jenny, avec
son corps trapu, ses traits asiatiques fins et ses cheveux noirs raides, présente un troisième type, tout
différent. Son regard noir devient plus réservé quand
on s'approche. Tous m'ont salué du porche, mais
Jenny s'est reculée pour se cacher derrière les
jambes de ses parents. Elle m'a fixé sans aucune
expression pendant les quinze minutes qui ont suivi
mon arrivée, sans me laisser l'approcher. Je me suis

donc détourné pour m'adresser à ses aimables parents.

Après être entré dans la maison, après m'être assis à la table pour prendre des notes, j'ai senti une petite main sur ma jambe. Jenny venait solliciter mon attention. Dès que je lui ai répondu, elle s'est mise à communiquer. C'était comme si nous avions ouvert des vannes ; elle me montra ses jouets, me fit des dessins, me raconta ses « secrets ». Pendant le reste de ma visite, elle s'est comportée comme si j'étais là pour elle, et n'a pas arrêté de me faire du charme. Elle bavardait constamment. Chaque fois que je me plongeais dans une conversation avec ses parents, son bavardage devenait insistant, comme si elle était décidée à conserver l'attention des adultes. Je me demandais si ce n'était pas pour elle une façon de rivaliser avec John, son petit frère de dix-huit mois, qui dormait dans une autre pièce.

Eileen me dit que Jenny avait la réputation de séduire tous leurs amis. Je n'avais pas de mal à le croire. Quand elle était à court de ce délicieux bavardage, elle s'immisçait physiquement. Elle se glissait vers mon genou, posait doucement sa main sur ma jambe, et me regardait fixement de ses yeux noirs. Je la trouvais irrésistible. J'avais du mal à me retenir de la prendre sur mes genoux ou de me pencher vers elle pour lui parler. Il m'était difficile de converser avec ses parents. Dès l'instant où je lui répondais, elle s'animait sans se départir de son calme, elle penchait légèrement la tête, me regardait dans les yeux, avec un large sourire, et une fossette dans la joue gauche. Elle s'exprimait avec des phrases complètes, compliquées pour une enfant de trois ans. Plus tard, je me suis rendu compte combien elle ressemblait à Eileen, avec ce charme irrésistible et subtil. C'était presque une version asiatique des aimables manières irlandaises de sa mère. Le contraste entre leur apparence physique rendait cette ressemblance surprenante.

Je me retrouvai rapidement subjugué par eux tous. La personnalité réservée, intelligente de Barry représentait le point d'assise du trio. La façon dont Jenny me faisait la cour démontrait qu'elle se sentait en complète sécurité avec lui. Dans mon bureau, je peux vite dire quelles sont les relations entre un enfant et son père par la façon dont il se comporte avec moi. Au fur et à mesure que nous communiquions, elle s'installait confortablement dans notre nouvelle relation. Elle faisait preuve d'assurance, en même temps que d'un sens de la joie qu'elle finit par me transmettre. La façon dont un petit enfant se comporte avec un homme, médecin ou ami de la famille, est toujours fonction de son expérience passée avec l'homme qui compte dans sa vie. Les enfants dont les pères s'occupent beaucoup grandissent avec un sentiment de confiance que je ressens même au cours d'un bref contact à mon cabinet.

Eileen me parla de leur vie présente. Ils avaient adopté quinze mois plus tôt John, par l'intermédiaire de l'agence d'adoption coréenne qui leur avait déjà envoyé Jenny. Lui aussi avait trois mois à son arrivée. La famille d'accueil qui s'était occupée de lui leur avait envoyé des photographies d'elle avec lui, nouveau-né, ainsi que son ours en peluche et des vêtements coréens pour quand il serait un peu plus grand. Ils avaient insisté pour que les Beder leur envoient régulièrement des photos. Le fait qu'il se soit trouvé avec des gens qui s'intéressaient à lui avait donné une bonne impression à Eileen et à Barry.

A présent Eileen ne travaille qu'un jour par semaine, comme psychothérapeute. Le reste du temps elle est à la maison. Barry passe deux jours par semaine chez lui pour être avec sa famille. L'institut Beder, qui propose aux entreprises et aux individus des programmes pour arrêter de fumer et de boire, ainsi que pour résoudre d'autres problèmes personnels, est submergé par les consultations. Avant l'arrivée des enfants, Barry voyageait beaucoup. Maintenant il s'absente rarement.

Barry travaille avec Eileen sur un programme vidéo destiné à exposer certains de ses conseils et de ses techniques pour arrêter de fumer. Il a combiné de façon originale l'auto-hypnose à d'autres façons de se prendre en charge personnellement. L'impression d'assurance tranquille qui se dégage de lui doit être un facteur de succès pour son institut. Cela dit, il n'est jamais aussi radieux que lorsqu'il parle de sa famille. Il m'a raconté les difficultés qu'il a eues pour laisser John intervenir dans sa relation avec Jenny, et je me suis rendu compte que j'ai rarement entendu des pères exprimer ainsi leurs sentiments les plus intimes. Il m'a dit : « J'ai besoin d'être plus souvent à la maison en ce moment pour m'y retrouver dans les nouvelles relations avec Jenny et John, et même avec Eileen, car entre nous ça a changé. Nous n'avons jamais été plus heureux. » Eileen acquiesça de la tête.

A présent, tous deux n'étaient plus mal à l'aise pour me dire ce que leur stérilité avait réellement signifié pour eux. Huit années d'efforts mensuels avaient épuisé Eileen. Le pire pour eux était l'absence de diagnostic. Les médecins disaient qu'il n'y avait absolument aucune cause, et qu'une grossesse pouvait arriver à n'importe quel moment. Ils avaient subi tous les tests possibles, plusieurs fois, ainsi que des interventions chirurgicales. Ils avaient essayé la courbe de température, ainsi que des « recommandations pour avoir des rapports sexuels de certaines façons ». Tous deux avaient passé toutes sortes d'examens destinés à visualiser l'appareil reproducteur. « Ils m'ont même "croisé" avec un œuf de hamster, dit Barry en souriant, pour s'assurer que mon sperme était efficient. » Ils essaient encore. Eileen prend des extraits thyroïdiens, bien qu'elle n'en ait pas vraiment besoin. Le désespoir de ces années de tentatives contrastait avec l'apparence de ce couple charmant et assuré. Je sentais que ces expériences avaient sans aucun doute approfondi leur relation et leur avaient permis de mieux se connaître. Leurs efforts n'avaient pas été vains.

« Personne ne parvient à détecter une déficience chez aucun de nous, dit Eileen. Cela devrait être rassurant, bien au contraire, c'est odieux. En fait, avant l'adoption de Jenny, chaque mois l'attente me rendait folle ; je devenais un véritable paquet de nerfs avant mes règles. Et chaque mois, quand mes règles commençaient, la déception et la dépression étaient tellement terribles que je ne me contrôlais plus. Notre mariage était au bord de la rupture. Nous suivions une thérapie pour essayer de le sauver. Chacun de nous en voulait à l'autre, et à soi-même. Barry passait sa vie à voyager. Je travaillais comme une folle. Nous nous rendions compte que nous ne vivions pour rien d'autre que pour une grossesse. Bien que je ne puisse toujours pas renoncer à mon envie d'être enceinte, j'ai peu à peu compris qu'il fallait tirer un trait sur cette partie de ma vie. Même si je ne devais jamais être enceinte, il fallait que je devienne une mère. Nous avons donc décidé d'adopter. Il fallait nous sauver, sauver notre mariage, et ça a marché. »

Je demandai si elle voulait d'autres enfants. Elle hocha la tête. « Deux, c'est suffisant en ce qui me concerne, dit Barry. Je veux avoir le temps de profiter de ceux que nous avons. J'ai du mal à renoncer à ma relation privilégiée avec Jenny. » Il s'arrêta, puis continua : « Je viens d'une famille juive de Boston. Mon seul frère avait deux ans et demi de plus que moi. Nous nous disputions sans cesse, pour autant que je me souvienne. Il a eu deux garçons ; Michael, qui a treize ans, nous aime beaucoup et veut toujours venir chez nous. Michael a été très jaloux de Jenny quand nous l'avons eue. Nous l'emmenons dans nos sorties familiales. Vous savez, mon frère est mort il y a deux ans d'une tumeur au cerveau. Tumeur qui se développait vraisemblablement depuis qu'il était jeune. Pour tout le monde, mon frère était un médiocre, peut-être avait-il ce problème avant d'être adulte, avant d'avoir fondé une famille. » Je devinais que Barry s'identifiait profondément à son frère et qu'il se sentait coupable d'avoir tellement rivalisé avec lui et d'avoir « gagné ». Car il a effectivement réussi sa vie professionnelle, sa famille et il a même réglé le problème de stérilité. Ce sens de la compétition a de toute évidence contribué à sa réussite, mais il conserve le sentiment d'avoir une part de responsabilité dans le destin tragique de son frère. De tels sentiments, que la psychanalyste Selma Fraiberg appelle les « fantômes de la nursery » subsistent comme des témoins de notre passé, et influencent forcément les réactions d'une façon souvent incontrôlable. Barry est conscient de ses propres sentiments, ça lui donne une chance de les contrôler, mais pas de s'en débarrasser.

En me parlant de leur passé, Eileen et Barry m'aidaient à comprendre pourquoi il était essentiel pour eux de devenir parents. « Au début, je n'acceptais pas de ne pouvoir être enceinte, dit Eileen. Si je ne pouvais être enceinte, alors je ne voulais pas de bébé du tout. Mais j'étais de plus en plus déprimée, je m'éloignais de plus en plus de Barry et je me suis rendu compte que je le tenais pour responsable. Je ne pouvais envisager de porter moi-même la responsabilité. On n'avait qu'à voir mon frère et ma sœur, ils étaient fertiles ! Moi aussi je devais l'être. »

« Pendant ce temps, dit Barry, j'étais de plus en plus furieux parce que je ne suffisais pas à son bonheur. Pourquoi avait-elle besoin d'une famille, en plus ? Est-ce que ce n'était pas assez de m'avoir ? Je me suis peu à peu rendu compte que je ne pouvais supporter le sentiment de culpabilité dont je souffrais. »

« Un soir, dit Eileen, je me suis dit : "J'en ai assez",

je me souviens même où j'étais assise et à quoi ressemblait la pièce. J'ai dit à Barry : "Nous allons adopter un enfant." » Barry approuva d'un signe de tête.

« Pour moi, dit Barry, la question c'était de transmettre le nom, l'héritage familial. C'est important dans les familles juives. A présent ma famille aime mes enfants autant que ceux de mon frère, ce qui, au début, n'était pas le cas. Mais il m'arrive encore de rêver de bébés blancs avec les yeux bleus. Nous avons tous deux les yeux bleus et (regardant sa femme) il m'arrive même de rêver à un bébé aux cheveux roux ! »

« Je me répète que j'ai fait mes preuves en tant que mère, dit Eileen, et j'ai retrouvé, en grande partie, une bonne image de moi. Mais j'ai toujours le même désir de grossesse. Nous avons nos deux bébés qui sont parfaits. Je sens que j'aime maintenant Jenny et John vraiment comme des personnes. Chaque fois que je pense à un bébé de moi, je me rappelle comme ils sont formidables. Je ne suis pas certaine que nous ayons jamais pu mettre au monde un enfant aussi gentil que Jenny ou aussi passionnant que John. Quand Jenny est arrivée c'était déjà une petite personne accomplie. Elle a attendu longtemps avant d'apprendre notre langage, comme si elle ne parvenait pas à renoncer à son héritage coréen. A deux ans elle s'y est mise. Elle a d'emblée parlé par phrases. A deux ans et demi elle pouvait tout dire. Pour faire quelque chose, elle attend, jusqu'à ce qu'elle sache, et ensuite elle le fait parfaitement. C'est une petite personne si douce, si désireuse de faire plaisir. Elle ne veut faire que ce que nous voulons qu'elle fasse. Nous ne la méritons pas.

— Voulez-vous dire qu'elle est arrivée toute faite et qu'il vous serait impossible de la "gâcher" ? » demandai-je. D'autres parents adoptifs avaient déjà parlé en ces termes.

Eileen acquiesça de la tête. « John est vraiment

différent. Il est déjà tombé trois fois dans les esca-
liers. Il a arraché les cache-prise du mur et a même
abîmé les prises. Il vit dangereusement; c'est toujours impressionnant. Lorsque nous l'avons emmené
au tribunal pour l'adoption, il a fait tomber tous les
cendriers des tables, a levé les yeux sur le juge avec
un rire provocant. Nous avions le sentiment que le
juge nous regardait pour voir si nous étions vraiment
capables de nous en occuper. J'avais peur qu'il ne
refuse l'adoption. Mais heureusement il connaissait
les enfants et la période de négativisme.

— Vous parlez de vos enfants comme s'ils étaient
le contraire l'un de l'autre, observai-je, comme s'ils
avaient déjà une forte individualité, même en dehors
de vous.

— J'ai eu les enfants dont je rêvais, dit Eileen. Ils
ont en effet de fortes personnalités. Ce sont de gentils enfants. J'aime ce qu'ils sont. Je les regarde avec
fierté lorsque nous nous trouvons avec d'autres gens.
Tout le monde les aime. Jenny a déjà beaucoup
d'amis. J'attends avec impatience chaque nouvelle
étape de leur développement. Plus ils grandissent,
mieux c'est.

— Est-ce que cela veut dire que vous êtes contente
qu'ils ne soient plus des bébés ? demandai-je.

— Je ne suis pas très bébés, répondit-elle. Mon
pédiatre dit que cela provient peut-être de ce qu'ils
ont été adoptés. Je pense que les neuf mois de grossesse permettent une adaptation que l'on n'a pas
avec l'adoption. »

Je me demandai s'il n'était pas plus facile de se
sentir responsable d'eux quand ils ont atteint un certain âge. Je me rappelais encore combien l'arrivée de
Jenny avait soulevé de difficultés et j'en fis la
remarque à Eileen. « Oui, dit-elle, je n'arrivais pas à
communiquer avec elle, je me sentais catastrophée.
Et alors vous m'avez suggéré de laisser à Jenny le
choix du moment où elle se sentirait prête à venir à
moi. Je me suis rendu compte que j'avais été trop

accaparante. Elle était tellement tranquille et moi je suis si exubérante. Je me suis calmée, j'ai ralenti mon rythme et elle s'est ouverte peu à peu. Pour devenir juste comme maintenant! » Elle jeta sur Jenny un regard plein de fierté.

Jenny vint à moi. « Est-ce que tu veux du thé? » demanda-t-elle. « Rien ne me ferait plus plaisir! » m'exclamai-je. Mon enthousiasme parut l'embarrasser, et elle dit avec précaution : « C'est seulement du thé pour rire. » Je me rendis compte que j'avais réagi trop fort. Je dis tranquillement : « Jenny, le thé "pour rire", c'est justement ce que je veux. » Elle sourit avec sa ravissante fossette. Nous nous mîmes à boire le thé « pour rire » avec de vrais biscuits, que nous apporta sa mère. Je comprenais pourquoi Eileen et Barry devaient faire en sorte de respecter la sensibilité de leur enfant. Elle pouvait encore facilement être désarçonnée par une réaction trop forte. A la suite de cet épisode où j'avais su respecter son besoin de relations sereines, elle m'avait adopté. Elle s'assit sur mes genoux. Elle tournait les yeux pour écouter ce que je disais, jouait gentiment lorsque nous le lui demandions, et répondait par des phrases élaborées lorsque je lui adressais une question. A présent nous étions vraiment amis, « sur la même longueur d'onde ».

« Comment avez-vous décidé d'adopter un bébé asiatique? demandai-je à ses parents. Avez-vous fait des essais dans notre pays?

— Oh oui! dit Eileen. Nous sommes passés par toutes les épreuves. Vous n'avez aucune idée des difficultés rencontrées de nos jours quand on essaie de trouver un bébé.

— Quand Eileen est allée aux œuvres catholiques, dit Barry, on lui a dit : "Nous ne pouvons pas vous donner un bébé catholique. Vous êtes mariée à un juif. Comment saurions-nous dans quelle religion ce bébé serait élevé?" Quand elle s'est adressée aux agences juives, on lui a dit : "Nous ne donnons jamais nos bébés à une mère qui n'est pas juive. Même si le père est juif. C'est la religion de la mère qui compte."

— Nous nous sommes tournés vers la filière latino-américaine, continua Eileen, et nous avons découvert quel épouvantable marché noir cela peut être. Il faut envoyer mille dollars simplement comme droits d'inscription. Ensuite il se peut que vous n'ayez jamais aucune nouvelle. Nous avons des amis qui sont allés jusqu'à faire le voyage pour découvrir qu'il n'y avait pas de bébé disponible. Cela nous déplaît que les bébés soient traités comme des marchandises. Nous n'avons pas supporté les transactions et nous avons donc renoncé à l'Amérique du Sud. Nous avions fait un voyage en Chine et nous avions vu comme leurs bébés sont beaux ; nous nous sommes dit : pourquoi pas un bébé asiatique ?

— Je me suis tout de suite senti à l'aise dans l'agence où je me suis adressé ici, dans le Massachusetts, continua Barry. Ils nous ont mis en rapport avec la famille nourricière. Ils nous ont préparés à l'arrivée du bébé. Ils se sont comportés comme si leur objectif était le *bébé* et son adaptation. Nous avons tout de suite senti que nous avions les mêmes intérêts. Nous voulions le maximum pour le bébé. »

Je remarquai sur plusieurs murs des photographies de Chine et de Chinois. Je demandai si c'était un effort délibéré de leur part pour rendre les enfants conscients de leur héritage, et des personnes leur ressemblant. Barry dit tranquillement : « Non. Ce sont des souvenirs de voyage. En fait nous avons pensé les enlever de peur qu'elles ne troublent les enfants.

— Qu'elles les troublent ? demandai-je.

— Ils peuvent se demander si ce sont là des portraits de leur famille, expliqua Barry. Des amis nous ont dit qu'ils allaient grandir en pensant que ces gens appartenaient à leur famille, étant donné qu'ils sont si différents de nous. Les personnes photographiées leur ressemblent.

— Ce que j'ai l'intention de leur dire, déclara Eileen, c'est que papa et moi nous ne sommes pas nés dans la même famille. Nous avons des origines différentes, nous nous sommes choisis pour fonder une famille. Et c'est comme cela que nous vous avons choisis. Nous sommes une même famille, tous d'origine différente.

— C'est une magnifique explication. A votre place, je n'abandonnerais jamais le concept : "C'est ici votre famille", insistai-je. Ils ont besoin de vous entendre le dire. Mais ils ont aussi besoin de voir des Asiatiques auxquels ils puissent s'identifier. C'est pourquoi c'est si bien d'avoir ces photographies, ces petites touches asiatiques dans votre maison, ainsi que les vêtements de John.

— Nous nous sommes joints à un groupe d'autres parents élevant des enfants asiatiques, dit Eileen. Nous sommes à présent très nombreux. Nos enfants se fréquentent tous, et nous apprenons énormément les uns des autres. Ils parlent tous d'une troisième adoption. C'est ce qui me donne le sentiment que nous devrions le faire, nous aussi. »

Barry fit une grimace. « Plus d'enfant ! s'exclama-t-il.

— Sauf si je suis enceinte », dit Eileen. Barry acquiesça.

Aucun d'eux n'avait tout à fait abandonné le rêve d'une grossesse. J'espérais qu'ils n'y renonceraient jamais, tant que cela ne leur serait pas trop douloureux.

« Je voulais vous parler d'un jeu que Jenny a inventé juste après avoir appris à parler, dit Eileen. Elle disait : "Je suis un docteur." Je disais : "Tu veux aller chez le docteur ?" Elle secouait la tête. "Non, le docteur c'est *moi* !" Nous étions déroutés jusqu'au jour où elle a dit : "Je suis un docteur quand j'étais un bébé." Je me suis rendu compte qu'elle essayait de me faire comprendre qu'elle était au courant de son adoption. »

C'était la réponse à l'une des questions que posent toujours les parents adoptifs. Quand devrai-je lui dire qu'elle est adoptée ? Si vous en parlez dès le début, elle l'accepte comme une partie d'elle-même. Jenny essayait de s'assurer qu'Eileen, elle aussi, l'acceptait. C'est une réaction qui arrive de temps en temps et qui doit être accueillie avec la plus grande assurance.

« L'autre jour, continua Eileen, elle a dit : "Es-tu ma vraie mère ?" Il me semble que c'est arrivé alors que nous nous trouvions à la piscine. Quand je l'ai appelée, les autres enfants ont remarqué combien nous étions différentes et ils ont posé des questions. "Est-ce que c'est ta *vraie* mère ?" Jenny paraissait mal à l'aise, pas à cause de la question, mais parce qu'on se moquait d'elle. J'ai dit : "Bien sûr que je suis ta vraie mère !" Elle a dit : "Mais je suis arrivée dans un avion ! — Oui, mais tu es venue pour que je sois ta vraie mère. En Corée, il y avait quelqu'un qui ne pouvait pas être ta vraie mère, et elle t'a laissée devenir mon enfant, entrer dans ma famille. Maintenant papa et moi nous sommes ta vraie famille." Elle s'est tue, puis s'est précipitée vers eux pour dire : "Elle est ma vraie maman !" Nous l'avons entendue leur expliquer tout cela. Je suppose que cela arrivera encore, et encore, au fur et à mesure qu'elle grandira.

— Les gens nous demandent toujours : "Sont-ils frère et sœur ?" ajouta Barry. Quelqu'un a même dit : "Est-ce qu'ils sont jumeaux ?" Pour nous, il faut être complètement insensible pour trouver que tous les enfants asiatiques se ressemblent. On dirait que les gens ne regardent même pas. Nous aimons énormément leur individualité.

— Malheureusement, il leur faudra sans cesse affronter ce genre de situation, dis-je. Ils ont effectivement un aspect différent des enfants qu'ils rencontrent. A l'école, cette différence va perturber les autres enfants occupés à essayer de s'y retrouver parmi leurs propres différences individuelles. Vous aurez la tâche de les rassurer sur leur individualité, sur l'importance de leurs origines et de leur culture, mais aussi sur le fait qu'ils sont complètement acceptés ici, au sein de votre famille.

— J'ai déjà parlé de la différence qu'il y a entre nous, du fait que l'un est catholique et l'autre juif. Notre mariage a donné du fil à retordre à nos familles : "Allez-vous faire circoncire vos garçons ? Allez-vous baptiser vos bébés ?" Il nous a fallu les aider à se faire à la situation et, en cours de route, nous sommes arrivés à comprendre ce que nous ressentions face aux différences. Maintenant nous sommes mieux armés pour aider les enfants.

— Est-ce que vos familles les acceptent à présent ? demandai-je.

— Oh oui ! dit Eileen. Ils nous appellent tout le temps pour avoir des nouvelles. Le fils de ma sœur n'a qu'un mois de différence avec John, et mon frère a une fille qui a deux semaines de moins que Jenny. Jenny va aller à la même école que sa cousine. Elles s'adorent. Nos enfants font vraiment partie de la famille, et s'entendent très bien avec leurs cousins.

— Ils ont vraiment de la chance, dis-je.

— Nous aussi, nous avons de la chance, dit Barry. Ils ont vraiment cimenté notre famille. Maintenant nous nous déplaçons en bande — nous formons un groupe de quatre. Nous n'avons jamais été plus heureux ensemble, Eileen et moi. Nous avons un sentiment d'accomplissement tel que nous n'en avions jamais rêvé. » Eileen approuva avec énergie. « Je passe deux jours dans la semaine à la maison, je fais du ménage, un peu de cuisine — pour aider Eileen, mais aussi pour faire véritablement partie de la famille.

— Ça pose des problèmes avec ses amis hommes, dit Eileen en souriant. Ils viennent et disent : "Tu ne voudrais pas faire le ménage chez nous aussi ?" ou : "Arrête — tu nous mets dans une situation difficile." Ça leur pose vraiment un problème.

— Moi, ça ne me gêne plus du tout, dit Barry. Je reconnais qu'au début ça me gênait. Mais je me suis rendu compte que j'avais été profondément affecté de découvrir que nous ne pouvions pas avoir de bébé. Peut-être que je n'avais pas de bébé parce que j'étais incapable de m'en occuper. Peut-être que je n'étais pas normal. En allant à l'aéroport chercher Jenny, je continuais à me poser des questions : "Est-ce que je suis capable d'être un père ?" A présent, je suis très fier d'être un bon père. Cela me dédommage largement de tout échec. John nous appelle tous deux "maman".

« Si je reste absent de la maison plusieurs jours, continua Barry, j'oublie où se trouvent les choses. *J'ai besoin* d'être là, pour mon propre bien, pour garder le contact. Le seul moment où je me sente hésitant, c'est quand Eileen m'appelle au bureau et que je suis au milieu d'une séance avec un groupe de cadres de haut niveau. Elle appelle pour dire : "Les enfants veulent te parler !" Il faut que je m'arrête pour "parler bébé". Mais je sais tous les bienfaits que j'en ai recueillis, et je m'imagine que les cadres eux-mêmes pourraient en tirer une leçon. »

Pendant ce temps, Jenny se tortillait sur mes genoux ; de ses doigts couverts de confiture, elle explorait mon visage, décidée à tout connaître de moi. Je fis le commentaire qu'elle était très à l'aise avec les hommes. Barry dit avec fierté : « Nous sommes si bien ensemble tous les deux. Nous jouons des heures entières. J'ai grand plaisir à jouer avec elle.

— Est-ce que ce "plaisir" vous inquiète ? demandai-je. De nos jours, on se préoccupe tellement du caractère sexuel de certains sentiments, des abus, qu'il y a des pères qui se sentent inhibés lorsqu'ils jouent avec leur fille.

— En fait, dit Barry, je suis un peu mal à l'aise quand elle grimpe au lit avec moi. J'ai suivi des cours de psychiatrie et c'est difficile de ne pas être gêné quand elle dit des choses comme : "J'aime ton pénis !" Mais je sais au fond de moi que notre relation est limpide et sûre, et je ne suis donc pas vraiment affecté. Je considère cela comme sa façon de vouloir mieux me connaître. J'espère que je ne lui donne aucun signe d'embarras.

— C'est une petite fille très directe, ajouta Eileen. L'autre jour, elle a dit : "Je n'aime plus ce bébé. Renvoie-le par avion. Je veux être ton seul enfant docteur."

— Elle est une véritable bénédiction, continua Barry. Elle m'a redonné mon intégrité personnelle. Elle a remis notre mariage sur de nouveaux rails. Nous aurions pu nous éloigner si facilement l'un de l'autre au cours de cette période tendue. A présent notre engagement mutuel est d'un caractère différent. Je considère Eileen comme une bonne mère. Elle me considère comme un bon père. Cela nous donne une assurance toute nouvelle. Nous sommes plus heureux que jamais. »

Jenny commença à se donner en spectacle. Elle fit la roue. Elle effectua de grands sauts. Elle manifestait la sorte de don physique, de coordination que j'avais déjà vue en Chine, chez les enfants qui s'entraînaient à l'acrobatie. Les petits Chinois sont si bien coordonnés qu'on est sidéré à les voir bouger et exécuter leurs mouvements. John qui, lui, arrivait juste de sa sieste, la suivit immédiatement, imitant chacun de ses mouvements, démontrant des signes avant-coureurs de la même coordination, de la même aisance motrice.

Eileen et Barry parlent avec fierté de ces dons remarquables et désirent les encourager. Ils veulent que Jenny suive un entraînement, mais elle y oppose une résistance butée. « Je veux le faire, *moi* », déclare-t-elle lorsque quiconque essaie de lui montrer une figure acrobatique. Il leur faudra du doigté pour l'amener à prendre des leçons. Je devine qu'ils veulent la voir développer ces dispositions particulières comme un moyen de l'aider à affronter les moqueries des autres enfants à propos de ses différences. Cela dit, il faut qu'elle soit prête à prendre des leçons, et non pas qu'elle soit forcée à subir un enseignement. Plus tard, elle peut très bien ressentir l'envie d'apprendre et de progresser. Des musiciens m'ont dit qu'un enfant doué est habituellement prêt à prendre des leçons et à accepter la discipline de l'étude vers l'âge de cinq ou six ans, mais pas avant. Jenny doit d'abord se rendre compte de son propre talent, des choses qu'elle est capable de faire toute seule. Alors, elle sera réceptive à l'enseignement d'un moniteur sensible qui pourra l'aider à développer ses dons. Par leur admiration et leur joie devant sa magnifique coordination, Barry et Eileen sauront suffisamment l'encourager pour le moment. Je les engageai à attendre jusqu'à ce qu'elle manifeste elle-même qu'elle était prête.

Cela n'est que trop facile de pousser un enfant de trois ans à apprendre quelque chose de nouveau — comme l'acrobatie, la lecture ou l'écriture. Si Eileen et Barry la faisaient commencer dès à présent, elle apprendrait. J'ai vu des enfants qui avaient appris à lire et à écrire à trois, quatre ans, ou à effectuer des exercices physiques, ou à jouer d'un instrument au même âge. Ces enfants essaient de faire plaisir aux adultes de leur entourage. Mais ils ne tirent pas obligatoirement un plaisir personnel de cet enseignement. Comme le dit Jenny : « Je veux le faire, *moi*. » Quand les enfants sont plus vieux, cet apprentissage précoce peut même être préjudiciable à l'enseignement scolaire. Les processus d'apprentissage précoces n'évoluent pas toujours en processus d'apprentissage ultérieurs, plus élaborés. Une enfant comme Jenny tirera plus de satisfaction personnelle en jouant, en découvrant spontanément, par des cabrioles, les différentes possibilités de son corps. Le jeu est la façon d'apprendre des enfants. Quand ils jouent, les enfants font toujours des expériences. Ils abandonnent les techniques qui ne marchent pas et continuent à améliorer celles qui réussissent. Si Eileen et Barry la poussaient à suivre des cours dès maintenant, cela pourrait étouffer la satisfaction personnelle qu'elle tire de la maîtrise de son corps. Eileen et Barry ont intérêt à respecter le refus obstiné de Jenny, et à encourager son apprentissage par le biais du jeu, des relations avec les autres enfants plutôt qu'avec des moniteurs adultes. Pendant les années qui précèdent l'école, la tâche de l'enfant c'est d'apprendre à se connaître, non pas d'apprendre la compétition ou des choses compliquées qui peuvent être acquises plus tard.

Comme je me préparais à m'en aller, Jenny devint un peu plus accaparante, comme si elle ne voulait pas me voir partir. Elle me fit monter dans sa chambre, me montra une photo et me dit fièrement : « Ça, c'est moi avec toi. » Elle avait raison. C'était une photo qui avait été prise à mon cabinet, et j'y figurais avec elle, bébé, en compagnie d'Eileen et Barry. Nous étions en train de sourire à ce bébé tout nouveau, si sérieux, qui venait d'arriver d'Orient. Elle nous regardait avec inquiétude et nous nous donnions beaucoup de mal pour essayer de communiquer avec elle. Je voyais tout le chemin parcouru par Eileen et Barry — et avec quelle sensibilité — pour s'adapter à cette adorable fille. A trois ans, Jenny était déjà sûre d'elle, pleine d'entrain ; on voyait qu'elle se sentait parfaitement chez elle.

Quand faut-il recourir
à une aide extérieure?

La question universelle à l'occasion d'une crise, c'est « Pourquoi moi ? ». La réponse, évidemment, est que ce n'est pas seulement vous. *Toutes* les familles rencontrent des crises. Apprendre à vivre avec le stress que ces crises apportent, c'est cela la maturité. Le stress peut ou miner ou renforcer une famille. En écrivant ce livre, j'ai essayé de montrer comment des familles peuvent tirer un enseignement des situations menaçantes, tragiques, accablantes auxquelles elles sont confrontées, et en sortir plus fortes. J'ai aussi recherché quelles étaient les attitudes ou les forces particulières qui orientaient les familles vers le succès. Les familles frappées par la mort, la maladie ou d'autres perturbations peuvent s'apitoyer sur leur sort ou se bloquer dans la résistance, le refus. Quand une famille se sent entraînée dans cette direction, une aide extérieure peut rétablir l'équilibre. Plusieurs des familles présentées dans ce livre ont trouvé de l'aide dans une thérapie, et toutes les familles ont eu recours à une aide en dehors du domaine psychothérapeutique, parents, amis ou médecins.

Comment les parents peuvent-ils savoir quand leur réaction au stress devient négative et quand ils ont besoin d'une aide extérieure ? La compréhension des stratégies universelles d'adaptation, que ce soit pour les individus ou pour les familles, rassurera les parents quand ils sont sur la bonne voie et les alertera quand ils peuvent avoir besoin d'aide.

Il y a une notion utile à connaître pour les familles en butte à un stress de quelque nature que ce soit : la neutralité du facteur stressant. Une famille ou tout individu s'adaptera, ou élaborera une réaction à un événement extérieur, pas tant à cause de la nature de l'événement qu'en fonction de sa force et de sa fragilité. Ces ressources, ces faiblesses, on ne peut pas les connaître à l'avance. En d'autres mots, il est impossible de prédire, à partir de la gravité du problème ou de la rupture, si une famille aura besoin d'aide. Une certaine famille peut sortir de l'épreuve d'une maladie ou d'un décès en éprouvant une nouvelle solidarité, tandis qu'une autre sera anéantie par le même événement. Pour décider de la nécessité d'une aide, il est plus utile de s'observer soi-même, d'être réceptif aux sentiments des autres membres de la famille, que d'identifier ou d'analyser le stress. L'expérience passée, la situation économique, les origines ethniques et les relations familiales, parmi d'autres influences, voilà ce qui va conditionner chaque individu à interpréter une épreuve, ce qui en conséquence déterminera si l'épreuve est supportable ou non.

Après avoir observé et les enfants et les familles pendant plus de trente-cinq ans, j'ai appris que la réaction d'une famille à une crise et à une nouvelle situation est identique à celle de l'enfant. Autrement dit, la façon dont un petit enfant accueille les expériences nouvelles (par exemple l'apprentissage de la marche) comporte certaines étapes prévisibles : régression, angoisse, maîtrise, énergie nouvelle, développement et enfin utilisation de l'acquis pour les progrès à venir. On peut distinguer les mêmes étapes chez les adultes qui sont confrontés à de nouvelles expériences, qu'elles soient positives ou négatives. L'épreuve représentée par une adoption, un divorce, une maladie ou d'autres changements, provoque en nous tous des réactions prévisibles par étapes. Tout comme un bébé acquiert un nouvel équilibre et un nouveau sens de soi après avoir terminé un apprentissage, de même une famille marche vers une stabilité nouvelle après avoir vécu une crise. Les individus, comme les familles, doivent être assez souples pour s'adapter, se transformer, mais aussi assez forts pour maintenir leur identité et conserver des liens solides.

Pour les familles ou les individus, la régression constitue souvent la première réaction au changement. Les enfants régressent avant de faire un progrès. Les problèmes peuvent surgir — l'enfant suce son pouce, ou mouille son lit ou dort mal. Au milieu de cette régression, la personnalité des enfants paraît se désintégrer — bébés, hyperdépendants, angoissés, peureux. A ce moment, de telles réactions de la part d'un enfant auparavant gai et entreprenant peuvent faire peur. Plus tard, on peut voir que c'étaient des stratégies conservatrices, des façons de protéger le temps et l'espace, avant de pouvoir trouver une énergie nouvelle et de nouvelles voies d'adaptation. On a pu voir régresser ainsi le petit Charles Cooper avant qu'il ne se remette de la mort de sa mère.

Les familles régressent elles aussi. Face à une perte ou à une situation nouvelle, les familles peuvent se désorganiser, leurs membres peuvent devenir tendus, agressifs. Une famille peut avoir besoin de se désintégrer pour susciter des réactions d'alarme chez chacun de ses membres, afin de mobiliser tout le monde pour un nouveau départ. Eileen O'Connell et Barry Beder ont évoqué les frottements surgis entre eux avant de réagir face à la stérilité, et de se décider à l'adoption. Cette période de régression peut paraître effrayante, car elle est susceptible de dévoiler les faiblesses et les manques de la famille en tant que système. Avant la crise, tout avait peut-

être l'air parfait, tout le monde se sentait bien —
superficiellement. C'est seulement sous l'effet du
stress que nous devenons conscients des rivalités
sous-jacentes, des peurs, de la faiblesse des liens qui
unissent la famille. Pour chaque membre d'une
famille, c'est une période de doute et de confusion :
Puis-je rassembler assez d'énergie pour faire face
aux nouvelles exigences ? Pouvons-nous en tant que
famille parvenir à nous liguer pour nous donner les
uns aux autres la force dont nous avons besoin ?
Malgré les souffrances et l'inconfort de ces
moments, une sorte d'adrénaline émotionnelle tra-
verse la famille, et ce sens même de désorganisation
prépare la place pour le changement et le progrès.

Après le choc initial, il y a souvent une période
d'incrédulité ou de refus, comme nous l'avons vu
chez la famille McClay. Après une perte grave, les
membres d'une famille peuvent se sentir déprimés,
incapables de manger ou de dormir, enclins à pleurer de façon imprévisible et incontrôlable, impuissants à agir ou à réagir. Des symptômes physiques
peuvent faire leur apparition. Dans ces moments,
enfants et adultes sont plus vulnérables aux infections.

Quand l'état d'hébétude initial disparaît, les soucis
émergent à propos de la situation. Des peurs irrationnelles peuvent surgir. Des activités familières,
comme de conduire une voiture, peuvent paraître
effrayantes. Les enfants peuvent avoir peur du noir,
de la séparation; ils peuvent être réveillés par des
cauchemars. Il arrive qu'ils refusent d'aller à l'école
ou de quitter la maison. La culpabilité est un autre
sentiment courant : Qu'ai-je fait ou que n'ai-je pas
fait pour que ça arrive ? Est-ce que mes pensées mal-
veillantes ou rancunières en sont la cause ? Ai-je fait
ce qu'il fallait pour éviter cela ? Les enfants surtout
entre trois et six ans sont la proie de ces inventions
irrationnelles. Ils ont peur d'être la cause de la maladie ou du divorce. Ils essaient de devenir excessive-

ment gentils. Ils ont tendance à prendre plus de responsabilités qu'ils peuvent n'en supporter — et renoncer ensuite avec un sentiment d'incapacité. Les adultes de la famille vont aussi ressentir de la culpabilité et vont essayer de devenir des modèles de vaillance et de force, d'une façon impossible à tenir.

Après ces périodes de refus, de peur et de culpabilité, ce peut être le repli. Si l'enfant ou la famille se sent dépassé par la situation, il ou elle peut être gagné par un sentiment d'impuissance. Les enfants qui ont un air tranquille, triste, ceux qui semblent plaire à tout le monde, mais dont on ne perçoit pas les émotions, ceux qui ne paraissent pas réagir à la douleur, qu'elle soit physique ou émotionnelle, peuvent se défendre contre le stress en se repliant sur eux-mêmes. Les familles elles aussi peuvent se retirer dans un monde à elles, tendu, lointain, lorsque les individus se sentent impuissants au milieu d'une crise. Nous avons vu cela chez la famille McClay qui a établi un rempart et s'y est retirée, sans aucune énergie pour aucune activité extérieure à la famille, pendant que le petit Kevin suivait sa chimiothérapie. Beaucoup de ces réactions — régression, refus, peur et repli sur soi — sont saines ; elles favorisent l'adaptation, elles donnent à l'enfant et à la famille du temps et de l'espace pour mobiliser leur énergie et trouver la voie vers un nouvel équilibre. C'est seulement quand l'enfant ou la famille sont bloqués que ces réactions deviennent plus destructrices que bénéfiques.

Dans chacune des familles de ce livre, nous avons vu que surmonter une crise pouvait renforcer le système familial. Comme un enfant en train de maîtriser une nouvelle activité, la famille qui passe avec succès le cap du divorce, de la maladie ou d'une autre tempête, en retire un sentiment d'exaltation, d'assurance : « Nous avons réussi ! » Lorsqu'un enfant parvient à un niveau supérieur de développement, il en retire un sentiment de compétence, qui

forme, améliore l'image que l'enfant se fait de lui-
même. On observe le même schéma chez les
familles. L'expérience de transcender un événement
stressant devient un facteur de renforcement pour
toute la famille.

Il y a cependant des stades où beaucoup de
familles ont le sentiment de tourner en rond et d'être
incapables de diriger leur vie. Une ou plusieurs des
réactions décrites plus haut deviennent dominantes.
La situation s'aggrave et échappe à tout contrôle.
Parfois, l'inévitable période de régression semble ne
pas passer, ou bien la famille lutte pour nier le problème. Parfois quelqu'un d'extérieur à la famille —
un enseignant, un pédiatre, une puéricultrice de
crèche ou un ami — peut faire une remarque sur le
stress et demander ce qu'il se passe. Le plus souvent,
un individu dans la famille va se sentir déprimé ou
complètement dépassé. Tous ces signaux suggèrent
qu'il peut être bon de songer à une thérapie quelconque ou à une aide extérieure.

Quand on essaie de déterminer si les émotions
douloureuses ou les problèmes ressentis sont normaux et susceptibles de passer avec le temps, ou s'il
faut chercher de l'aide, le signe le plus important est
peut-être le sentiment d'être *bloqué*. Les parents
peuvent remarquer qu'ils s'épuisent à se renvoyer
sans cesse certains problèmes, en tournant en rond.
Pour leur entourage, la solution apparaît parfois évi-
dente, mais du point de vue de la famille, le problème semble insoluble, désespéré.

Dans une telle situation, quelques séances de thérapie constituent souvent une véritable révélation :
« Je n'ai pas de raison d'être bloqué dans cette
impasse ! » Tout à coup, les parents parviennent à
voir que les « fantômes » de leur propre enfance leur
avaient obscurci la vue, que des émotions, des fan-
tasmes qui n'ont rien à voir avec la crise actuelle
avaient perturbé leur jugement.

Le premier recours possible sera le pédiatre, le

médecin de famille ou l'infirmière consultante qui pourvoit aux besoins médicaux courants de la famille. Comme nous l'avons vu à travers les histoires de ce livre, le fait de discuter ouvertement du problème avec une personne objective, ne faisant pas partie de la famille, peut apporter un éclairage nouveau, sans qu'on ait besoin de recourir à une véritable thérapie. Ce premier conseiller peut aussi adresser les parents à un groupe de soutien pour les familles dans la même situation, comme, aux États-Unis, Parents Without Partners, les associations de beaux-parents, ou les groupes de parents adoptifs.

Certaines familles auront la chance de trouver un pédiatre pratiquant ce qu'on appelle le « conseil préalable ». Quand on se prépare à un changement comme l'adoption prévue chez les O'Connell-Beder et les Cutler, comme la venue au monde d'un bébé dans une famille avec des enfants de deux mariages, ou comme l'approche de l'adolescence dans une famille avec un seul parent, chez les Cooper par exemple, il est bon d'avoir autant d'information et de soutien que possible. Un pédiatre est à même de préparer une famille aux tensions inhérentes à de tels changements et d'informer les parents de ce à quoi ils peuvent s'attendre, de leur montrer que leurs réactions sont universelles. Il peut les préparer aux angoisses qui les attendent inévitablement. Ce faisant, le praticien les aide à se rendre compte si leurs réactions sortent de la norme. Avec une préparation préalable, une famille est en meilleure condition pour supporter un changement.

Si une crise réclame plus de ressources que ne peuvent en rassembler les membres de la famille, un médecin de confiance sera capable de les aider à décider quand et auprès de qui aller chercher une aide plus conséquente. Parmi les thérapeutes possibles, on a le choix entre un psychiatre pour enfants ou pour adultes (qui ait un diplôme médical et une formation en psychiatrie), un psychologue (qui ait

passé une thèse et qui soit rompu à la psychothéra-
pie), un assistant social (de préférence spécialisé
dans le travail psychiatrique).

Pour les familles qui cherchent de l'aide pour une
crise ou un problème concernant plus d'un de leurs
membres, comme ceux que nous avons décrits dans
ce livre, il y a aussi le choix entre une thérapie individuelle, pour l'enfant ou un des parents, et une thérapie familiale. Le conseil du pédiatre ou de l'infirmière, le propre sentiment des parents sur la source
du problème, et leur préférence intuitive — ou leur
sensation d'être plus à l'aise — guideront leur choix
vers une situation individuelle ou collective.

La thérapie familiale est relativement nouvelle,
mais c'est un domaine qui progresse rapidement. Un
thérapeute familial bien entraîné évaluera les forces
et les échecs individuels de chaque membre, dans
leurs relations réciproques. Il se concentrera sur les
réussites préalables et les forces de cette famille, et
se servira d'elles pour venir à bout de la crise
actuelle. Si le thérapeute semble concerné avant tout
par les échecs, je recommanderais de rechercher une
personne plus équilibrée.

On doit envisager une thérapie individuelle quand
un enfant est terrifié ou replié sur lui, que les parents
ne peuvent plus communiquer avec lui, ou quand
des symptômes émotionnels ou psychosomatiques
entravent son comportement — à l'école, avec les
enfants de son âge ou avec ses frères et sœurs. Si
l'enfant donne l'impression de ne pas jouer activement, ou d'aimer moins jouer, cela peut aussi être
un signe d'alarme. Le grand analyste britannique
D.W. Winnicott a écrit que « tant qu'un enfant joue,
on peut tolérer un symptôme ou deux, et, tant qu'un
enfant prend plaisir à jouer seul et avec d'autres
enfants, il n'y a pas de problème sérieux ». Un autre
signe révèle qu'un enfant a besoin d'aide : c'est la
réaction des autres enfants. S'ils sont constamment
sur la défensive, s'ils se tiennent à l'écart, ils sentent

que l'enfant est perturbé. Lui ou elle, en réaction, sentira qu'il est rejeté, et cela peut mener à un cercle vicieux d'isolement.

La thérapie peut constituer pour la famille entière une occasion majeure de tourner son regard vers les réussites passées, de consolider ses forces, et de se réorganiser à un niveau d'accomplissement nouveau.

Cela vaut la peine d'entreprendre une thérapie dans le but de maintenir la cohésion familiale ; mais le fait d'avoir surmonté une crise aura aussi des répercussions pendant des années sur les parents et les enfants. Aucune famille ne reste à l'arrêt. Il y aura du changement, soit vers une désorganisation et une réduction des possibilités, soit vers un progrès et une plus grande solidarité. Une famille courageuse et chaleureuse comme celles de ce livre fera tout ce qu'il faut pour progresser et avancer.

Table

Table 313

T. Berry Brazelton
dans Le Livre de Poche :

Trois bébés dans leur famille :   nº 6285
Laura, Daniel et Louis

Les bébés ne se ressemblent pas. Ce fait, pourtant évident, est invariablement négligé par les livres destinés aux jeunes parents. Il est donc — avec ses nombreuses conséquences sur la façon d'élever les enfants — la principale raison de ce livre.

T. Berry Brazelton, pédiatre mondialement connu, suit, mois par mois, un an de la vie de trois enfants : Laura, la placide, Daniel, l'actif, Louis, un bébé « moyen ». Il y a celui qui sait faire tous les gestes avant les autres ; celui qui fait ses découvertes plus tard ; et la petite fille qui, avant de se lancer, préfère tout observer.

Ces histoires vécues nous montrent que le nouveau-né influe sur son environnement au moins autant que celui-ci agit sur lui et qu'il a plus de défenses qu'on ne pourrait le croire. En même temps, elles répondent aux questions principales sur la santé, la psychologie, l'alimentation, la vie de tous les jours.

Un livre chaleureux, passionnant, qui s'adresse aux parents, bien sûr, mais aussi à tous ceux qui s'intéressent à cette petite merveille : un bébé.

Un grand classique.

T. Berry Brazelton vous parle de vos enfants

n° 6726

Le célèbre pédiatre américain T. Berry Brazelton sait parler aux parents avec un talent particulier. Il est simple, direct et chaleureux. Dans ce livre, il aborde les problèmes les plus courants de la vie des enfants, des bébés, comme des plus grands : les pleurs, la discipline, les peurs, la rivalité entre frères et sœurs, la « bataille » de l'enfant pour l'indépendance, etc. T. Berry Brazelton évoque ces difficultés à sa manière, en racontant l'histoire de cinq familles, leurs joies, leurs peines et leurs frustrations. Au gré de ses observations, il donne également des conseils pratiques plus généraux qui aideront chacun à trouver ses propres solutions.

Composition réalisée par EURONUMÉRIQUE

IMPRIMÉ EN FRANCE PAR BRODARD ET TAUPIN
La Flèche (Sarthe).
N° d'imprimeur : 2745 – Dépôt légal Édit. 3643-06/2000
LIBRAIRIE GÉNÉRALE FRANÇAISE - 43, quai de Grenelle - 75015 Paris.
ISBN : 2 - 253 - 05837 - 8